Даниэла Стил

Прекрасная незнакомка

АСТ
ИЗДАТЕЛЬСТВО
Москва
1999

ББК 84 (7США)
С80

Danielle Steel

A PERFECT STRANGER

1981

Перевод с английского

Серийное оформление А.А. Кудрявцева

Стил Д.

С80 Прекрасная незнакомка: Роман/Пер. с англ. – М.: ООО “Фирма ‘‘Издательство АСТ”, 1999. – 432 с.

ISBN 5-237-01454-2

Прекрасная незнакомка Рафаэлла знакомится с молодым адвокатом Алексом. Молодые люди, казалось, встретили свое счастье. Но Рафаэлла несвободна. У нее тяжело болен муж – влиятельный банкир...

Смогут ли главные герои перенести долгую разлуку и найти друг друга, вы узнаете, прочитав эту книгу.

Никласу —
чтоб нашел ты в жизни желанное
и опознал его, завидев,
удачливо его обрел —
и сберег!!!

Со всею любовью,
Д. С.

Глава 1

Дверь гаража неспешно отворилась, будто большущая смуглая жаба распахнула пасть в готовности поглотить зазевавшуюся муху. По другую сторону улицы мальчик восторженно наблюдал за этим. Он обожал это зрелище, знал, что незамедлительно покажется из-за угла красивое спортивное авто. В ожидании считал... пять... шесть... семь... Включивший сейчас дистанционное устройство водитель машины понятия не имел, что мальчик каждый вечер следит за его прибытием, чтит этот ритуал и расстраивается, если хозяин черного «порше» припозднится или не явится. И вот мальчишка стоял в сумраке, считал... одиннадцать... двенадцать... тогда стало видно, как бегущая черная тень мелькнула на повороте и тихо скользнула в гараж. Оставшийся незамеченным, мальчик еще чуточку полюбовался красавцем автомобилем, а потом двинулся помаленьку домой; черный «порше» стоял у него перед глазами.

Попав в гараж, Александр Гейл выключил мотор. Не спеша вставать, глянул в привычные потемки своего гаража. В сотый раз за день мысли его вновь обратились к

Рэчел. И в который раз он отогнал от себя мысли о ней. Тихо вздохнул, прихватил портфель и вылез из машины. Электронное устройство не замедлит автоматически затворить гаражную дверь. Сам он направился в дом через выходящую в сад боковую дверь. Алекс остановился в нижнем холле миловидного викторианского городского домика и заметил пустынность некогда уютной кухни. Медные сосуды свисали с кованой железной рамы, но рука судомойки не касалась их, а больше некому было позаботиться. Цветы, густо уставленные близ окон, были засохшими и безжизненными; включив в кухне свет, хозяин заметил, что многие растения уже погибли. Он ушел оттуда, скользнув взглядом по обшитой деревом маленькой столовой по другую сторону холла, медленно поднялся в бельэтаж.

Теперь он, возвращаясь домой, всегда входил через сад. Это не столь тягостно, как войти парадной передней. Как ни явишься вечером к парадному входу, все ждешь, что она тебя встретит с роскошной копной густых светлых волос, прихваченных на затылке, в обманчиво строгом наряде, в котором она ходила в суд. Рэчел... блистательный юрист... верный товарищ... влекущая женщина... пока не ранила она его... пока не покинула... пока не настал их развод, ровно двумя годами раньше, день в день.

Сегодня он рассуждал по пути домой из конторы, всегда ли так будет помниться тот день. Будет ли и дальше больно отзываться в памяти то утро в октябре?

Право, удивительно, как обе их годовщины выпали на один и тот же день. Годовщина свадьбы, годовщина развода. Совпадение, невозмутимо заявила Рэчел. Неувязка, сказал Александр. Ужас, произнесла его мать, позвонив в тот вечер, когда пришли бумаги, и застав его вдребезги пьяным и хохочущим.

Рэчел. Мысли о ней по-прежнему тревожили его. Вроде бы по прошествии двух лет такого не должно быть, но вот поди... Золото волос и глаза цвета Атлантического океана в канун шторма, темно-серые с сине-зеленым отливом. Впервые он встретил ее в качестве адвоката другой стороны в деле, которое решалось вне суда. Но там была истая битва, Жанна д'Арк не смогла бы отстаивать свое дело с большей страстью и последовательностью. Александр не сводил с нее глаз во время прений, восхищенный, увлеченный, его тянуло к ней, как ни к одной женщине за всю его жизнь. Он пригласил ее в тот вечер отужинать, и она настояла, чтоб счет они оплачивали пополам. Не желает она «портить профессиональные отношения», так было сказано с хитроватой улыбочкой, после которой ему хотелось то ли закатить ей пощечину, то ли сорвать долой всю одежду. Рэчел была чертовски красива и чертовски толкова.

Воспоминание о ней заставило Александра нахмурить брови, когда он проходил через пустую гостиную. Всю обстановку этой комнаты она увезла с собой в Нью-Йорк. Остальную их мебель оставила Алексу, но большая, просторная гостиная в бельэтаже милого викторианского домика, который они вместе покупали, осталась пустой. Часто он, пересекая комнату перед уходом, подумывал, что если купить новую обстановку вместо памятной, то и Рэчел позабудется. Однако на сей раз, поднявшись сюда, он не обратил внимания на окружающую пустоту. Мыслями он был за тридевять земель, вернувшись к той поре, когда Рэчел еще не покинула его, раздумывая, что их связывало, а что разделяло. Были общие надежды, шутки и смех, общая профессия, их постель, дом и, пожалуй, все.

Алекс хотел детей, чтобы спальни верхнего этажа наполнились шумом и смехом. Рэчел хотелось заняться политикой или устроиться в одну из ведущих нью-йоркских юридических фирм. О политике она маловразумительно упоминала еще при их знакомстве. То был бы естественный для нее путь. Отец ее, влиятельное лицо в Вашингтоне, успел побывать губернатором их родного штата. Вот что еще оказалось у них общего — сестра Алекса представляла в конгрессе Нью-Йорк. Рэчел неизменно восторгалась ею и быстро завязала тесную дружбу с Кэ. Но не политика отобрала Рэчел у Алекса, а другая половина ее устремлений — юридическая фирма в Нью-Йорке. В общем, ей понадобилось два года, чтобы подняться в цене и уйти от него. Сейчас он мысленно провел пальцем по нанесенной ране. Рана уже не язвила как прежде. А прежде причиняла неведомую до той поры боль.

Рэчел была красива, блистательна, удачлива, деятельна, привлекательна... Однако недоставало в ней мягкости, нежности, доброты. Такие слова не применишь к Рэчел. Ей хотелось от жизни большего, нежели просто любить Александра, просто быть адвокатом в Сан-Франциско и чьей-то женою. Когда они встретились, ей исполнилось двадцать девять, и это был ее первый брак. Оказалось, что ей некогда было выйти замуж раньше, так она объяснила Алексу, надлежало добиваться поставленных целей. Заканчивая юридическое образование, она решила к тридцатилетнему возрасту проявиться «по-крупному». «Что понимать под этим?» — спросил он у нее. «Сто тысяч в год», — ответила она не моргнув глазом. Сперва он поднял ее на смех. После всмотрелся в ее взгляд. Она говорила всерьез. И добилась своего. Всю жизнь устремленная к такому успеху. К успеху в такой системе измерений, где денежные счета и громкие дела, и неважно, кого погубит судебный процесс. До отъезда в Нью-Йорк Рэчел успела одолеть половину Сан-Франциско, даже Алексу пришлось под конец убедиться, какова она. Холодна, безоглядна, честолюбива, ни перед чем не остановится, чтобы достичь собственной цели.

Через четыре месяца после их свадьбы открылась вакансия в одной из самых престижных юридических фирм Сан-Франциско. Сперва Алексу польстило, что ее кандидатуру вообще принимают во внимание. Как-никак, совсем молодой, начинающий адвокат, однако скоро стало заметно, что она готова на любые грязные уловки, лишь бы получить это место. Так и вела себя, и место получила. Он уговаривал себя, что Рэчел просто переняла тактику бизнесменов, но последовало полное разъяснение. Ее сделали полноправным партнером и предложили место в нью-йоркской конторе фирмы. На сей раз больше чем на сто тысяч долларов в год. А Рэчел Гейл было всего тридцать один. Александр со страхом и восхищением наблюдал, как ей давался выбор. Прост был выбор, а что касается Алекса, то о выборе и речь не шла. Нью-Йорк или Сан-Франциско, Александр или без него. В конце концов, она ласково сообщила ему, что нельзя же отказаться от столь заманчивого предложения. «Но это не отменяет наши отношения». Она, мол, будет прилетать домой в Сан-Франциско почти каждую неделю, если же Алекс хочет, то... может свернуть здесь свою практику и вместе с нею ехать на Восток.

И что там делать? Готовить ей материалы? Он глядел на нее в обиде и гневе. «Что со мной станется, Рэчел?» — обратился он к ней, когда она заявила о своем решении занять должность в Нью-Йорке. Ему хотелось, чтобы вышло по-иному. И она бы сама сообщила ему, что отказывается занять то место, потому что Алекс для нее важнее. Подобное было не в стиле Рэчел, равно как не в стиле сестры Алекса. Задумавшись, он понял, что раньше уже видел женщину, схожую с Рэчел. Кэ, его сестра, прокладывала себе путь к цели сквозь любые преграды, пожирая или уничтожая перебегающих ей ненароком дорогу. Единственная разница — Кэ поступала так в политике, а Рэчел — в юриспруденции.

Легче понимать и уважать такую женщину, как его мать. Шарлотта Брэндон осилила-таки и двоих детей, и успешную карьеру. В течение двадцати пяти лет держась в числе самых тиражируемых писателей страны, она все же не забывала об Алексе и его сестре, всегда была рядом, любила их и отдавала им себя целиком. Муж ее умер, когда Алекс едва родился, и она устроилась на неполный рабочий день в редакцию, где обрабатывала данные для обзоров. Порой писала их целиком, одновременно же, улучая любую минутку, до рассвета сидела над первой своей книгой. Остальное можно узнать из сведений на обложках девятнадцати книг, созданных ею и разошедшихся за эти годы в миллионах экземпляров. Успеха она достигла случайно, от нужды. Каковы бы ни были мотивы, она всегда воспринимала это как воздаяние, которое надлежит разделить и отпраздновать вместе с детьми, а не как нечто, что ей дороже детей. Шарлотта Брэндон и вправду была замечательная женщина, но дочь у нее выросла иной, озлобленной, завистливой, резкой, не передались ей от матери ласковость, теплота, бескорыстие. И в свое время Алекс осознал, что этих качеств лишена и его супруга.

Уезжая в Нью-Йорк, Рэчел твердила, что не желает развода. Какое-то время старалась наезжать, но занятость обоих на противоположных концах страны делала их совместные уик-энды все более редкими. Безнадежная штука, как-то раз заметила Рэчел. Алекс же после двух нескончаемых недель совсем уж решил оставить собственную доходную практику и перебраться в Нью-Йорк. Черт возьми, велика ли важность, стоит ли держаться за свои занятия, если при этом потеряешь жену? Однажды, в четыре часа утра, он принял решение: прекратить практику и уехать. Измученный, но полный надежды, он подошел к телефону, чтобы звонить ей. Было семь утра по нью-йоркскому времени. Но услышал он не Рэчел. А мужчину с глубоким медоточивым голосом. «Вам миссис Гейл? — поначалу не мог тот понять. — А, мисс Паттерсон». Рэчел Паттерсон. Алекс не верил, что новую, нью-йоркскую жизнь начала она под прежним своим именем. И не знал, что вместе с новой работой стал новым и весь ее быт и уклад. Мало что смогла она сказать ему в то утро, и, слушая доносящийся издалека голос, он не мог сдержать слез. Позже, уже днем, она позвонила ему из конторы.

— Что сказать, Алекс? Прости...

Простить что? Ее переезд? Ее роман? За что она извиняется? Или просто жалеет его, этакого бедного восторженного недоноска, одиноко сидящего в Сан-Франциско.

— Есть хоть какой-то шанс все наладить? — Он был готов пойти на это, но на сей раз она ответила честно:

— Нет, Алекс. Боюсь, что нет.

Поговорили еще несколько минут, прежде чем повесить трубку. Не о чем было беседовать, разве что их адвокатам. На следующей неделе Александр подал на развод. Все прошло гладко. «Как положено, цивилизованно», — высказалась Рэчел. Проблем никаких не возникло, только вот Алекс был пронзен до глубины души.

Целый год ему казалось, что некто близкий и дорогой скончался.

Возможно, скорбел он о себе самом. Казалось, некая его часть отбыла в контейнерах и ящиках, подобно обстановке гостиной, уплывшей в Нью-Йорк. Держался он вполне в норме: ел, спал, виделся с людьми, ходил плавать, играть в теннис, бадминтон, сквош, бывал в гостях, разъезжал, его практика переживала бум. Но что-то существенное в нем самом потерялось. И он знал о том, пусть другим оно и незаметно. Ему нечего было предложить женщине, кроме собственного тела, в последние два с лишним года.

Пока он добирался до своего кабинета, тишина в доме показалась вдруг непереносимой, оставалось бежать отсюда. В последнее время такое случалось с Алексом часто — безудержный порыв манил подальше от пустоты и тиши. Лишь после двух лет отсутствия Рэчел стало спадать оцепенение. Будто наконец сняли бинты и обнажилось незаживающее одиночество.

Алекс переоделся в джинсы, кроссовки, старую куртку и сбежал вниз, легко касаясь перил длинными сильными пальцами. Темные волосы слегка растрепались, взгляд голубых глаз стал сосредоточенным, когда он захлопнул дверь и повернул направо, добрался до Дивисадеро, там перешел на неспешный бег вверх по крутому холму, ведущему к Бродвею, где остановился и окинул взглядом изумительный пейзаж. Внизу в полутьме сверкала бухта, холмы затянул туман, огни взморья искрились алмазами, рубинами, изумрудами по ту сторону залива.

Добежав до представительных особняков Бродвея, он свернул направо и зашагал к Пресидио, бросая взор то на высокие броские здания, то на мирную красу бухты. Здешние дома были одними из роскошнейших в Сан-Франциско. Тут помещались два-три квартала самых дорогих в городе жилищ, претенциозные кирпичные дворцы и имитирующие старину особняки, ухоженные усадьбы, восхитительные панорамы, мощные деревья. Не встретишь ни души, и не донесется ни звука от ровного ряда зданий, хотя нетрудно вообразить себе звон хрусталя, блеск начищенного серебра, слуг в ливреях, дам и господ в вечерних туалетах. Алекс всегда посмеивался над тем, что именно видится ему. По крайней мере, такие видения облегчали его одиночество. Совсем другое воображал он, минуя дома поменьше на менее представительных улицах, которыми обычно проходил. Там ему чудились мужья, обнимающие своих жен, улыбчивые дети и щенки, резвящиеся в кухне или растянувшиеся перед потрескивающим жарким камином. В тех больших домах его ничто не привлекало. Тот мир не воодушевлял его, хотя в подобных усадьбах он бывал весьма часто. Для себя Алексу хотелось совсем иного, того, чего они с Рэчел никогда не имели.

Трудно было представить себя опять влюбленным, нежно-заботливым с кем-то, представить, что посмотришь кому-то в глаза — и тебя охватит радость. Этого с Алексом не случалось так давно, что он почти позабыл подобные чувства и порою терял уверенность, что когда-нибудь испытает их вновь. Он устал от шумливых деловитых дам, более озабоченных своими заработками и перспективами продвижения по службе, чем обзаведением семьей и детьми. Ему нужна была старомодная женщина, чудо, раритет, самоцвет. А таковых не обнаруживалось. Лишь дорогостоящие лжеувлечения два года кряду. А хотелось найти истинный совершенный алмаз, и возникало сомнение, сыщется ли такой. Одно знал он твердо: он не намерен поддаваться чему-либо мельче своей мечты. Кого-то вроде Рэчел ему не надо. Это он тоже понял.

Вновь Алекс освободился от мыслей о ней и обводил взглядом окрестность, стоя на лестнице Бейкер-стрит. Ее крутые ступени были выбиты на спуске, соединяющем Бродвей с Вальехо-стрит внизу. Алексу приглянулся пейзаж и прохладный ветерок, и он решил дальше не ходить и присел на верхней ступеньке. Раскинув свои длинные ноги, Александр улыбнулся городу, с которым породнился. Пусть он никогда больше не женится. Ну и что? У него отлаженная жизнь, прелестный дом и привлекательная и благополучная юридическая практика. Может, большего незачем и желать? Может, и права нет спрашивать большего?

Взор его запечатлевал пастельные домики у набережной, изукрашенные викторианские жилища, вроде его собственного, важничающий, в греческом духе, круглый Дворец пяти искусств прямо внизу, потом, оглядев его купол, возведенный Мейбеком полвека назад, невольно перевел глаза на крыши под собою, и тут внезапно явилась она. Женщина, сидящая, обхватив свои плечи, на ступенях внизу, была словно изваянная статуя наподобие тех, что стоят во Дворце пяти искусств, только более утонченная, со склоненной головой. Алекс заметил, что сидит тихо-тихо, уставясь на нее, словно на изваяние, произведение искусства, кем-то оставленное здесь, восхитительно отображенную в мраморе женскую фигуру, столь искусно сотворенную, что смотрится почти как живая.

Та не пошевельнулась, и он не сводил с нее глаз минут пять. Затем, распрямившись, она глубоким вдохом вобрала в себя свежий ночной воздух, а выдох был медленный, будто день накануне выпал ей нелегкий. Ее окружало облаком светлое меховое манто, и Алекс смог разглядеть ее лицо. Что-то было в ней особенное, отчего он и не сводил с нее глаз. Так и сидел, уставив взгляд. Кто она? Почему здесь? Ее присутствие потрясло его, и он сидел недвижно, желая узнать больше.

Ее кожа казалась во мраке особенно белой, темные волосы блестели, собранные в пучок на затылке. Похоже, волосы она носила очень длинные, и держались они в прическе всего лишь парою точно размещенных шпилек.

К Алексу на миг подступило сумасшедшее желание кинуться вниз по ступеням напрямик к ней, коснуться ее, обнять и распустить ее темные волосы. И, чуть не разгадав его помыслы, она вдруг подняла взор, оставляя свои грезы, будто возвращенная сильной рукою из дальнего далека. Она обернулась в его сторону, вздрогнула и вскинула голову. Алекс увидел прямо внизу перед собой невиданно прекрасное лицо. Лицо совершенных пропорций художественного произведения, с чертами тонкими, хрупкими, беспорочный лик с огромными темными очами и нежно очерченным ртом. Пленившие его с первого взгляда глаза, невидящие, словно поглотившие все остальное лицо, эти глаза, казалось, были полны бесконечной печали, и в свете уличных фонарей ему стали заметны два блещущих ручейка слез на беломраморных щеках. На одно нескончаемое мгновение их взгляды встретились, и Алекс почуял, как всеми фибрами своего существа рвется к незнакомой большеглазой темноволосой красавице. Сидя там, выглядела она такой ранимой, такой растерянной, но вот, словно смутясь, что позволила ему хоть мельком заметить это, поспешила опустить голову. Какую-то секунду Алекс не шевелился, потом вновь ощутил тягу к ней, увлекаемый идти прямо туда. Он все смотрел на нее, обдумывая, как же ему действовать, и в этот миг она встала со ступеней, кутаясь в манто. Оно было из рыси и окутало ее облаком. Взгляд ее снова нашел Алекса, но лишь на мгновенье, затем же, словно видение, она скрылась за живой изгородью.

Алекс не сразу отвел взор от того места, где она пребывала, он прирос к месту, на котором сидел. Все свершилось так быстро. Затем он внезапно вскочил и побежал вниз по ступеням туда, где только что находилась она. Увидел узкую дорожку, ведущую к солидной калитке. Он не мог опознать сад за нею, не разберешь, к какому дому он относился. Надлежало выбирать из нескольких. Тайна оставалась. Охваченный бессилием, он хотел было постучать в калитку, в которую она вошла. Может, прячется в саду, сидит там, заперев калитку. Подступило отчаяние от того, что им никогда уже не увидеться. Потом Алекс, осознав всю глупость своего поведения, напомнил себе, что перед ним была всего-навсего незнакомка. Он долго и задумчиво смотрел на калитку, затем медленно повернулся и пошел назад, вверх по ступеням.

Глава 2

Алекс уже подошел к своей парадной двери и стал отпирать ее, а заплаканное лицо той женщины все преследовало его. Как зовут ее? Отчего она плакала? Из какого дома выходила? Он сел на узкую винтовую лестницу в передней, выходившую в опустевшую гостиную, и смотрел на отражение луны на голом деревянном полу. Никогда не встречалась ему столь обольстительная женщина. Такое лицо может запомниться на всю жизнь, и Алекс, все еще сидя неподвижно, понял, что не забудет его, если и не до конца дней, то очень надолго. Он даже не расслышал телефонный звонок, прозвучавший несколькими минутами ранее, настолько погрузился в мысли об открывшемся ему видении. Когда же расслышал телефон, то живо взбежал в несколько прыжков на верхний этаж и успел войти в кабинет и извлечь аппарат из-под кучи бумаг на письменном столе.

— Привет, Алекс. — Последовало напряженное молчание. Звонила сестра Кэ.

— Чем обязан? — То есть что ей нужно. Она никогда никому не звонила без нужды или важного ей дела.

— Ничего особенного. Где ты был? Полчаса не могу дозвониться к тебе. Девица, у которой вечерняя работа в твоей конторе, ответила мне, что ты уехал прямо домой. — Верна себе. Найдет, что ей требуется и когда ей необходимо, по нраву ли это кому или нет.

— Вышел пройтись.

— В такой час? — В голосе прозвучала подозрительность. — Чего ради? Что-нибудь случилось?

Про себя Алекс тихо вздохнул. С годами сестра извела его. Осталось так мало сочувствия, доброго отношения к ней. Вся она — сплошные острые углы. Пожалуй, похожа на хрустальную вазу с твердыми, остро заточенными гранями, которую можно поставить на стол, не без удовольствия разглядывать, но не трогать и в руки не брать. С годами стало заметно, что и ее муж подобного мнения.

— Нет, Кэ, ничего не случилось. — Однако следовало заметить, что при всем ее безразличии к чувствам прочих людей Кэ обладала сверхъестественной способностью угадывать, когда ему не по себе или он вне себя. — Выходил воздухом подышать. День выдался длинный. — А потом, чтобы утихомирить беседу и слегка отвести внимание Кэ от его персоны: — Ты разве никогда не выходишь пройтись?

— В Нью-Йорке? Это надо выжить из ума. Едва подышишь, и помрешь.

— Уж не говоря про то, что оберут и изнасилуют. — Он хмыкнул в трубку и догадался, что она тоже улыбнулась. Кэ Вилард не из улыбчивых. Всегда в напряжении, в спешке, в мельтешении, до веселья ли... — Так чему я обязан честью услышать этот телефонный звонок? — Алекс устроился в кресле и стал смотреть в окно, терпеливо ожидая ответа.

Долгое время Кэ позванивала ему относительно Рэчел. Поддерживала отношения с бывшей своей невесткой — ясно зачем. Бывший губернатор входил в число тех, кого хотелось бы удержать в своей свите. А стоит уговорить Алекса возобновить отношения с Рэчел, то старику это придется по душе. При том, понятно, условии, что удастся убедить Рэчел, как отчаянно Алекс без нее страдает и как важно будет для него ее согласие на новую попытку примирения. Кэ не гнушалась подобных хлопот. Уже не раз пыталась устроить им встречу, когда Алекс появлялся в Нью-Йорке. Но если бы Рэчел и пошла на это, в чем Кэ не вполне уверена, со временем стало ясно, что Алекс против.

— Итак, госпожа депутат Вилард...

— Ничего особенного. Хотела поинтересоваться, когда ты попадешь в Нью-Йорк.

— Зачем тебе?

— Не нуди, ради Бога. Просто надумала созвать кое-кого на ужин.

— Кого именно? — Алекс понял, откуда ветер дует, и ухмыльнулся. Забавно, сестра у него как танк. Не отнимешь у нее способности стоять на своем.

— Да ладно, Алекс, не будь таким подозрительным.

— Кто подозрителен? Просто хочу знать, с кем ты желаешь свести меня за ужином. Что странного? А если в списке гостей окажется некто, способный всех нас поставить в неловкое положение? Если я угадаю инициалы, тебе, Кэ, легче будет ответить.

Пришлось ей изменить себе и рассмеяться.

— Ладно, ладно, поняла тебя. Но, Господи, я случайно летела с ней на днях одним самолетом из Вашингтона, и выглядит она, Алекс, отменно.

— А то как же. При ее заработках и ты бы так выглядела.

— Спасибо, дорогой.

— Всегда пожалуйста.

— Ты слышал, что ей предложили баллотироваться в городской совет?

— Нет. — Последовало долгое молчание. — Впрочем, меня это не удивляет. А тебя?

— Тоже нет. — Тут его сестра глубоко вздохнула. — Порой мне хочется понять, осознаешь ли ты, от чего отказался.

— Как же, сознаю. И неизменно благодарен. Неохота, Кэ, быть мужем политического деятеля. Такая почетная роль пусть достается лишь тем, кто подобен Джорджу.

— Как это прикажешь понимать?

— Он так погружен в свою работу, что наверняка и не замечает, когда ты по три недели находишься в Вашингтоне. Что касается меня, я бы замечал. — Он не добавил, что ее дочь тоже замечает. Ему это известно, поскольку он подолгу разговаривал с нею при каждом своем приезде в Нью-Йорк. Забирал ее на обед, на ужин, на долгие прогулки. Знал племянницу лучше, нежели ее собственные родители. Порой ему казалось, что Кэ не уделяет дочери никакого внимания. — Кстати, как там Аманда?

— В порядке, надеюсь.

— Что значит, «надеюсь»? — В его тоне легко читался упрек. — Ты с нею не виделась?

— Боже мой, я только успела вылезти из вашингтонского самолета. Чего ты от меня требуешь, Алекс?

— Немногого. Твои дела меня не касаются. Твое отношение к ней — это нешно иное.

— И это тебя тоже не касается.

— Разве? А кого тогда это касается, Кэ? Джорджа? Да замечает ли он, что ты и десяти минут никогда не проведешь с родной дочерью? Наверняка знать того не знает.

— Ей шестнадцать лет, и, слава Богу, нянька уже не требуется, Алекс.

— Нянька — нет, но нужны мать и отец — как всякой молодой девушке.

— Ничего не могу поделать. Мое занятие — политика. Разве не знаешь, сколько она отбирает сил.

— Угу. — Он медленно покачал головой. Вот чего она хотела ему пожелать. Жизни с Рэчел «Паттерсон», жизни, низводящей до приближенного мужчины. — Что еще скажешь? — Разговор продолжать не хотелось, и за пять минут он наслушался предостаточно.

— На следующий год меня выдвинут в сенат.

— Поздравляю, — сказано это было вяло.

— Не очень-то радуйся.

— Я не очень. Думаю вот о Мэнди, о том, во что это выльется для нее.

— Если я пройду, это выльется в то, что она станет дочерью сенатора, так-то вот. — В ответе Кэ прозвучала внезапная резкость, Алексу захотелось огреть сестру.

— Полагаешь, ее это вправду трогает?

— Возможно, и нет. Деточка витает где-то в облаках и, возможно, ухом не поведет, если меня выдвинут в президенты. — На миг Кэ взгрустнулось, а брат покачал головой.

— Не в том суть, Кэ. Все мы тобой гордимся, любим тебя, но существует нечто более высокое, чем... — Как ей скажешь? Как объяснишь? Ничто ее не заботит, кроме своей карьеры, своих дел.

— По-моему, всем вам невдомек, что это значит для меня, как тяжело все дается и сколько мне удалось. Занятие самоубийственное, и я с ним справляюсь, а ты только и знаешь, что поносить меня, что я дурная мать. А твоя мамочка того хуже. А Джордж слишком занят тем, что потрошит людей, и не помнит, кто я — член конгресса или мэр. Все это, паренек, несколько огорчает, мягко говоря.

— Не сомневаюсь. Но случается, окружающие страдают от карьеры вроде твоей.

— Этого следует ожидать.

— Следует? И все ради карьеры?

— Может, и так. — Голос ее прозвучал устало. — Я не готова дать полный ответ. При всем желании. А как ты? Что в твоей жизни новенького?

— Мало что. Работа.

— Тебе хорошо?

— Иногда.

— Вернулся бы ты к Рэчел.

— Ну, быстро же ты сползла к главной теме. Не хочу я, Кэ, возвращаться. Кроме того, откуда ты взяла, что я ей нужен?

— Она сказала, что с удовольствием повидается с тобой.

— Ох, Боже мой, — он вздохнул в трубку. — Ты ведь не отступишься. Отчего бы тебе не пожениться с ее отцом и оставить меня в покое? Результат получишь тот же, не так ли? — На этот раз Кэ рассмеялась.

— Возможно, и так.

— Ты вправду надеешься, что я буду вести свою интимную жизнь исключительно в интересах твоей карьеры? — Такая идея развеселила его, но под ее бессовестностью, он чувствовал, кроется частичка правды. — Пожалуй, в старшей сестре мне всего милей ее упорство.

— Оно, мой младший брат, приносит мне то, чего я добиваюсь.

— В чем я не имею сомнений, кроме как в нынешнем случае, милочка.

— Значит, поужинать с Рэчел ты отказываешься?

— Ага. Но если опять ее повстречаешь, пожелай от меня всего лучшего. — Что-то в нем вновь шевельнулось при упоминании ее имени. Он больше не любил Рэчел, но временами не мог безболезненно слышать о ней.

— Обязательно. А ты пораскинь умом. Я всегда готова свести людей, если ты заглянешь в Нью-Йорк.

— А мне тогда повезет, ты уедешь в Вашингтон или будешь слишком занята, чтобы со мной повидаться.

— Не исключено. Так когда ты собираешься к нам на Восток?

— Видимо, через полмесяца. Есть у меня клиент, к которому надо съездить в Нью-Йорк. Я здесь представляю его интересы в очень крупном деле.

— Впечатляет.

— Тебя? — Глаза его сузились, он посмотрел вдаль из окна. — Отчего бы? Подходяще звучит для твоей предвыборной кампании? По-моему, мамины читатели принесут тебе больше голосов, чем мои дела. — Прозвучало это с некоторой иронией. — Если, конечно, я не одумаюсь и не женюсь вновь на Рэчел.

— Только не попади в какую-нибудь переделку.

— Разве со мной это бывало? — весело сказал он.

— Нет, но раз я выдвигаюсь в сенат, то гонка будет крутая. Мой конкурент — маньяк нравственности, и если кто-либо даже из моей отдаленной родни натворит что-то неприличное, меня смешают с дерьмом.

— Не забудь предупредить маму, — пошутил он, но Кэ ответила незамедлительно и с полной серьезностью:

— Уже предупредила.

— Ты шутишь? — Он расхохотался при одной мысли, что его элегантная, статная, модно одетая седовласая мать совершит нечто недостойное, способное опрокинуть надежды Кэ на место в сенате или где-либо еще.

— Я не шучу, я серьезно. Нельзя же, чтоб у меня в ближайшее время возникли сложности. Нельзя допустить ни глупости, ни скандала.

— Какой стыд!

— Это ты о чем?

— Не знаю... Подумываю вот, не завести ли роман с бывшей поблядушкой, только что вышедшей из тюрьмы.

— Ах как смешно. Я на полном серьезе говорю.

— К сожалению, похоже, что так. В любом случае, вручи-ка мне свод наставлений, когда я приеду в Нью-Йорк. А до той поры постараюсь вести себя смирно.

— Постарайся и дай мне знать, когда соберешься сюда.

— Зачем? Чтоб устроить мне нечаянное свидание с Рэчел? Боюсь, госпожа депутат Вилард, что даже ради твоей карьеры я на это не соглашусь.

— Дурак ты.

— Допустим. — Но сам он больше уже так не считал. Отнюдь не считал. Закончив разговор с Кэ и поглядывая в окно, поймал себя на том, что думает не о Рэчел, а о той женщине, сидевшей на ступенях. Смежив веки, он видел ее, видел безупречно изваянный профиль, огромные глаза, нежные губы. Не приводилось ему встречать женщину столь красивую и столь влекущую. И сидел он у стола, закрыв глаза, думая о ней, потом со вздохом покачал головой, открыл глаза и поднялся. Смешно мечтать об абсолютно незнакомой даме. Осознав, насколько это глупо, Алекс усмехнулся и вычеркнул ее из памяти. Что за резон влюбиться в прекрасную незнакомку. Однако спустившись из кабинета приготовить себе ужин, он не мог не признаться, что вспоминает ее снова и снова.

Глава 3

Солнце заливало комнату, искрилось на бежевом шелке кровати и обитых им же стульев. Комната была просторная, удобная, высокие стеклянные двери смотрели на залив. Из будуара, примыкавшего к спальне, открывался вид на мост Золотые Ворота. В каждой из комнат было по беломраморному камину, висела строго отобранная французская живопись, бесценная китайская ваза помещалась в углу, вставленная в инкрустированный шкафчик стиля Людовика XV. Близ окон стоял изысканный стол того же стиля, способный преобразить в карликовую любую комнату, но только не эту. Она была красивая, громадная, чистая и прохладная. За будуаром находилось небольшое помещение, наполненное книгами на английском, испанском, французском. Книги — главная отрада бытия для Рафаэллы, и стоит она именно здесь, застыв на мгновение, чтобы кинуть взгляд на бухту. Девять часов утра. На ней идеального покроя черный костюм, пригнанный точно по фигуре, неназойливо, с особым вкусом подчеркивающий ее изящество и совершенство. Костюм ей сшили в Париже, как по преимуществу и остальной гардероб, не считая того, что она покупала в Испании. В Сан-Франциско она не приобретала одежду. Почти никогда не выходила, не выезжала. Была в Сан-Франциско невидимкой, тут редко вспоминали ее имя, а ее саму вовсе не встречали. Для большинства ее облик трудно было ассоциировать с миссис Джон Генри Филипс. Да еще такой облик! Попробуй представить себе безупречную красавицу-белоснежку с огромными глазами. Когда она выходила замуж за Джона Генри, какой-то репортер написал, что выглядит она сказочной принцессой, и пустился объяснять, из чего это следует. Но в это октябрьское утро на залив смотрела не сказочная принцесса, а очень одинокая молодая женщина, замкнувшаяся в своем мире одиночества.

— Ваш завтрак подан, миссис Филипс.

Горничная в накрахмаленном одеянии стояла в дверях, ее реплика прозвучала словно приказ, так подумалось Рафаэлле. Всегда на нее производила такое впечатление прислуга Джона Генри. То же самое ощущалось и в доме отца в Париже, и в доме деда в Испании. Не могла она отделаться от чувства, что командуют именно слуги — когда ей вставать, когда одеваться, когда обедать и когда ужинать. «Мадам, вам подано» — так объявлялся ужин в парижском отцовском доме. А ежели мадам не желает таковой «поданности»? Если хочет просто бутерброд, хочет съесть его, сидя на полу у огня? Или если ей хочется на завтрак получить блюдце мороженого, а не гренки с омлетом? Сама эта идея заставила улыбнуться Рафаэллу на обратном пути в спальню. Она убедилась, что все готово. Чемоданы аккуратно составлены в углу, все шоколадного цвета, из замши, мягкой, как для перчаток; здесь же вместительная сумка, в которой Рафаэлла повезет подарки для матери, тети, кузин, свою бижутерию, чтение на самолетный рейс.

Осматривая свой багаж, она не ощутила сладости предвкушаемого путешествия. С некоторых пор такого предвкушения уже не получалось. Ничего ей в жизни не осталось. Сплошная полоса автомагистрали, ведущей к чему-то невидимому и незнаемому, что тебя и занимать-то перестало. Она жила в убеждении, что всякий новый день будет неотличим от предыдущего. Ежедневно делаешь одно и то же седьмой год кряду, за исключением одного месяца в лето, проводимого в Испании, да немногих дней в Париже, в гостях у отца. Случалось еще ездить на встречу с родней из Испании, посещавшей Нью-Йорк. Кажется, давным-давно не была она там, с тех пор как оставила Европу, как стала женой Джона Генри. Теперь все иначе, чем было поначалу.

А начиналось будто волшебная сказка. Или сделка. Понемногу того и другого. Бракосочетание парижско-миланско-мадридско-барселонского банка Малля с калифорнийско-нью-йоркским банком Филипса. Обе империи включали в себя инвестиционные банки крупнейшего международного уровня. Первое гигантское совместное начинание отца Рафаэллы с Джоном Генри принесло им, в содружестве, попадание на обложку «Таймса» и сблизило обоих той весною. Их замыслы осуществлялись успешно, как и ухаживания Джона Генри за единственной дочерью Антуана.

Рафаэлла прежде не встречала кого-либо похожего на Джона Генри. Высок, ладен, привлекателен, солиден, притом благороден, добродушен, негромок, а в глазах непременно искрятся смешинки. Проглядывала в них и хитринка, со временем Рафаэлле открылось, до чего ж он любит дразнить и разыгрывать. В нем были недюжинная фантазия и творческий дух, сильный ум, истинное красноречие, высший класс. Все, чего только могла бы пожелать она или любая девушка на ее месте.

Единственное, чего Джону Генри Филипсу недоставало, так это молодости. Да и поначалу об этом не думалось, стоило лишь глянуть на умное, ухоженное лицо или обратить внимание на силу рук, когда он играет в теннис или занимается плаванием. Его стройному красивому телу могли позавидовать те, кто был вдвое моложе.

Разница в возрасте сперва удерживала его от ухаживания за Рафаэллой, но шло время, он все чаще наезжал в Париж и раз от разу находил ее еще очаровательней, раскованней, восхитительней. Невзирая на строгость своего подхода к дочери, Антуан де Морнэ-Малль не возражал против перспективы выдать за своего старого друга свое единственное дитя. Сам он не мог не замечать красоту дочери, ее ласковость и открытость, ее невинный шарм. Не мог не сознавать и то, сколь редкостное приобретение для любой женщины будет Джон Генри Филипс, какая там ни будь разница в возрасте. Не мог не узреть, что это будет означать для будущности его банка, весомость этого соображения была для него не из последних. Собственный его брак основывался некогда и на увлечении, и одновременно на добротных деловых мотивах.

Стареющий маркиз де Квадраль, отец его жены, царил в мадридском финансовом мире, а вот сыновья не унаследовали его страсти к области финансов и по преимуществу посвятили себя иным занятиям. Долго приглядывался пожилой уже маркиз, не унаследует ли кто из них его интереса к банковской ниве, которую он долгий срок расширял. Взамен произошло так, что он натолкнулся на Антуана, и в итоге, после усердного приглядывания друг к другу, Малль-банк в многочисленных операциях стал соединять свои средства с Квадраль-банком. Содружество скоро увеличило вчетверо влияние и состояние Антуана, возрадовало маркиза и вовлекло его дочь Александру, маркизу де Сантос-и-Квадраль. Антуана часто можно было застать в обществе светловолосой, голубоглазой красавицы испанки, он стал подумывать, не пора ли ему жениться и обзавестись наследником. До тридцати пяти лет он был слишком занят сотворением империи из фамильного банковского предприятия, а теперь приобрели вес и другие соображения. Александра виделась преотличным решением проблемы, да еще таким хорошеньким. В свои девятнадцать лет была она на удивление красива, такого разоружающе любопытствующего личика Антуану не попадалось. Рядом с нею скорее он, черноволосый и темноглазый, мог быть сочтен испанцем. Вместе они составили великолепную пару.

Их свадьба, семь месяцев спустя после первой встречи, стала главным событием сезона в свете, затем они провели медовый месяц на юге Франции. Далее не замедлили послушно явиться в загородное поместье маркиза, Санта-Эухения, на побережье Испании. Усадьба была подстать дворцовой, и Антуану приоткрылось, что несет собою супружество с Александрой. Он стал членом семьи, как бы еще одним сыном престарелого маркиза. Посему должен часто бывать в Санта-Эухении и при первой возможности заглядывать в Мадрид. Это явно входило в планы Александры, а когда настал им срок возвращаться в Париж, она упросила мужа позволить ей задержаться в Санта-Эухении еще недели на две. А когда вернулась к нему в Париж на полтора месяца позже обещанного, Антуану со всею ясностью открылось, что ждет его впереди. Александра намеревалась проводить время по преимуществу так, как прежде, в кругу родного семейства, в их владениях в Испании. Все годы войны провела она там взаперти, а теперь уж и после войны, и будучи замужем, желала по-прежнему жить в привычной обстановке.

Как положено, к первой годовщине свадьбы Александра произвела на свет первенца, сына назвали Жюльен. Антуан не скрывал радости. Объявился наследник его банковской империи, и, прогуливаясь часами вместе с маркизом по аллеям Санта-Эухении, Антуан, хотя ребенку исполнилось всего-то месяц, мирно обсуждал с тестем свои замыслы, касающиеся банка и сына. Тесть целиком доверял ему, за год и Малль-банк и Квадраль-банк прибавили в весе.

Александра осталась на лето со своими братьями и сестрами, их детьми, кузинами, племянницами и друзьями. Не успел Антуан вернуться в Париж, она уже вновь была беременна. На сей раз случился выкидыш, а в следующий Александра разрешилась близнецами, недоношенными и мертворожденными. Затем последовала краткая передышка, полгода, проведенные ею в семейном кругу, в Мадриде. После чего Александра вернулась в Париж к мужу и опять забеременела. Эта четвертая беременность подарила Рафаэллу, с двухлетней разницей с Жюльеном. Произошли еще два выкидыша и второе мертворождение, после чего цветущая красавица Александра заявила, что ей не подходит парижский климат и что сестры полагают более полезным для ее здоровья жить в Испании. Насмотревшись на неуклонное ее стремление туда во все время их супружества, Антуан безропотно подчинился. Так заведено у дам в той стране, стоит ли встревать в битву, которую никогда не выиграть.

С тех пор он удовлетворялся лицезрением ее в Санта-Эухении или в Мадриде, окруженной кузинами, сестрами и дуэньями, совершенно удовлетворенной постоянным кругом родни, избранных приятельниц, горстки их неженатых братьев, вывозивших дам на концерты, на оперные и драматические спектакли. Александра оставалась в числе видных красавиц Испании, тут вела она прекрасную, излюбленную жизнь, в праздности и роскоши. Антуану не составляло особых проблем то и дело прилетать в Испанию, когда можно было отлучиться из банка, но делал он это все реже и реже. Вовремя он убедил жену отпустить детей обратно в Париж на учебу, с условием, конечно, что те будут наведываться в Санта-Эухению каждые каникулы и проводить здесь лето. Изредка Александра решалась навестить его в Париже, хотя постоянно жаловалась на разрушительные последствия французского климата для ее здоровья. Последнее мертворождение привело к тому, что детей больше не появлялось, и Александру с мужем соединяло лишь платоническое взаимное чувство, что, по уверениям ее сестер, было совершенно нормальным.

Антуан безо всяких возражений предоставил событиям течь своим ходом, и когда маркиз умер, брак себя оправдал. Никого не удивило принятое решение. Александра и Антуан совместно унаследовали Квадраль-банк. Ее братья получили внушительную компенсацию, зато Антуану досталась вся империя, которую он горячо желал присовокупить к своей собственной. Теперь, продолжая ее созидание, он строил расчеты на сына, однако единственному сыну не суждено было вступить в права наследства. В шестнадцать лет Жюльен де Морнэ-Малль случайно погиб, играя в поло в Буэнос-Айресе, и оставил мать потрясенной, отца скорбящим, Рафаэллу — единственным отпрыском.

Именно Рафаэлла старалась утешить отца, полетела вместе с ним в Буэнос-Айрес, чтобы привезти тело юноши во Францию. Она не выпускала отцову руку из своей в те бесконечные часы, вместе не сводили они глаз с гроба, когда в печали снижались на посадку в Орли; Александра появилась в Париже отдельно, в сопровождении сестер, кузин, одного из братьев, нескольких близких подруг, так что ее сопровождали, опекали, как и в течение всей предшествующей жизни. И упрямо уговаривали после похорон возвратиться вместе с ними в Испанию, а она, в слезах, уступая, позволила им увезти себя назад. У Александры была внушительная армия опекунов, у Антуана же — никого, только четырнадцатилетнее дитя.

Однако в дальнейшем эта трагедия породила особые узы меж ним и Рафаэллой. Нечто не обсуждаемое, но неизменно присутствующее. Эта беда породила и особый контакт меж ее отцом и Джоном Генри, когда те выяснили, что их постигла одинаковая потеря — смерть единственного сына. У Джона Генри сын погиб в авиакатастрофе, двадцати одного года, пилотируя собственный самолет. Жена тоже умерла, пятью годами позже. Но для каждого из обоих мужчин невыносимым ударом было лишиться сына. Антуана могла утешить Рафаэлла, у Джона Генри других детей не было, и после смерти супруги он так и не женился.

В самом начале делового сотрудничества двух банкиров, когда бы ни появлялся в Париже Джон Генри, Рафаэлла оказывалась в Испании. Он поддразнивал

Антуана — дочь, мол, у него воображаемая. Это превратилось в расхожую шутку, пока однажды швейцар не привел Джона Генри в кабинет Антуана, а там гость увидел не Антуана, а темные глаза ослепительно красивой юной девушки, с дрожью глядевшей на него, словно перепуганная серна. Появление незнакомца в комнате повергло ее чуть ли не в ужас. Она готовила уроки и должна была воспользоваться справочниками, которые лежали здесь у отца. Черные кудрявые волосы ниспадали шелковистыми потоками. На миг он застыл в молчании и благоговении. Затем взял себя в руки, послал ей теплый взгляд, убеждающий, дружественный. Но ведь за месяцы, что она ходила на занятия в Париже, виделась она со считанными людьми, а в Испании так ее берегли и охраняли, что совсем редко случалось ей оказаться наедине с незнакомым мужчиной. Она, кажется, не имела понятия, как поддерживать с ним разговор, но после его легких шуточек и подмигиваний рассмеялась. Антуан присоединился к ним лишь через полчаса, с глубокими извинениями, что, мол, в банке задержался. Пока ехал в машине домой, он прикидывал, познакомился ли наконец Джон Генри с Рафаэллой, и потом сознался себе, что надеялся на это.

После прихода отца Рафаэлла через какую-нибудь минуту удалилась, ее щеки заметно порозовели.

— Господи, Антуан, она же красавица! — Джон Генри недоуменно глядел на своего друга-француза, и Антуан улыбнулся.

— Значит, тебе понравилась моя воображаемая дочь? Не оробела ли она до невозможности? Мать убеждает ее, что любой мужчина, пытающийся заговорить с девушкой с глазу на глаз, уже замыслил убить ее или по меньшей мере изнасиловать. Порою я тревожусь, читая страх в ее взгляде.

— А чего ты ждал? Всю жизнь ее неотлучно опекают. Едва ли стоит удивляться, что она робеет.

— Ей скоро восемнадцать, и для нее это обратится в проблему, если сидеть безвылазно в Испании. В Париже надо уметь хотя бы перекинуться словом с мужчиной в отсутствии дюжины женщин, заполнивших помещение и состоящих в большинстве своем в родстве с тобою. — Антуан это сказал шутливо, но в глазах была полнейшая серьезность. Долго и упорно всматривался он в лицо Джона Генри, стараясь распознать, что притаилось во взгляде американца. — Она мила, правда? Нескромно с моей стороны говорить так про собственную дочку, однако... — Он словно в покорности развел руками и улыбнулся.

На сей раз Джон Генри ответил широкой улыбкой.

— Мила — не совсем точное слово. — А затем, чуть ли не как юнец, задал вопрос, от которого стал улыбчивым взгляд Антуана: — Она сегодня будет с нами ужинать?

— Если у тебя нет особых возражений. Думаю, мы отужинаем здесь, а потом заглянем в мой клуб. Матье де Буржон будет там сегодня вечером. Я ведь с давних пор обещал ему познакомить вас, как только ты приедешь.

— Вот и отлично. — Однако улыбнулся Джон Генри не оттого, что речь шла о Матье де Буржоне.

Он успешно разговорил Рафаэллу тем вечером, а также на третий день, когда пришел к ним в дом к чаю. Пришел специально, чтобы увидеть ее, принес ей две книги, о которых упомянул за тем обедом. Она опять вспыхнула и погрузилась в молчание, но теперь он умело растормошил ее, вовлек в беседу, и к концу дня они почти уж стали приятелями. В последующие полгода она привыкла воспринимать его как человека уважаемого и почитаемого почти наравне с отцом, а когда поехала в Испанию, то описывала его матери словно какого-нибудь дядюшку.

Именно в этот ее приезд Джон Генри появился в Санта-Эухении вместе с Антуаном. Пробыли они всего два дня, но и за этот срок американец успел очаровать Александру и прочих, собравшихся в Санта-Эухении в ту весну. Уже тогда Александра догадалась о намерениях Джона Генри в отличие от Рафаэллы, которая ни о чем не подозревала до лета. Тогда пошла первая неделя ее каникул, через несколько дней предстоял отлет в Мадрид. Пока же она с удовольствием проводила оставшийся срок в Париже, а когда приехал Джон Генри, позвала его прогуляться вдоль Сены. Беседовали о бродячих артистах, о детях, и она просияла, рассказав ему о своих двоюродных сестрах и братьях, живущих в Испании. Похоже, детей она обожала и становилась особенно красива, когда бросала на него взгляд своих огненных темных глаз.

— А сколько детей хотела бы ты, Рафаэлла, иметь, когда будешь взрослая? — Он всегда без запинки произносил ее имя, что было ей приятно. Ведь американцу трудно это имя выговорить.

— Я уже взрослая.

— Да ну? В восемнадцать-то лет? — Он весело глянул на нее, но что-то непонятное ей просвечивало в его взоре. Некая усталость, старость, мудрость, печаль, словно он, к примеру, вспоминал сейчас о своем сыне. Он уже поведал ей о нем. Она же рассказала ему про своего брата.

— Да, я взрослая. И собираюсь поступить осенью в Сорбонну.

Они улыбнулись друг другу, и ему не без усилия удалось сдержать себя и не поцеловать ее незамедлительно.

Прогулка продолжалась, и он раздумывал, как бы сделать предложение и не сошел ли он с ума, раз решился на это.

— Рафаэлла, ты не подумывала о том, чтобы поступить в колледж в Штатах?

Они медленно шли вдоль Сены, обходя детей, она задумчиво обрывала лепестки с цветка. Но вот взглянула на спутника и покачала головой.

— Едва ли получится.

— А почему бы нет? Английским ты владеешь отлично.

Вновь она отрицательно повела головой, вновь взглянула на него, в глазах стояла печаль.

— Мама ни за что не отпустит меня. Там... там все слишком непохоже на привычный ей уклад. И это так далеко...

— А тебе по нраву этот уклад? Отец твой живет совсем иначе, чем она. Подойдет ли тебе существование в такой вот испанской манере?

— Сомневаюсь, — сказала она прямо. — Но боюсь, выбора мне не предоставлено. По-моему, папа всегда хотел привлечь Жюльена к делам своего банка, а это соответственно предполагало, что я буду в Испании вместе с мамой.

Провести всю оставшуюся жизнь в окружении дуэний... мысль о такой перспективе для нее была ему невыносима. Даже на правах друга он желал ей большего. Хотелось видеть ее вольной, оживленной, смеющейся, независимой, а не погребенной в Санта-Эухении вместе с матерью. Не годится такое для этой девушки, чувствовал он душой.

— Тебе, по-моему, не стоит на это соглашаться, если у тебя самой нет такого желания.

Она ответила ему улыбкой, в которой читались послушание и девичья мудрость:

— В жизни существуют обязанности, мистер Филипс.

— Не в твоем же возрасте, малышка. Слишком рано. Ладно, кое-какие обязанности есть. Например, ходить в школу. И слушаться родителей, в достаточной мере. Но ты не обязана перенимать чужой уклад, если тебе не нравится такая жизнь.

— А тогда какая? Ничего другого я не знаю.

— Это не довод. Тебе хорошо в Санта-Эухении?

— Иногда. А иногда нет. Порой я нахожу всех тамошних дам нудными. А маме они по сердцу. Она даже берет их с собой в путешествия. Разъезжают целым табором, едут себе в Рио, и в Буэнос-Айрес, и в Уругвай, и в Нью-Йорк; отправится мама в Париж, так и то в их сопровождении. Они постоянно напоминают мне девочек в пансионе, такие... они... — извиняющимся был взгляд ее огромных глаз, — такие они глупые. Правда ведь?

Отвечая на ее взгляд, он согласно кивнул:

— Пожалуй, отчасти так, Рафаэлла...

При этих его словах она замедлила шаги, остановилась и обратила свое лицо к нему, искренняя, совершенно не отдающая себе отчета в собственной красоте; ее стройная изящная фигура склонилась к нему, глаза смотрели в глаза столь доверчиво, что он побоялся сказать больше.

— Да?

Тут выдержка оставила его. Сил не было терпеть. Пришлось...

— Рафаэлла, дорогая, я люблю тебя...

Такие слова столько раз раздавались шепотом в тихом воздухе Парижа... Четко обрисованное, выразительное лицо Джона Генри приблизилось перед тем мгновением, когда он поцеловал ее.

Губы его были ласковы и нежны. Язык ощупывал ее рот, словно от бесконечного голода по ней, но и ее губы тесно прильнули, руки обхватили его шею, она тесно прижалась к нему всем телом, так что вскоре он со всею предупредительностью отстранился, не желая дать ей понять, какое нестерпимое желание он испытывает.

— Рафаэлла... Как долго я желал поцеловать тебя. — Он поцеловал ее снова, и она женственно улыбнулась от удовольствия, которого он прежде никогда не читал на ее лице.

— А я тебя. — Тут она опустила голову, как школьница. — Врезалась с первой встречи. — И смело улыбнулась ему. — Ты такой красивый. — Теперь она его поцеловала. Взяла за руку, чтобы, казалось, повести дальше вдоль Сены, однако он покачал головой и задержал ее руку.

— Прежде нам надо кое о чем договориться. Ты не прочь присесть? — И направился к скамейке, а она вместе с ним.

Она пристально взглянула, и что-то насторожило в выражении его глаз.

— Что-нибудь не так?

— Нет-нет, — усмехнулся он. — Но если ты, малышка, думаешь, будто я отправился с тобой просто миловаться, как говаривали в былые времена, ты ошибаешься. Мне нужно спросить у тебя нечто, и целый день я боюсь это сделать.

— А что именно? — И сердце ее застучало, и голос стал совсем тихим.

Он смотрел на нее какое-то время, показавшееся бесконечностью, лицом к лицу, крепко держа ее руку в своей.

— Выйдешь ли ты за меня замуж, Рафаэлла? — Расслышав ее короткий вздох, он закрыл глаза и вновь поцеловал ее, затем медленно поднял взгляд, увидел слезы на ее ресницах и улыбку, какой прежде не замечал у нее.

Улыбка делалась все шире, последовал кивок:

— Да... Я согласна...

Свадьба Рафаэллы де Морнэ-Малль-и-де Сантос-и-Квадраль и Джона Генри Филипса IV прошла с редчайшим размахом. Состоялась она в Париже. Был дан завтрак на двести персон в день гражданской церемонии, обед для полутораста родственников и «ближайших друзей» тем же вечером, а назавтра более шестисот человек явилось на венчание в собор Парижской богоматери. По общему мнению, более роскошного празднества и приема нельзя было припомнить.

Знаменательно, что удалось достичь соглашения с прессой, что в обмен на полчаса, в которые Рафаэлла и Джон Генри покажутся перед фоторепортерами и ответят на имеющиеся вопросы, их на все дальнейшее время оставят в покое.

Свои отчеты о свадьбе поместили «Вог», «Вименз вир дейли», а на следующей неделе и «Тайм». Во время бесед с журналистами Рафаэлла в полном отчаянии вцеплялась в руку Джона Генри, глаза ее казались еще больше и темнее на побелевшем как снег лице.

Именно тогда он дал обет оградить ее впредь от бесцеремонного надзора прессы, не желая комулибо позволять входить с нею в контакт, если это ей мешает или досаждает. Он учитывал, что смолоду ее оберегали со всею заботливостью. Сложность составляло то, что Джон Генри был тем человеком, который постоянно вызывает неусыпное внимание прессы, а когда выяснилось, что новобрачная на сорок четыре года моложе, его жена тоже попала в центр внимания. О состоянии и могуществе Джона Генри почти не было известно, и в восемнадцатилетнюю дочь маркизы и виднейшего французского банкира не очень-то верилось. Уж больно походило это на волшебную сказку, а не бывает волшебной сказки без волшебной принцессы. Однако благодаря усилиям Джона Генри она пребывала в надежном укрытии. Дружно соблюдали они конспирацию столь долгий срок, что это могло показаться невероятным. Рафаэлла даже ухитрялась два года посещать занятия в Калифорнийском университете в Беркли, и это сошло незамеченным. В течение этих двух лет никому и в голову не приходило, кто она. Рафаэлла отказалась от того, чтоб на занятия ее возил шофер, тогда Джон Генри купил ей малолитражку для поездок в Беркли.

Было увлекательно, находясь среди студентов, беречь свою тайну, иметь дорогого тебе человека. Она вправду любила Джона Генри, а он относился к ней с неизменной нежностью и обожанием. Полагал, что ему даровано нечто драгоценное, чего и коснуться боязно. Как же был он благодарен за новую жизнь, начавшуюся у него с приходом этой ослепительно красивой, неиспорченной юной женщины. Во многом она была ребенком, доверялась ему всем сердцем. Потому-то, наверное, глубоко расстроило его открытие, что острая почечная болезнь, случившаяся с ним десятью годами ранее, сделала его бесплодным. Зная, как горячо желает она иметь детей, он ощущал бремя вины за то, что отнял у нее надежду, что эти желания сбудутся. Она же, узнав о том, твердила, что это не имеет значения, что у нее и так есть масса детей в Санта-Эухении, которых она может баловать, развлекать и любить. Ей нравилось рассказывать им сказки и покупать подарки. При ней были длинные списки их дней рождения, она непременно выезжала в город, чтобы отослать в Испанию какую-нибудь сногсшибательную игрушку.

И даже его провал по части отцовства не мог разъять узы, связавшие их за эти годы. В этом браке было так, что она преклонялась перед ним, а он боготворил ее, разница же в возрасте, вызывавшая комментарии на стороне, их обоих отнюдь не занимала. Почти каждое утро они вместе играли в теннис, иногда Джон Генри совершал пробежки по Пресидио или вдоль пляжа, а Рафаэлла трусила следом, наступая на пятки, словно малый щенок, хохоча и подбадривая его, а то просто шагала молча под конец, держа его за руку. Жизнь ее была наполнена Джоном Генри, университетскими занятиями, писанием писем родным в Париж и в Испанию. Это было старомодное существование, и она была счастливой женщиной, скорее счастливой девушкой, до той поры, пока ей не исполнилось двадцать пять.

За два дня до своего шестидесятидевятилетия Джон Генри полетел в Чикаго совершать крупную сделку. Не первый год поговаривал он об отставке, но, как это было и с отцом Рафаэллы, конца заботам не предвиделось. Его неодолимо увлекал высший финансовый мир, руководство банками, обретение новых корпораций, покупка и продажа акций громадными пакетами. Он души не чаял в отлаживании гигантских операций с недвижимостью, как та первая сделка с отцом Рафаэллы. Не для него это было — уходить в отставку. Но перед отъездом в Чикаго у него разболелась голова, и хотя Рафаэлла заставила его утром принять таблетки, потом головная боль становилась все сильнее.

Перепугавшись, его помощник нанял самолет, чтобы в тот же вечер вернуться из Чикаго. Джон Генри прилетел почти в бессознательном состоянии. Рафаэлла отметила, что лицо у него бледно-серое, в тот момент, когда его на носилках опускали на аэродромную полосу. Боль не знала границ, ему было затруднительно сказать ей хоть несколько слов, он лишь сжимал временами ее пальцы на пути в больницу в карете «скорой помощи». Рафаэлла же, видя его таким, мучилась и дрожала, боролась с клокотавшими в горле рыданиями, и тут вдруг разглядела, что нечто странное случилось с его ртом. Часом позже все лицо до неузнаваемости перекосило, скоро он впал в кому — на несколько дней. «Джон Генри Филипс перенес инсульт» — такую новость передали тем вечером. Пресс-релиз подготовили в его службе, оставив Рафаэллу, как всегда, вне пристальных взглядов прессы.

Джон Генри пробыл в больнице около четырех месяцев и перенес еще два микроинсульта, прежде чем выписаться оттуда. Когда его доставили домой, у него было устойчиво потеряно владение правой рукой и правой ногой, моложавое холеное лицо жалобно обвисло вбок, аура мощи и властности улетучилась. Джон Генри Филипс внезапно превратился в старика. С того момента он поник и телом и духом, хотя потом жизнь угасала в нем еще семь лет.

Больше он не покидал свой дом. Сиделка выкатывала его в кресле в сад погреться на солнышке, Рафаэлла часами сидела рядом, но память его не всегда бывала ясной, и все существование, некогда бурное, деловитое, полнокровное, радикально переменилось. От человека осталась одна только оболочка. И с этой оболочкой надлежало жить Рафаэлле, хранить верность, преданность, любовь, вести с ним успокоительные беседы. Сиделки круглосуточно заботились о его сломленном теле, она же пыталась утешить его дух. Но дух в нем был сломлен, а порой ей казалось, что и в ней тоже. Прошло семь лет с первой серии инсультов. За это время случилось еще два удара, что наложило новые последствия, более глубокие, не оставив ему сил на что-либо, кроме как сидеть в кресле-каталке, уставясь, как правило, в пространство, и припоминать невозвратное прошлое. Говорить он мог, но с трудом, а по большей части и сказать ему вроде как было нечего. Жизнь сыграла жестокую шутку над человеком, некогда таким подвижным, а теперь совсем ссохшимся и никчемным. Антуан, прилетев из Парижа повидать его, вышел из комнаты Джона Генри, не тая слез, струившихся по щекам, а его напутствие дочери было недвусмысленным. Она обязана быть рядом с тем, кто любил ее, кого любила и за кого вышла замуж она, рядом до конца. Не дурить, не хныкать, не увиливать от своих обязанностей, не жаловаться. Ясно, в чем ее долг. Так все и соблюдалось. Рафаэлла не хныкала, не перешептывалась и не жаловалась семь долгих лет.

Единственной отдушиной в ее угрюмом житье были поездки в Испанию каждое лето. Проводила она там лишь по две недели, а не месяц, как в прежние времена. Однако Джон Генри настойчиво требовал, чтобы она не отказывалась от этих путешествий. Для него было пыткой сознавать, что ставшая его женой девушка оказалась в тюрьме его недугов не в меньшей степени, нежели он сам. Одно дело укрывать ее от любопытствующего мира и лично ублажать день и ночь. Совсем другое — запереть ее в доме рядом с собой, пока твое тело медленно распадается, высвобождая душу. Если бы он изыскал средство, то покончил бы с собой, не однажды говорил он так своему врачу, чтобы дать волю и себе и ей. Как-то раз обмолвился он об этом и Антуану, которого такое намерение привело в ярость.

— Девочка обожает тебя! — загремел его голос, отдаваясь от стен комнаты, в которой помещался больной. — Ты перед ней в ответе и никакого подобного идиотства не совершишь!

— Но и так нельзя, — отвечал тот прерывисто, но разборчиво. — Преступно по отношению к ней. Нет у меня такого права. — Слезы душили его.

— У тебя нет права отнимать себя у нее. Она тебя любит. Семь лет любила, прежде чем это все произошло. Сразу ничего не отменяется. Не отменяется из-за твоей болезни. А если б заболела она? Уменьшилась бы твоя любовь?

Джон Генри страдальчески покачал головой.

— Надо было ей за молодого выйти, родить детей.

— Ей нужен ты. Она принадлежит тебе. Стала взрослой с тобой. Без тебя она растеряется. Да разве можешь ты думать о том? А если у тебя годы впереди? — Он хотел ободрить Джона Генри, но на лице у того обозначилось отчаяние. Годы... так сколько ж тогда будет Рафаэлле? Тридцать пять? Сорок? Сорок два? А она совершенно не готова будет начать поиски какой-то новой жизни. Натиск таких мыслей терзал его смертной мукой, оставлял бессловесным, в глазах стояли горесть и тревога — не столько за себя, сколько за нее. Он настаивал, чтобы она при любой возможности выбиралась из дому, но, покидая его, она чувствовала себя виноватой, так что отлучки не приносили никакой отрады. Джон Генри не выходил у нее из головы.

Однако он постоянно уговаривал ее почаще вырываться на свободу. Стоило ему услышать от Рафаэллы, что ее мать скоро появится на день-другой в Нью-Йорке по пути в Буэнос-Айрес или в Мехико, или куда-то еще, вместе с вечной толпой сестер и кузин, он незамедлительно брался за уговоры, чтобы Рафаэлла провела время с ними, будь то сутки или десять. Пусть выглянет на свет Божий хоть на малый срок. Он ведь знал, что в этой толпе ей обеспечены безопасность, защита, постоянное сопровождение. Единственно, когда ей приходилось побыть одной, так это в полете до Европы или Нью-Йорка. Домашний шофер неизменно подвозил ее прямо к самолету в Сан-Франциско, и наемный лимузин обязательно поджидал ее у трапа в конце маршрута. Рафаэлла по-прежнему жила как принцесса, только вот волшебная сказка претерпела ощутимые изменения. Глаза Рафаэллы казались еще больше и спокойнее прежнего, она подолгу могла сидеть в молчании и задумчивости, глядя на огонь или же уставясь на море. Ее смех отошел в область воспоминаний, а если и раздавался вдруг, то словно по недоразумению.

Даже оказавшись в кругу родных в дни их кратковременного появления в Нью-Йорке или где-то в другом городе, она будто бы отсутствовала там. За годы болезни Джона Генри Рафаэлла все более замыкалась в себе, в итоге мало чем отличаясь от мужа. С той лишь разницей, что у нее жизнь по-настоящему и не началась. Лишь в Санта-Эухении, пожалуй, Рафаэлла оживала, когда на коленях у нее сидел кто-то из детишек, другой карабкался туда же, еще трое-четверо копошились вокруг, а она рассказывала им чудесные сказки, отчего они взирали на нее восхищенно и благодарно. Именно рядом с детьми забывалась боль от происшедшего, собственное одиночество, пронзительное чувство потерянности. Со взрослыми она всегда бывала замкнутой и неразговорчивой, будто речи вести уже не о чем, а участвовать в их веселье неприлично. Рафаэлла словно присутствовала на похоронах, которые затянулись на полжизни, точнее — на семь лет. Однако она понимала, насколько сильно переживает ее муж и какую чувствует за собой вину, оказавшись совсем инвалидом в последний год. Поэтому, находясь рядом с ним, она была сама нежность, голос был полон сострадания, тон мягок и еще мягче прикосновение руки. Но то, что он читал в ее взгляде, пронзало сердце. Не столько то, что он умирает, сколько то, что убил он в ней юную девушку и заменил ее грустной, одинокой, еще молодой женщиной с загадочным лицом и огромными незабываемыми очами. Вот какую женщину он сотворил. Вот что сделал для девушки, в которую был влюблен.

Неслышно спускаясь по застланной толстым ковром лестнице на другой этаж, Рафаэлла окинула взглядом холл и увидела, что прислуга уже протирает от пыли длинные старинные столы, размещающиеся в анфиладе бесчисленных помещений. Дом, в котором ей выпало жить, построил дед Джона Генри, прибыв в Сан-Франциско сразу после Гражданской войны. Дом выдержал землетрясение 1906 года и являлся ныне одной из основных архитектурных достопримечательностей города, пятью этажами возвышаясь близ Пресидио и взирая на бухту. Необычен он был своими текучими линиями и застекленной крышей, одной из лучших здесь, и еще тем, что оставался фамильной собственностью семьи первых своих владельцев, а это большая редкость. Но был дом этот неподходящим для того, чтобы радовать Рафаэллу. Скорее он ей напоминал музей или мавзолей, чем жилище. Холоден и недружелюбен, равно как и штат прислуги, набранный Джоном Генри еще в пору ее переезда сюда. И не было у нее возможности произвести перестановку хотя бы в одной из комнат. Дом поддерживали точно таким, как и прежде. Она прожила в нем четырнадцать лет и все-таки, отлучаясь куда-нибудь, непременно ощущала себя сиротой с единственным чемоданчиком в руках.

— Еще кофе, миссис Филипс? — Пожилая горничная нижнего этажа, тридцать шесть лет пребывающая в этой должности, в упор посмотрела в лицо Рафаэллы, как и всякое утро прежде. Рафаэлла пять дней в неделю четырнадцать лет подряд виделась с нею, но та оставалась чужим человеком и останется такою в будущем. Звали ее Мари.

Но на сей раз Рафаэлла отказалась:

— Сегодня — нет. Я тороплюсь. Спасибо.

Она посмотрела на наручные золотые часики, положила на стол салфетку, встала. Расписанная цветочными мотивами посуда сохранилась еще от первой жены Джона Генри. И так обстояло дело со множеством вещей и предметов в доме. Все оказывалось чьим-либо еще. «Первой миссис Филипс» — по словам слуг, или матери Джона Генри, или же его бабки... Порой думалось, что, вот если досужий посетитель, осматривая дом, станет расспрашивать об утвари и картинах, о самых мелких и незначительных предметах, не сыщется ни одной вещи, о которой скажут: «Это принадлежит Рафаэлле». Ничто не принадлежало ей, кроме гардероба и книг, да еще обширного собрания детских писем из Испании, которые она раскладывала по ящикам.

Каблуки Рафаэллы простучали по черно-белому мраморному полу буфетной. Она подошла к телефону, позвонила по домашнему коммутатору. Через секунду на третьем этаже трубку подняла утренняя сиделка.

— Доброе утро. Мистер Филипс уже проснулся?

— Да, но еще не вполне готов.

Готов? К чему готов? Рафаэлле, пока она стояла у телефона, стало тягостно на душе. Разве может она оттолкнуть его из-за того, в чем он не виноват? Да разве способна она так поступить? Ведь первые семь лет все было так чудесно, так преотлично, так...

— Я хочу заглянуть на минутку перед отъездом.

— О, дорогая, вы с самого утра уезжаете?

Рафаэлла вновь посмотрела на часы:

— Через полчаса.

— Ладно, тогда дайте нам минут пятнадцать-двадцать. Тогда, пожалуйста, собравшись уходить, загляните на несколько минут.

Бедняга Джон Генри. Десять минут, и ничего после. Никто не навестит его, когда она уедет. И хоть отсутствовать предстоит всего-то четыре или пять дней, но по-прежнему она подумывала, что, пожалуй, не стоило бы покидать его. Вдруг что случится? Вдруг сиделки не углядят? Перед поездкой непременно приходило в голову нечто подобное. Озабоченность, непокой, чувство вины, будто нет у нее права посвятить хоть недолгие дни себе. Однако Джон Генри станет ее уговаривать поехать, высвободясь из своего оцепенения на достаточный срок, чтобы настоять на том, чтобы она побыла вне того кошмара, в который они так давно погружены. Это тоже перестало восприниматься как кошмар. Остались пустота, апатия, коматозное состояние, хотя их бытие влачилось далее.

Лифт доставил ее на второй этаж, она зашла к себе в спальню, предупредив сиделку, что навестит мужа через пятнадцать минут. Долго разглядывала себя в зеркале, погладила свои шелковистые черные волосы, провела рукой по тугому пучку, собранному на затылке. Достала из шифоньера шляпу, купленную в Париже год назад, когда шляпы снова вошли в область высокой моды. Надев ее и тщательно выбрав самый подходящий угол наклона, на миг задумалась, чего ради она вообще ее купила. Кто обратит внимание на прелестную эту шляпу? Рафаэлла расслышала шорох черной вуалетки, добавлявшей загадочности ее большущим миндалевидным глазам, и по контрасту с черной шляпой, волосами и вуалеткой кремовая белизна кожи оказывалась особенно заметной. Осторожно наложила она тонкую полоску светлой помады, укрепила жемчужные клипсы в ушах. Оправила костюм, подтянула чулки, заглянула в сумочку, чтоб убедиться, что деньги, нужные в поездке, лежали в боковом кармашке черной сумочки из крокодиловой кожи, что некогда прислала из Испании мама. Убедившись, что все в порядке, застыла перед зеркалом — дама невероятной элегантности, красоты, стильности. Такая женщина ужинает у «Максима» и ездит на скачки в Лоншан. Такую женщину видят на раутах в Венеции, Риме, Вене, Нью-Йорке. Такая дама — театральный завсегдатай в Лондоне. Нет, не такими должны бы стать лицо, фигура, весь вид той девушки, что непримеченной скользнула в женщины и являлась ныне супругой согбенного, близкого к смерти семидесятишестилетнего старика. Увидев себя такую, увидев со всею ясностью правду о себе, Рафаэлла взяла в руки дорожную сумку и пальто, соболезнующе улыбнулась своему отражению, пуще прежнего сознавая, как обманчива бывает внешность.

Поведя плечами, ушла она из спальни, поглаживая прелестное длинное пальто из темной выдры, накинутое на руку, на обратном пути по лестнице. Лифт встроили для Джона Генри, она же обычно предпочитала ходить по дому пешком. Так поступила и сейчас, поднялась на третий этаж, где издавна располагались комнаты мужа и еще три помещения в придачу, предназначенные для сиделок, посменно заботившихся о Джоне Генри. То были три истые матроны, довольные кровом, пациентом, своей работой. За службу им платили отменно, и, подобно той женщине, что подавала Рафаэлле завтрак, они умели оставаться малозаметными и безличными в череде лет. Изредка Рафаэлла скучала по горячности бывавших невыносимыми слуг Санта-Эухении. Те были, как правило, раболепны, однако порой бунтовали и дулись, а служили семье ее матери зачастую из поколения в поколение, в любом случае подолгу. Бывали они воинственны и ребячливы, полны любви. Их распирали смех и гнев и преданность тем, кому они служат, несхожие с холодными профессионалами, работавшими у Джона Генри.

Рафаэлла легонько постучала в дверь, ведущую в комнаты мужа, оттуда незамедлительно высунулась голова.

— Доброе утро, миссис Филипс. Мы полностью готовы.

Кто это «мы»? Рафаэлла, согласно кивнув, вошла, миновала небольшую прихожую и вступила в спальню, к которой, как и у нее этажом ниже, примыкали будуар и скромной площади библиотека. Сейчас Джон Генри был в постели, взгляд его сосредоточился на уже разгоревшемся за решеткой камине у противоположной стены. Она приблизилась к нему тихо, он, кажется, не слышал этого, пока она не села на стул рядом с кроватью и не взяла его за руку.

— Джон Генри... — после четырнадцати лет, проведенных в Сан-Франциско, акцент, когда она произносила его имя, по-прежнему сберегался, хотя английский Рафаэлла знала в совершенстве с давних пор. — Джон Генри...

Он медленно поднял взгляд, не поворачивая головы, а затем пошевелился, чтобы удобнее было смотреть, и сухое истомленное лицо исказилось в неком подобии улыбки.

— Привет, малышка. — Речь у него была невнятная, однако Рафаэлла умела понимать его; улыбка, получавшаяся после удара искривленной, всегда разрывала ее сердце. — Выглядишь ты премило. — А после еще одной паузы: — У моей матери была такая шляпа, давно-давно.

— По-моему, я в ней глупо выгляжу, но... — Она дернула плечом, внешне вылитая француженка, мимолетно улыбнулась. Но улыбался только рот. Не глаза — это стало редкостью. А в его глазах вовсе не бывало улыбки, разве изредка при взгляде на нее.

— Итак, уезжаешь сегодня? — Вид у него был озабоченный, и опять ей подумалось, что следовало бы отменить намеченную поездку.

— Да. А ты, милый, хочешь, чтоб я осталась дома?

Он отрицательно повел головой, снова постарался улыбнуться.

— Нет. Ни за что. Хочу, чтоб ты почаще выбиралась из дому. Тебе это полезно. Увидишь... — Он сбился в этот момент, искал в памяти что-то, явно улетучивающееся оттуда.

— ...Маму, тетю, двух двоюродных сестер.

Он закивал. Смежил веки.

— Тогда, значит, ты в безопасности.

— Я всегда в безопасности.

Он еще раз устало кивнул, и она поднялась со стула, поцеловала, наклонясь, его в щеку, затем столь же мягко высвободила свою руку из его пальцев. Ей показалось, что он стал засыпать, но тут Джон Генри открыл глаза навстречу ее взгляду.

— Береги себя, Рафаэлла.

— Обещаю. Я позвоню тебе.

— Не обязательно. Отчего б не отвлечься от всего здешнего и не повеселиться?

— С кем? С мамой? С тетей? — Ее подмывало издать вздох, но она сдержалась. — Я вернусь очень скоро, все тут знают, как меня найти, если я тебе понадоблюсь.

— Не понадобишься... — Он едва заметно ухмыльнулся. — Ну не до такой степени, чтоб испортить тебе это развлечение.

— Ничего ты не испортишь, — шепнула она ему и склонилась, чтоб еще раз поцеловать.

— Я буду скучать по тебе.

Теперь он покачал несогласно головой и отвернулся от Рафаэллы.

— Не надо.

— Дорогой мой... — Пора бы уходить, отправляться в аэропорт, но ее не покидало сомнение, вправе ли она вот так оставлять его. Вечное сомнение. Вправе ли? Может, не ехать?

— Джон Генри... — Рафаэлла коснулась его руки, он вновь обернулся к ней. — Мне пора.

— Вот и хорошо, малышка. Все будет хорошо. — В его взгляде она прочла отпущение себе, теперь уже он взял ее точеную руку своими скрюченными сморщенными пальцами, некогда столь крепкими и столь здоровыми. — Счастливого пути. — Он старался вложить в эти слова как можно больше весомости и покачал головой, заметив слезы в ее глазах. — Поезжай, со мной все будет хорошо.

— Обещаешь? — Ее увлажнившиеся глаза блеснули, а его улыбка была нежнейшей, когда он поцеловал ей руку.

— Обещаю. Веди себя хорошо, девочка, съезди и развлекись. Обещай мне, что купишь себе в Нью-Йорке что-нибудь потрясающее.

— Например?

— Меха или красивые драгоценности. — На секунду ему стало жалко себя. — Что-нибудь, чему ты обрадовалась бы, если бы это купил тебе я. — И улыбчиво глянул ей в глаза.

Она качнула головой, слезы скатились со щек. Они только прибавили красоты ее взгляду, а черная вуалетка — загадочности очам.

— Мне никогда не быть такой щедрой, как ты.

— Совершенствуйся изо всех сил. — Он постарался выпалить это ей, обоим стало смешно. — Обещаешь?

— Ладно, обещаю. Но не очередные меха.

— Тогда нечто искрящееся.

— Посмотрю. — А где ей это носить? Дома в Сан-Франциско, сидя у камина? Бессмысленность затеи Рафаэлла вполне уяснила себе, когда улыбнулась ему и помахала рукой, задержавшись в дверях.

Глава 4

В аэропорту шофер докатил на машине до барьера секции с надписью «Вылет» и предъявил полицейскому пропуск. Специальные пропуска, возобновлявшиеся ежегодно, шоферы Джона Генри получали в ведомстве губернатора. Им разрешалось парковаться где потребуется, сейчас пропуск позволил водителю оставить автомобиль впритык к барьеру, чтобы проводить Рафаэллу в здание и посадить в самолет. Авиакомпанию обязательно предупреждали о ее появлении, и Рафаэллу впускали внутрь самолета раньше всех остальных.

Теперь они не спеша шли через огромный гудящий зал, шофер нес ее дорожную сумку. Публика оглядывалась на ошеломляюще красивую даму в пальто из выдры и в вуали. Шляпа подбавляла интригующего духа, горестные тени лежали под восхитительными темными глазами.

— Том, подожди меня минутку, пожалуйста. — Она чуть коснулась его руки, чтобы остановить своего провожатого, хотевшего поскорее доставить ее на борт самолета. Джон Генри Филипс не желал, чтобы Рафаэлла околачивалась в аэропортах, хоть уже давно журналисты и фоторепортеры не досаждали им. Ее настолько берегли от любопытства публики, что даже репортеры не знали, кто она такая.

Шофер встал у колонны, крепко держа в руке большую кожаную сумку Рафаэллы, а она торопливо вошла в книжный магазин, поминутно оглядываясь на него. Наблюдая с того места, он мог любоваться ее поразительной красотой, пока она бродила меж полками журналов, книг, сластей, разительно отличаясь от остальных пассажиров, теснившихся там в своих ношеных джинсах, куртках и полупальто. Нет-нет мелькнет привлекательная женщина или же прилично одетый мужчина, но никого такого не видно, чтобы сравнились с миссис Филипс. Том увидел, как она сняла с полки книгу в твердой обложке, прошла к кассе, раскрыла сумочку.

А в это время Алекс Гейл, спеша, входил в аэровокзал, с портфелем в одной руке и с саквояжем в другой. Он был озабочен. Время в запасе было, но предстояло еще дозвониться в свою контору, прежде чем сесть в самолет. Остановившись у ряда телефонов возле книжного магазина, Алекс поставил на пол вещи и полез в брючный карман за мелочью. Быстро набрал свой номер и вложил дополнительные монеты, когда там взяли трубку. В последнюю минуту понадобилось известить кое о чем партнеров, растолковать секретарше оставленные поручения и еще было важно узнать, звонили ли из Лондона, чего он очень ждал. Едва закончил задавать вопросы — и, оглядевшись, случайно увидел забавное зрелище: экземпляр самой новой книги его матери приобретался у книжного прилавка. Покупательницей оказалась дама в пальто из выдры и в черной шляпе с вуалью. Не без любопытства начал он разглядывать эту женщину, пока секретарша попросила его подождать, пока ответит по другому телефону. И как раз тут же Рафаэлла направилась ему навстречу, вуаль чуть прикрывала ее глаза, книгу она держала в руке, обтянутой перчаткой. А когда проходила мимо него, то усладила ароматом своих духов, и Алекса вмиг осенило, что глаза эти он видит не впервые.

— Господи! — вырвалось у него шепотом.

Он увидел ту самую незнакомку, сидевшую тогда на ступеньках. И вот она здесь, растворяется в толпе пассажиров, с новой книгой его матери в руке. Алекса охватило безумное желание окликнуть, но приходилось дожидаться ответа, не отойдешь, пока не отзовется секретарша с ответом на его вопрос. Взор его лихорадочно рассматривал толпу. Лишь на секунду, невзирая на его старания не терять ее из виду, мелькнула она и вновь исчезла. В следующую секунду секретарша продолжила разговор, но только лишь чтобы огорчить своим ответом и сказать, что ей надо вернуться к другому аппарату.

— Так ради этого, Барбара, я столько прождал у телефона?

Впервые за все время, отметила секретарша, он сердился. Она лишь успела промямлить «извините» и стала отвечать еще двоим позвонившим.

Потом, словно еще можно было отыскать ее, если поторопишься, он сам не свой устремился сквозь толпу, высматривая пальто из выдры и черную шляпу с вуалью. Однако скоро стало ясно, что в обозримой окрестности ее нет. Но, черт возьми, что это меняет? Кто она? Ему никто. Незнакомка.

Он осудил себя за романтический порыв, заставивший гнаться за какой-то неведомой дамой через весь аэровокзал. Это походило на поиски белого кролика в «Алисе в стране чудес», только объектом поисков была для него темноглазая красавица в пальто из выдры и в черной шляпе с вуалью, да еще с «Любовью и ложью» Шарлотты Брэндон. Остынь, сказал он себе, пробиваясь сквозь толпу в тот сектор вокзала, где уже выстроилась очередь на получение мест и посадочных талонов. Народу впереди него оказалось видимо-невидимо, и пока подошел его черед, свободные места были только в двух последних рядах самолета.

— Отчего б вам не впихнуть меня в туалет? — угрюмо глянул Александр на молодого человека за стойкой, а тот лишь улыбнулся:

— Поверьте, кто бы ни пришел после вас, всех затолкнем в багажный отсек. Самолет набит под завязку.

— Ишь, какая радость.

Работник авиакомпании, улыбаясь, развел руками.

— Что поделаешь, мы популярны. — И оба рассмеялись.

Вдруг Алекс поймал себя на том, что вновь высматривает ее, но по-прежнему без толку. Ему сдуру захотелось спросить этого парня за стойкой, не видел ли он ее, но Алекс сообразил, что такие расспросы заведомо бредовы.

Представитель авиакомпании вручил ему билет, и Алекс присоединился к очереди на выход. Стоя там, он думал о клиенте, с которым предстояло повидаться в Нью-Йорке, о матери, о своей сестре и Аманде, племяннице. Однако дама в пальто из выдры вновь не выходила у него из головы, как и в ту ночь, когда он увидел ее плачущей на ступеньках. Или он свихнулся, и это вовсе не та женщина? Тут он посмеялся над собой: сотворенные им призраки покупают произведения его матери. Ну чистая психопатия, непорядок в рассудке. Но предстоящее сулило надежду отвлечься. Хоть и медленно, очередь все-таки продвигалась вперед, наконец и он вынул посадочный талон из кармана. И опять обратил свои мысли к тому, чем предстояло заняться в Нью-Йорке.

Рафаэлла быстро нашла свое место, Том положил ее сумку под кресло, а невозмутимая стюардесса приняла в руки прелестного фасона пальто из темной выдры. Весь экипаж на борту с утра предупредили, что их рейсом в Нью-Йорк летит весьма важная персона, причем летит не в первом классе, а в общем салоне. Таково было ее всегдашнее предпочтение. Она давно втолковывала Джону Генри, что так будет куда лучше.

Кто подумает, что супруга одного из богатейших в мире людей затерялась средь домохозяек, секретарш, коммивояжеров и детишек в салоне туристского класса. Когда ее, обычным порядком, впустили в самолет раньше общей посадки, она заторопилась в предпоследний ряд, тоже как всегда. Это была малозаметность, доведенная до полной скрытности. Рафаэлла понимала, что служащие авиалинии приложат все старания, чтобы не помещать никого на соседнее место, так что почти наверняка она весь полет просидит в одиночестве. Рафаэлла поблагодарила Тома за помощь и стала смотреть, как он уходит из самолета, а навстречу спешат первые пассажиры.

Глава 5

Пядь за пядью продвигался Алекс в толпе к двери, через которую люди вливались один за одним в циклопический лайнер, предъявив и сдав посадочный талон, а где им положено сидеть указывал букет сияющих стюардесс, выстроившихся для их встречи. Пассажиры первого класса уже поместились у себя, упрятались в свой мирок, защищенный двумя занавесками от любопытства посторонних. В центральной части самолета публика начинала устраиваться, прилаживая слишком крупный багаж в проходе или заталкивая портфели, свертки на полочку над головой, так что стюардессам необходимо было сновать туда-сюда, уговаривая каждого, чтобы все, кроме шляпы и пальто, клали под сиденье. Для Алекса это был тривиальный обряд, он автоматически искал свое место, зная наперед, где найдет его. Он уже сдал саквояж стюардессе при входе, а портфель он отправит под кресло, вытащив оттуда несколько документов, которые наметил прочесть в полете. Про это он и думал, продвигаясь в конец салона и стараясь не толкнуть на ходу пассажиров, тем более детей. Вдруг снова подумалось о той женщине, но разыскивать ее здесь было делом бесполезным. Она не попадалась ему в толпе, ожидавшей посадки в самолет, так откуда ж ей появиться внутри этого самолета.

Он добрался до своего кресла, аккуратно положил под него портфель, собрался усесться. С легким недовольством отметил, что какой-то багаж уже сунут под другое сиденье в его ряду, значит, увы, в полете не обойдется без соседей.

Оставалось надеяться, что рядом окажется кто-то, у кого тоже работы в достатке. Не хотелось отвлекаться на болтовню во время рейса. Алекс быстро сел, вытащил назад портфель из-под кресла, извлек два комплекта нужных бумаг, радуясь, что сосед временно отсутствует. А чуть погодя почувствовал движение рядом с собой и автоматически перевел взгляд со страницы, которую читал, на пол. При этом в поле его зрения оказалась пара очень изящных и дорогих черных крокодиловых туфель. «Гуччи», равнодушно предположил он, прикинув в уме их цену. В следующее мгновение он не мог не отметить, что ножки еще привлекательнее туфель. Робея как школьник, он провел взглядом по длинным ногам вверх до полы юбки, далее по поверхности французского костюма до обращенного вниз на него лица, до слегка склоненной набок головы. Женщина вроде бы хотела задать какой-то вопрос и, похоже, не сомневалась, что он сию минуту обозрел ее от туфель до макушки. Но, вглядясь, Алекс испытал полнейшее потрясение, непроизвольно поднялся и сказал ей:

— Боже мой, это вы.

В ответ она посмотрела с неменьшим удивлением, глядела и недоумевала, о чем это он ведет речь и кто он такой. Надо думать, она ему известна, и в приступе страха она предположила, что этот человек некогда встречал ее фотографию или прочитал что-то в прессе. Может, сам он тоже журналист, поэтому подступило настоятельное желание повернуться и убежать. Ведь несколько часов в самолете она будет в тюрьме, его пленницей. Она стала беспокойно пятиться от него, в расширившихся глазах стоял испуг, сумочку она прижала к себе. Собралась найти стюардессу и потребовать, чтобы на сей раз дали место в первом классе. Или, возможно, еще успеют высадить ее. Тогда улетит следующим нью-йоркским рейсом.

— Я... не... — бормотала она, отпрянув, но не успела и шага сделать, как ощутила его руку на своей. Прочитав испуг на ее лице, он сам ужаснулся, что же такое натворил.

— Да не надо...

Она, сама едва ли заметив это, подалась ближе к нему. Хотя инстинкт упорно советовал ей сбежать.

— Вы кто?

— Александр Гейл. Я просто... видите ли... — Он скромно улыбнулся, подмеченное в прекрасных ее глазах ранило его. В них читались печаль и непокой. А может, и боль, но этого он еще не распознал. Ясно было одно: на этот раз он не даст ей скрыться.

— Заметил, что вы покупали в аэропорте. — Он указал взглядом на книгу, лежавшую на ее кресле. Рафаэлле это показалось вовсе не к месту, просто бессмыслицей. — И я... я видел вас однажды на ступенях, меж Бродриком и Бродвеем, неделю тому назад. Вы... — Ну как ты ей скажешь, что она, мол, тогда плакала? Этим снова ведь обратишь ее в бегство. Но и сказанное вроде бы покоробило ее, долгий взгляд стал напряженным. Видимо, она стала припоминать, о чем это он, и постепенно на лице проступил легкий румянец.

— Я... — Она кивнула, отвела взгляд. Судя по всему, он не репортер светской хроники. Может быть, просто псих или дурачок. И все равно не хотелось пять часов сидеть рядом с ним, гадая, с чего это он брал тебя за руку, да еще сказал: «Боже мой, это вы». Но пока она присматривалась, не сходя с места, и рассуждала, он не сводил с нее глаз, стараясь одним взором удержать ее здесь, из репродукторов самолета раздалось строгое указание занять свои места, и Алекс осторожно обогнул Рафаэллу, чтобы дать ей дорогу к ее креслу.

— Вы почему не садитесь?

Он стоял, крепкий, высокий, видный собой, и, словно не в силах ускользнуть, она молча отправилась мимо него на свое место. Шляпу положила наверх, на полку, прежде чем Алекс явился на свой ряд. Ее волосы блеснули наподобие черного шелка, когда она наклонила голову, отвернулась и стала смотреть в окно. Так что Алекс не продолжил разговор и уселся сам, оставив сиденье меж ними свободным.

И заметил, как колотится сердце. Она действительно не менее красива, чем виделось ему в тот вечер, когда он застал ее сидящей на ступенях, в облаке рысьего меха, с обворожительными темными глазами, вскинутыми на него, и с ручьями слез, тихо скатывающихся по лицу. И вот та самая женщина сидит в нескольких пядях от него, и он всеми фибрами души желает податься к ней, коснуться ее, заключить в объятия. Да, сумасшествие, он понимает это. Она прекрасна, эта совершенная незнакомка. Он улыбнулся про себя: слова-то какие. Она совершенна во всем. Стоило взглянуть на ее шею, ее руки, на то, как она сидит, — во всем читалось совершенство, а едва обозрев ее профиль, уже не оторвешь взор от этого лица. Затем, понимая, как неловко ей делается от его взглядов, он извлек свои бумаги и бессмысленно в них уткнулся — пусть она поверит, что он больше не любуется ею и обратил мысли на нечто иное. Лишь после взлета поймал Алекс на себе ее взгляд и краешком глаза уследил, что рассматривает она его долго и упорно.

Не в силах далее притворяться, он обернулся к ней с учтивым видом, с ненавязчивой, но доброй улыбкой.

— Простите, если я вас успел напугать. Просто... я не имею привычки поступать подобным образом. — Улыбка его стала шире, но ответной не последовало. — Я... я не знаю, как объяснить. — Тут он ощутил себя действительно сумасшедшим, раз решился все объяснить. Она смотрела на него в упор, точно так, как в тот раз, когда он впервые ее увидел и был до крайности тронут. — Увидев вас тем вечером, на ступенях, как вы... — решился Алекс продолжить и высказаться, — как вы плачете, я почувствовал полное бессилие, когда вы на меня посмотрели, а после исчезли. Вот что было. Вы просто растворились. Не один день это мне не давало покоя. Все вспоминал ваш облик, слезы на лице. — Говоря это, он рассчитывал, что ее взор смягчится, но не было признаков какой-либо перемены в выражении ее лица. Он опять заулыбался, пожал слегка плечами. — Видимо, мне просто невыносим вид страждущей девы. Всю эту неделю я волновался за вас. И вот нынче утром вы передо мной. Пока звонил в свою контору, разглядел даму, занятую покупкой книги. — Он кивнул на знакомую суперобложку, не объясняя, отчего эта книга столь знакома ему. — Узнал вас. Невероятно, как в кино! Неделю напролет меня преследует ваш образ, как вы сидите на ступенях, в слезах, и вдруг вы предо мною, та самая красавица.

На сей раз последовала ответная улыбка. Он был вежлив, моложав; забавно сказать, но ей вспомнился брат, который в шестнадцать лет еженедельно в кого-нибудь влюблялся.

— И опять вы исчезаете, — продолжая рассказ, он изобразил отчаяние. — Пока я повесил трубку, вы уже растворились в воздухе. — Ей не хотелось объяснять, что прошла она через служебный вход, ее провели боковыми коридорами прямо к самолету. Но он был явно озадачен. —

Я не заметил вас перед посадкой. — Потом понизил голос, спросил заговорщически: — Скажите правду, вы волшебница? — Выглядел он как дитя-переросток, и ей не удалось сдержать улыбку.

Ее глаза окинули его, теперь уже без раздражения и без боязни. Он слегка не в себе, слегка юн, слишком романтичен и следует заключить, что не желает ей вреда. Он вежлив, вроде бы даже простоват. И потому она не без улыбки кивнула:

— Да.

— Ага, так я и думал. Дама-волшебница. Жуть! — Он откинулся в кресле, улыбаясь во весь рот. Улыбалась и она. Шла забавная игра. И ничем ей не угрожающая, ведь сидят они как-никак в самолете. С этим незнакомцем больше она уж не увидится. Стюардессы быстро проводят ее наружу, едва они прилетят в Нью-Йорк, и она будет вновь в безопасности, в надежных руках. А заняться такой игрой с незнакомцем — милое дело. Теперь-то она припомнила его и тот вечер. Когда охватило ее чувство совершенного одиночества и заставило выбежать из дома, усесться на сбегающих по склону холма ступенях. Подняв глаза, она тогда заметила его и, прежде чем он мог бы настичь ее, удалилась под покров сада. Перебирая это в памяти, она заметила, что Алекс снова наклонился к ней. Шутливо спросил:

— А трудно быть волшебницей?

— Временами.

Ему послышался некоторый акцент, впрочем, уверенности в том не было. И тогда, убаюканный мирностью затеянной игры, решился он спросить:

— А волшебница вы американская?

— Нет. — Хоть и выйдя за Джона Генри, она ощущала свою принадлежность Франции и Испании. А сейчас не считала рискованным продолжать беседу с Алексом, который, похоже, взялся разглядывать набор колец на пальцах ее рук. Догадалась, что именно его интересует, и решила, что ему нелегко дастся выяснение желаемого.

Ей внезапно захотелось не рассказывать ему о себе, не быть миссис Джон Генри Филипс, хоть ненадолго. Побыть бы чуточку просто Рафаэллой, совсем молоденькой девушкой.

— Вы мне не сказали, волшебница, откуда же вы. — Он уже не разглядывал ее пальцы. Решил, что кто бы она ни была, она состоятельна, и еще почувствовал облегчение, не обнаружив гладкой золотой полосы на соответствующем пальце. Стал строить догадки, что у нее, наверное, богатый отец, и этот старик устроил ей нелегкую жизнь, отчего, видимо, и плакала она там, на ступенях, где он впервые ее увидал. Или же она развелась. Но, правду сказать, его это и не занимало. А занимали ее руки, ее глаза, ее губы и та сила, что так влекла его. Он чувствовал это даже на расстоянии, и все в нем стремилось быть ближе к ней. Уж и так был он близко к ней, но понимал, что коснуться ее нельзя. Можно только продолжить начатую игру.

А Рафаэлла теперь не таила улыбки. В два счета они превращались чуть ли не в приятелей.

— Я из Франции.

— Да ну? Там и живете?

Она в ответ мотнула головой, став почему-то более сдержанной.

— Нет, живу я в Сан-Франциско.

— Так я и думал.

— Да? — Она взглянула на него удивленно и весело. — Как вы догадались? — спросила с полнейшей простотой. Но в глазах читалось, что она себе на уме. Манера вести беседу подсказала ему, что не очень-то ей приходилось сталкиваться с широким грубым миром. — А похоже, что я из Сан-Франциско?

— Не похоже. Просто у меня догадка, что вы здесь живете. А с удовольствием?

Она неспешно кивнула, но бездонная печаль вернулась в ее глаза. Вести с ней беседу — все равно что вести корабль сквозь неспокойные воды, и нет уверенности, когда грозит тебе сесть на мель, а когда опасность отступает и можно мчать на всех парусах.

— Мне нравится Сан-Франциско. Хотя с некоторых пор я редко выбираюсь в город.

— Вот как? — Он побаивался спросить всерьез, отчего она редко выбирается именно с некоторых пор. — Что же тогда занимает ваше время? — Его голос своей мягкостью ласкал ее, и она повернула к нему глаза, расширенные больше прежнего.

— Я читаю. Запоем. — Тут она улыбнулась и поежилась, словно смутясь, слегка покраснев, отвела взгляд, вновь посмотрела на Алекса и спросила:

— А вы чем занимаетесь? — Сочла себя очень смелой, раз задает несколько личный вопрос этому незнакомцу.

— Я адвокат.

Она кивнула со спокойствием и улыбкой. Ответ ей понравился. Всегда юстиция казалась ей интригующей, и, пожалуй, это как раз подходящая работа для такого человека. По ее догадке, они приблизительно одного возраста. В действительности же он был на шесть лет старше ее.

— И вам нравится такая профессия?

— Очень. А вы, что вы делаете, волшебница, помимо чтения книг?

Сперва ей захотелось было сказать с оттенком иронии, что она нянька. Но это показалось ей незаслуженно жестоким по отношению к Джону Генри, поэтому последовала пауза, Рафаэлла лишь качнула головой, сказав:

— Ничего. — Не таясь, посмотрела на Алекса. — Совершенно ничего.

Ему по-прежнему было любопытно, откуда она такая взялась, какую жизнь ведет, чем занята целый день, отчего же плакала в тот вечер. Это занимало его все сильнее и сильнее.

— Вы часто путешествуете?

— Время от времени. Всего по нескольку дней. — Она опустила взгляд на свои пальцы, уставилась на золотой перстень с крупным бриллиантом на левой руке.

— А теперь собрались назад во Францию? — Он подразумевал Париж, в общем и целом верно. Однако она отрицательно покачала головой.

— В Нью-Йорк. Я бываю в Париже один раз в год, в летнее время.

Он закивал с улыбкою.

— Красивый город. Я однажды прожил там полгода и влюбился в него.

— Да? — Рафаэлле это явно было приятно услышать. — Значит, вы говорите по-французски?

— Не ахти как. — Вновь вернулась широкая мальчишеская улыбка. — Уж точно не так отменно, как вы по-английски.

Тут она тихо засмеялась, вертя в руках книгу, купленную в аэровокзале, на которую указал теперь глазами Алекс:

— Вы ее читали?

— Кого?

— Шарлотту Брэндон.

Рафаэлла кивнула утвердительно:

— Люблю ее. Прочла все книги, которые она написала. — И посмотрела на него, словно бы извиняясь. — Знаю, не очень-то серьезное это чтение, но изумительное, для того чтобы отвлечься. Откроешь любую ее книгу и сразу погружаешься в мир, который она описывает. Наверно, такого рода литература представляется мужчине пустяковой, зато... — Не сознаваться же ему, что эти книги спасают ее, сберегая рассудок в эти последние семь лет, еще подумает, будто с разумом у нее неладно. — Зато она очень увлекательная.

Алекс улыбнулся совсем доверительно:

— Знаю, знаю, я ее тоже читал.

— Да ну? — Рафаэлла глянула на него по крайней мере недоуменно. Книги Шарлотты Брэндон вряд ли составляют чтение для мужчины. Джон Генри наверняка не стал бы их читать. Равно как и ее отец. Те читают не беллетристику, а что-нибудь про экономику, про мировые войны. — И вам нравится?

— Очень. — Тут он решил немного продлить прежнюю игру. — Я их прочел все до единой.

— Правда? — Ее огромные глаза еще больше расширились. Удивительно было ей, что адвокату такое интересно. Она с улыбкой протянула ему книгу.

— А эту успели прочесть? Она совсем новая. — А вдруг она нашла наконец сотоварища?

Кинув взгляд на книгу, он утвердительно кивнул:

— По-моему, она самая удачная. Вам понравится. Она серьезнее некоторых предыдущих. Больше вызывает раздумий. Много и откровенно говорится там о смерти, это не просто милое повествование. Немало высказано весомого. — Он-то знал, что мать писала этот роман весь прошлый год, накануне весьма серьезной хирургической операции, и боялась, что будет он последней книгой. И постаралась вложить в нее нечто значительное. И это ей удалось. Алекс с большой серьезностью проговорил: — Автору она очень дорога.

Рафаэлла недоверчиво произнесла:

— Откуда вы знаете? Вы встречались с писательницей?

Настала короткая пауза, на лице его вновь заиграла улыбка, он наклонился к Рафаэлле и прошептал:

— Это моя маменька. — Та в ответ рассмеялась, словно серебряный колокольчик, приятнейший для слуха. — Честное слово, это так.

— Послушайте, для адвоката вы очень уж несерьезный, право.

— Отчего же? — Он постарался принять обиженный вид. — Я серьезен. Шарлотта Брэндон — моя мать.

— А президент Соединенных Штатов — ваш отец.

— С чем вас и поздравляю. — Он протянул руку для пожатия, она вежливо опустила свою ладонь в нее. Получилось крепкое рукопожатие. — Кстати, меня зовут Алекс Гейл.

— Вот видите! — снова засмеялась она. — Ваша фамилия не Брэндон.

— Это ее девичья фамилия. Мать зовут Шарлотта Брэндон Гейл.

— Вон оно как. — Рафаэлла все смеялась, не могла, глядя на него, не расхохотаться. — Вы всегда этакие байки рассказываете?

— Только совсем незнакомым людям. Кстати, волшебница, а вас как зовут?

Он сознавал некоторую свою напористость, однако отчаянно хотелось знать, кто же она такая. И преодолеть взаимную безымянность. Он желал услышать, как ее зовут, где она живет, где ее можно будет найти, чтобы в том случае, если опять она растворится в воздухе, удалось бы ее вновь отыскать.

Она чуть помешкала с ответом, потом улыбнулась и сказала:

— Рафаэлла.

Он в сомнении покачал головой, но продолжал улыбаться:

— Теперь это мне напоминает байку. Имя у вас не французское.

— Да, испанское. Я только наполовину француженка.

— А наполовину испанка? — Ее внешность подсказала ему, что это правда: иссиня-черные волосы, черные глаза и фарфорово-белая кожа, такова, по его понятиям, и должна быть испанка. Ему и в голову не пришло, что краски свои взяла она от отца-француза.

— Да, наполовину испанка.

— На какую половину? По уму или по душе? — Вопрос был серьезный, и она поморщилась, запнулась в поисках ответа.

— Трудно сказать. Сама не очень понимаю. Наверно, душа французская, а ум испанский. Думаю, я подобна испанке не из особого предпочтения, скорее по привычке. Пожалуй, весь жизненный уклад отзывается в том, какова ты.

Алекс с подозрительным видом обернулся назад, потом, наклонясь к ней, прошептал:

— Я не вижу никакой дуэньи.

Она весело рассмеялась:

— Ой, здесь ее нет, но потом встретите!

— По-настоящему?

— Даже очень. Я если и бываю одна, то лишь в самолете.

— Это удивительно, даже интригует. — Захотелось спросить, сколько ей лет. Он предположил, что двадцать пять или двадцать шесть, и был бы удивлен, если бы узнал, что ей тридцать два года. — Вы не против постоянных надзирательниц?

— Иногда. Но без них, наверно, чувствовала бы себя вовсе непривычно. Я с этим выросла. Порой думаешь, что без опеки окажется страшновато.

— Почему? — Она еще больше озадачила его. Уж до того отличалась от всех знакомых ему женщин.

— Тогда некому будет защитить тебя, — сказала она с полнейшей серьезностью.

— От кого защитить?

Прошло некоторое время, прежде чем она улыбнулась и вежливо заявила:

— От людей вроде вас.

Ему ничего не оставалось, как ответить улыбкой, и довольно долго они сидели рядом, каждый погрузясь в свои мысли и взаимные вопросы относительно жизни друг друга. По прошествии времени она повернулась к нему с большей заинтересованностью и оживлением во взгляде, чем можно было заметить ранее.

— А зачем вы мне насочиняли про Шарлотту Брэндон? — Она никак не могла раскусить его, хоть он ей понравился, вроде бы искренен, и добр, и забавен, и ярок, насколько она может судить.

Но вновь он с улыбкой отвечал:

— Поскольку это соответствует истине. Это моя мать, так-то, Рафаэлла. Скажите, а вас действительно так зовут?

Она сдержанно кивнула в ответ:

— Действительно так. — Но не открыла своей фамилии. Просто Рафаэлла. Ему это имя очень и очень приглянулось.

— В любом случае, она мне мать. — Он указал на ее портрет на задней стороне суперобложки, мирно поглядел на Рафаэллу, не выпускавшую книгу из рук. — На вас она произвела бы наилучшее впечатление. Она вправду замечательная.

— Я в этом не сомневаюсь. — Но ей явно не верилось в истинность сказанного Алексом, и тогда он лихо полез в свой пиджак, извлек тонкий черный бумажник, который год назад преподнесла ему Кэ ко дню рождения. На нем были помещены те же буквы, что и на черной сумочке Рафаэллы. «Гуччи». Он вынул из бумажника две фотографии с помятыми уголками и молча протянул ей через пустующее сиденье. Стоило ей глянуть на них, и глаза ее вновь расширились. Одно фото совпадало с помещенным на книге, а на втором была его мать, смеющаяся, и он, обнявший ее, а с другого боку стояла его сестра вместе с Джорджем.

— Семейный портрет. Снимались в прошлом году. Сестра моя, зять и мама. Ну, что теперь скажете?

Рафаэлла, послав Алексу улыбку, стала смотреть на него с внезапным почтением.

— Ой, обязательно расскажите мне про нее! Ведь она прелесть?

— Именно. И само собой, волшебница. — Он выпрямился во весь рост, засунул свои документы в карман на спинке впереди расположенного кресла, пересел на соседнее место, совсем рядом с ней. — Вы, по-моему, тоже прелесть. Теперь, прежде чем описывать мою маму, не заинтересую ли вас я предложением выпить перед ленчем? — Впервые стал он использовать свою мать, чтобы прельстить женщину, ну да что тут такого. Ему нужно было как можно теснее познакомиться с Рафаэллой, пока самолет не долетел до Нью-Йорка.

Они проговорили следующие четыре с половиной часа за фужерами белого вина и над заведомо несъедобным ленчем, который оба съели и не заметили, ведя беседу про Париж, Рим, Мадрид, про жизнь в Сан-Франциско, про книги, про людей и детей и про юстицию. Рафаэлла узнала, что у него хорошенький викторианский домик, которым он доволен. Он узнал о ее жизни в Испании, в Санта-Эухении, выслушал с восторженным вниманием сказку о мире, который следовало бы датировать несколькими столетиями ранее и о котором он даже понятия не имел. Она говорила о столь горячо любимых ею детях, о сказках, которые им рассказывает, о своих кузинах, смехотворных сплетнях в Испании по поводу такого уклада. Изложила ему все, только не о Джоне Генри и не о нынешнем своем житье-бытье. Да и не жизнь это, а мрачное, пустое существование, небытие. Не то чтоб Рафаэлла желала скрыть это от него, просто самой не хотелось вспоминать сейчас об этом.

Когда стюардесса попросила наконец застегнуть привязные ремни, оба напоминали детей, которым сказано, что праздник окончен и пора по домам.

— Чем вы сейчас будете заняты? — Он уже знал, что Рафаэлле предстоит встретиться с матерью, тетей, двумя кузинами, по всем испанским правилам, и что она будет проживать с ними в нью-йоркском отеле.

— Сейчас? Встречусь с мамой в отеле. Они уже должны быть там.

— Можно мне довезти вас на такси?

Она отрицательно повела головой.

— Меня доставят. Собственно, — взгляд у нее стал грустным, — мое исчезновение произойдет сразу по приземлении.

— По крайней мере, помогу вам донести вещи. — Тон был умоляющий.

Но вновь она не согласилась:

— Видите ли, меня будут сопровождать прямо от самолета.

Он постарался состроить улыбку:

— Не правда ли, очень похоже, что вы рецидивистка и путешествуете под конвоем или вроде того?

— Ну да. — Печаль была в ее голосе и в глазах. Оживление пяти последних часов вдруг угасло для обоих. Взаправдашний мир приготовился встрять в их легкую игру. — Я прошу прощения.

— И я. — Затем он сказал ей серьезно: — Рафаэлла... смогу ли я повидать вас, пока мы будем в Нью-Йорке? Понимаю, вы заняты, но если встретиться за рюмочкой, а? — Она помотала головой. — Почему бы нет?

— Невозможно. Моя родня никогда не позволит.

— Да почему, ради Христа, вы же взрослая.

— Совершенно точно. А дамы в том обществе не бегают выпивать с незнакомыми мужчинами.

— А я знакомый. — Вид у него вновь стал мальчишеский, и она рассмеялась. — Ладно, вот что. Нельзя ли пригласить вас на ленч со мной и с моей матерью? Завтра? — Это была импровизация, но он притащил бы мать на ленч, если бы даже пришлось выволакивать ее с редакционного совещания. Коль Шарлотта Брэндон понадобилась на роль дуэньи с целью склонить Рафаэллу на ленч вместе с ним, никого лучше не сыщешь. — Согласны? «Времена года». Час дня.

— Алекс, я не знаю. Наверняка меня...

— Постарайтесь. Даже не обязательно давать обещание. Мы там будем. Получится у вас прийти, прекрасно. Если не появитесь, я вас пойму. Ну, смотрите. — Самолет коснулся посадочной полосы, и в голосе Алекса прозвучала внезапная торопливость.

— Не вижу, как... — Их глаза встретились. Рафаэлла выглядела отчаявшейся.

— Бояться нечего. Только помните, как сильно вы хотите познакомиться с моей матерью. «Времена года». Час дня. Не забудьте.

— Да, но...

— Тише... — Он поднес палец к ее губам, и Рафаэлла долго не сводила глаз с Алекса. Вдруг он нагнулся к ней, весь охваченный желанием поцеловать ее. Может, если сделаешь это, то уж никогда ее не увидать, а если воздержаться, то не исключено, что они встретятся снова. Так что вместо поцелуя он предпочел вопрос сквозь рев моторов, пока самолет выруливал на стоянку: — В каком отеле вы остановитесь?

Глаза ее были просто бездонными, когда она смотрела на него в нерешительности. По сути, он просил довериться ему, и она этого хотела, но не могла отбросить сомнения, позволительно ли это. Слова вырвались у нее будто сами собой, когда самолет резко дернулся:

— Я буду в «Карлейле».

Тут же, словно по условленному знаку, две стюардессы показались в проходе, одна несла ее пальто из выдры, другая извлекла ее дорожную сумку из-под сиденья, а Рафаэлла, словно послушный ребенок, попросила Алекса достать ей шляпу с верхней полки, затем без единого слова надела ее, отстегнула ремень и встала. И вот стоит, такая, какой он прежде видел ее в аэропорту. Закутанная в выдровый мех, глаза под вуалеткой черной шляпки, прижав к себе книгу и сумочку. Она глянула, потом протянула ему руку, облаченную в лайковую перчатку черного цвета.

— Спасибо вам. — Это была благодарность за пять часов, отданных ей, за желанный случай, за побег из действительности, за то, что испробовала, как могла бы пойти ее жизнь, могла б, да вот не пошла. Она еще на миг задержала на Алексе свой взор, потом отвернулась.

К двум стюардессам, явившимся за Рафаэллой, присоединился стюард, решительно вставший позади нее. В хвосте самолета открылся запасной выход близ того ряда, где она сидела с Алексом, а стюардессы объявили по мегафону, что высадка пассажиров будет производиться через переднюю дверь. Задний люк вмиг открылся, Рафаэлла и трое членов экипажа быстро удалились. Выход незамедлительно закрыли вновь, и лишь немногие пассажиры в хвосте самолета недоумевали, что случилось и почему женщину в черном пальто из выдры высадили таким путем. Но все они больше были заняты собой, собственными заботами, и только Алекс задержался там, уставясь на люк, в котором она исчезла. Вновь ускользнула от него. Темноволосая незабываемая красавица скрылась в очередной раз. Но теперь он знал, что зовут ее Рафаэлла и что остановится она в «Карлейле».

Вдруг у него перехватило дух — Алекс сообразил, что не выяснил ее фамилию. Рафаэлла. А дальше? Как осведомиться о ней в отеле? Итак, единственной надеждой остается увидеть ее завтра за ленчем. Если она появится, если сумеет вырваться от родственниц... если... Чувствуя себя словно запуганный школьник, он взял пальто и портфель и начал продвигаться вперед к выходу из самолета.

Глава 6

Официант во «Временах года» проводил высокую, видную даму к ее постоянному столику близ бара. Сухое современное убранство было подходящим фоном для ярких людей, обитавших день и ночь в этом ресторане. Идя к своему столику, дама улыбалась, кланялась, поприветствовала своего приятеля, прервавшего разговор с кем-то, чтобы помахать ей рукой, не вставая. Шарлотта Брэндон была здесь постоянной посетительницей. Для нее прийти сюда на ленч — все равно что в клуб, ее высокая тонкая фигура уверенно двигалась в знакомой обстановке, белоснежные волосы выбивались из-под шляпки, которая очень ей шла и сочеталась с прекрасным пальто из выдры, накинутым поверх темно-синего платья. В ушах играли сапфиры и бриллианты, вокруг шеи — три нитки крупного отборного жемчуга, на руке — одинокий сапфир, купленный ею по случаю пятидесятилетия, на гонорар за свою пятнадцатую книгу. Предыдущая разошлась тиражом более трех миллионов экземпляров в мягкой обложке, и Шарлотта Брэндон, решив шикануть, приобрела это кольцо.

Поныне дивилась она, что своей карьерой обязана смерти мужа, когда он разбился на своем самолете и ей пришлось поступить впервые на работу, заняться сбором материалов для скучнейших обозрений, которые самой ей отнюдь не нравились. А вот что ей понравилось, и это она быстро осознала, так это сочинять, и, сев за свой первый роман, она почувствовала себя наконец-то добравшейся до дому. Первая книга прошла неплохо, вторая — того лучше, третья — с ходу вышла в бестселлеры, и с той поры шла нелегкая работа, но ровное продвижение, и она все больше влюблялась в писательский труд год от году, от книги к книге. И уж издавна волновали ее только свои сочинения, свои дети да внучка Аманда.

Не попалось ей в жизни больше никого достойного, после смерти мужа лишь иногда заставляла она себя встретиться с каким-либо другим мужчиной. Водились с нею стародавние близкие друзья, сберегались добрые отношения с ними, однако выйти замуж за кого-то из них она не пожелала. Двадцать лет отговаривалась интересами своих детей, а позже — исключительно интересами творчества. «Со мной не ужиться. Режим у меня несносный. Пишу ночь напролет, сплю целый день. Это ж с ума тебя сведет, не выдержишь!» Ее отговорки были многочисленны и не очень-то весомы. Человек она была организованный, дисциплинированный, умела рассчитать работу по часам, словно армейский батальон, изготовившийся к маршу. Истина была в том, что ей не хотелось снова замуж. После Артура Гейла никого она так и не полюбила. Для нее он был ярким светом с небосвода и прототипом полудюжины героев ее романов. Александр же так на него похож, что порой перехватывает дыхание, когда видишь его, такого же темноволосого, высокого, стройного, гибкого и привлекательного. И она бывала горда сознанием, что этот редкостно красивый, интеллигентный, добрый человек приходится ей сыном. И совсем другие чувства возникали у нее при встрече с дочерью. Кэ порождала в ее душе сокровенное чувство вины за неведомые, но совершившиеся ошибки. Отчего получилась Кэ настолько язвительной, холодной, злой? Из-за постоянной занятости матери своим творчеством? Из-за смерти отца? В пику брату? Так или иначе, Шарлотта несла в себе груз поражения, с грустью и тревогой смотрела в холодные глаза, подобные ее собственным, но не отражающие в себе ничего отрадного.

Кэ резко отличалась от Алекса, который как раз сейчас распрямился во весь рост, отыскав взглядом мать. Его добрая счастливая улыбка озарила лицо.

— Спаси, Господи! Ты, мать, выглядишь — лучше не бывает! — Он слегка наклонился, чтобы поцеловать ее, она легонько обняла его. Уже несколько месяцев не приезжал он из Сан-Франциско в Нью-Йорк, но она отнюдь не ощущала, что их вправду разделяют огромные расстояния. Он часто звонил ей, справлялся, как дела, рассказывал что-нибудь новенькое, спрашивал о готовящейся книге или же толковал о текущем судебном деле. Она чувствовала неразрывность их с сыном существования, причем оба не докучали друг другу. Меж ними сложились отношения, которые ее целиком устраивали. Вот она сидит напротив сына за столиком и не скрывает светящейся в глазах радости от встречи. — Вид у тебя на загляденье! — гордясь без утайки, улыбнулся он.

— Лесть, дорогой мой, это порок, однако восхитительный. Спасибо тебе. — Она вгляделась в его глаза, он ей улыбался. В свои шестьдесят два года она еще смотрелась привлекательной — высокая, изящная, элегантная, с гладкой кожей женщины вполовину моложе. Косметическая операция помогла ей сберечь красоту и нежный цвет лица, но хороша собою она была изначально. А при необходимости участвовать в рекламе и популяризации собственных сочинений была естественным образом озабочена сохранением моложавости. С годами Шарлотта Брэндон стала объектом немалого бизнеса. Как дама пишущая, она понимала: ее лицо — важная деталь ее имиджа, равно как жизнерадостность и радушие. Это была женщина, чтимая другими женщинами, за три десятилетия завоевавшая себе преданных читательниц. — Так что у тебя за дела? Выглядишь ты, надо сказать, тоже великолепно.

— Работы полно. Право, не было передышки с тех пор, как мы последний раз виделись. — Только успел он сказать это, и его взгляд метнулся ко входу. На миг показалось, что там стоит Рафаэлла. Темноволосая головка, выдровое пальто показались на верху лестницы, но стало ясно, что входит сюда какая-то другая женщина, и Алекс быстро вернулся взглядом к матери.

— Ты, Алекс, кого-то ждешь? — Она без задержки прочла это в его взгляде и усмехнулась. — Или ты устал от калифорнийских дам?

— Откуда взять время на это? Я трудился сутки напролет.

— А это ты зря. — Она глянула на него огорченно. Она желала бы ему жить поистине полной жизнью. Желала этого обоим своим детям, но ни единому из них не удавалось пока достичь желаемого. У Алекса не сложилось супружество с Рэчел, а Кэ сжирала страсть к политике, ее амбиции, застившие ей все прочее. Порой Шарлотте казалось, что детей своих она не понимает. Она управлялась на двух фронтах, в семье и с карьерой, но дети ей объяснили, что времена нынче не те, карьеру уже не сделаешь так гладко, как это было с нею. Правы они или обманываются из-за собственных неудач? Глядя на сына, она сейчас очень бы хотела расспросить, доволен ли он своим одиноким житьем или предпочел бы некоторые перемены? Очень бы хотела знать, связан ли он всерьез с женщиной, которую вправду полюбил.

— Мама, не стоит волноваться. — Он весело похлопал ее по руке и подозвал официанта. — Выпьем? — Она согласно кивнула, и он заказал две «Кровавых Мэри». А потом уставился на нее. Надо все сказать именно сейчас, на случай, если Рафаэлла придет вовремя. Он договаривался на час дня, а с матерью встретился в половине первого. Опять же, возможно, что Рафаэлла вовсе не явится. Он наморщил лоб, затем посмотрел в прозрачные голубые глаза матери. — Я позвал одну знакомую присоединиться к нам. Но не уверен, что у нее это получится. — Затем по-мальчишески смущенно потупился и вновь взглянул в материнские голубые глаза. — Надеюсь, ты не возражаешь. — А Шарлотта Брэндон уже смеялась, юный и радостный смех звучал звонко, заразительно. — Брось смеяться надо мной. — Но такой уж был у нее заразительный смех, что Алекс невольно сам заухмылялся в ответ на игравшее в ее взгляде веселье.

— По виду тебе можно дать лет четырнадцать. Уж извини, Алекс, так, ради Бога, скажи, кого ты пригласил на ленч?

— Одну приятельницу. Одну женщину. — Едва не прибавил: «Пристал к ней в самолете».

— Ты приятельствуешь с нею в Нью-Йорке? — Не стоило допытываться, вопрос задан был дружелюбно, Шарлотта по-прежнему улыбалась сыну.

— Нет, она живет в Сан-Франциско. Сюда приехала на несколько дней. Мы летели одним рейсом.

— Очень мило. Кем она работает? — Она сделала первый глоток из своей рюмки, сомневаясь, уместно ли об этом спрашивать, но ей всегда любопытно было узнавать о его друзьях. Иногда трудновато оказывалось не настаивать на правах матери, но если уж ей случалось переусердствовать, он всегда ее вежливо останавливал. Она смотрела сейчас на него вопрошающе, но он не возражал, кажется. Держался оживленней, нежели приводилось ей видеть с давних пор, глаза его были полны тепла и ласки. Никогда он не выглядел таким при Рэчел, вечно был не в своей тарелке. Тут она заподозрила, не приготовил ли Алекс некий сюрприз.

Но он лишь весело поглядывал, отвечая:

— Верь не верь, достославная романистка Шарлотта Брэндон, но она, похоже, никем никогда не работала.

— Ох, ох. Чистое декадентство. — Однако Шарлотту это не расстроило, ее лишь озадачило то, что читалось во взгляде сына. — Она совсем молоденькая? — Это было бы объяснением. Юные вправе потратить некоторое время, чтобы выбрать себе подходящее занятие. Но коль стали чуть старше, то, по мнению Шарлотты, надобно выбрать свою дорогу, во всяком случае род деятельности.

— Нет. То есть не молоденькая. Ей около тридцати. И она из Европы.

— Ага, — понимающе заметила мать, — тогда ясно.

— Все равно странно. — Он призадумался. — Никогда не встречались мне женщины, ведущие такой образ жизни. Отец у нее француз, мать — испанка, а сама она проводит всю жизнь по преимуществу взаперти, окруженная, провожаемая, осажденная родней и дуэньями. Такой уклад кажется небывалым.

— Как же удалось тебе оторвать ее от них хотя бы на срок, достаточный, чтобы сразу подружиться с ней? — Шарлотта была заинтригована, отвлеклась лишь на краткое приветствие, чтоб небрежно помахать через зал знакомому, сидящему в отдалении.

— Я еще не успел. Но намерен. Это один из мотивов, по которым я позвал ее на сегодняшний ленч. Она обожает твои романы.

— Ой Боже ты мой! Такие здесь не к месту. Господи, как стану я обедать бок о бок с теми, кто расспрашивает, давно ли я стала писательницей и сколько месяцев уходит у меня на каждую книгу? — Однако жаловалась она понарошку и улыбалась по-прежнему достаточно мирно. — Отчего ты не водишься с девушками, предпочитающими иных писателей? Очень бы кстати была такая, что любит Пруста, или Бальзака, или Камю, или же обожает читать мемуары Уинстона Черчилля. Что-нибудь основательное.

Он хихикнул в ответ на ее откровенность и тут же узрел видение, вплывающее во «Времена года», а Шарлотте Брэндон будто воистину стало слышно, как у Алекса перехватило дыхание. Взглянув в том направлении, куда смотрел он, она рассмотрела редкостно красивую, высокую ростом, темноволосую молодую женщину, стоящую у дверей с видом поразительно беззащитным и одновременно вполне независимым. Женщина была так прекрасна, что все в зале уставились на нее не скрывая восхищения. Ее осанка была безупречна, посадка головы прямая, волосы, тщательно уложенные в пучок на затылке, переливались подобно черному шелку. На ней было узкое платье из шоколадно-коричневого кашемира и роскошное меховое манто почти точно такого же цвета. Кремовый шелковый шарф от Эрмеса свободно повязан вокруг шеи, в ушах жемчуга с бриллиантами. Словно не имеющие конца стройные ножки в чулках шоколадного цвета и коричневых замшевых туфлях. Сумка при ней тоже из этой дорогой коричневой кожи, на сей раз не от Гуччи, а от Эрмеса. Столь красивого создания Шарлотте не попадалось уже с давних пор, нельзя было не разделить восторга сына. Но когда Алекс, извинившись, оставил столик и заспешил навстречу гостье, его мать осенило, что про эту девушку ей хорошо было известно. Где-то видела Шарлотта это лицо, если не счесть его просто типичным для испанской аристократии. С грацией и самообладанием приближалась она к столику, словно шествовала юная королева, хотя стоило глянуть ей в глаза, и открывалась мягкость, робость, замечательно сочетаясь с ее ошеломляющей внешностью. Теперь и Шарлотта едва удержалась от восклицания, когда всмотрелась. Такую красавицу можно созерцать только благоговейно. Как не понять ослепленность Алекса. Это же редчайшая драгоценность.

— Мама, хочу познакомить тебя с Рафаэллой. Это, Рафаэлла, моя мать — Шарлотта Брэндон.

Шарлотта слегка удивилась, не услышав фамилии, но забыла о своем удивлении, заглянув в темные, незабываемые глаза девушки. Вблизи удалось подметить, что она на грани испуга, дышит неровно, словно перед тем пробежалась. Со всем тактом пожала она руку Шарлотте, позволила Алексу снять с ее плеч пальто и села.

— Прошу прощения, что опоздала, миссис Брэндон. — Она, не таясь, посмотрела в глаза Шарлотте, на кремовых щеках проступил румянец. — Я была занята. Трудно оказалось... освободиться. — Ее ресницы затенили взгляд, пока она поудобнее усаживалась на стуле, Алекс же при виде ее начал таять. Это самая невероятнейшая женщина из всех, кого он когда-либо знал. И, оглядывая их, сидящих рядышком, Шарлотта невольно подумала, что они составляют изумительную пару. Схожи цветом волос, оба большеглазые, отлично сложенные, с изящными пальцами. Ну чисто два юных мифологических божества, коим суждено составить чету. Шарлотте пришлось заставить себя вновь поддерживать разговор мило улыбаясь.

— Ничего страшного, дорогая. Не волнуйтесь. Мы с Алексом обменивались новостями. Он сказал, что вы тоже вчера прилетели из Сан-Франциско. Повидать друзей.

— Встретиться с мамой. — Рафаэлла стала понемногу осваиваться, однако, еще только садясь, отказалась от спиртного.

— Она живет здесь?

— Нет, в Мадриде. Здесь она проездом, по пути в Буэнос-Айрес. И решила, что... ну, у меня есть повод появиться на несколько дней в Нью-Йорке.

Все трое заулыбались, Алекс предложил заказать ленч, а потом уж беседовать. Так и поступили. После Рафаэлла призналась Шарлотте, как много для нее значат написанные ею книги и сколь давно.

— Надо сказать, в прежние времена я обычно читала их на испанском, иногда — на французском, а переехала в вашу страну, так мой... — Она вспыхнула и потупилась. Собиралась сказать, что муж покупал ей романы Шарлотты в английском оригинале, но поспешно умолкла. Это не ахти как благородно, но не хотелось обсуждать сейчас Джона Генри. — Стала покупать их по-английски и теперь уже их только на английском и читаю. — И вновь погрустнела, бросив взгляд на Шарлотту. — Вы не представляете себе, как много ваше творчество значит для меня. Иной раз подумываю, что только оно... — голос звучал все тише, едва слышно, — что порою именно оно помогало мне жить. — Угасание ее голоса было явственно очевидным для Шарлотты, Алексу же вспомнился тот вечер, когда он увидел ее в слезах, сидящей на ступенях. Ныне, среди помпезности нью-йоркского ресторана, он строил догадки, что за тайна лежит тяжким грузом на ее душе. А теперь не сводит она глаз с его матери, скромно и благодарно улыбается. Тут Шарлотта, особенно не задумываясь, тронула ее за руку.

— Для меня они полны значимости, пока я их пишу. А важно, чтоб они означали что-то для таких, как вы. Спасибо, Рафаэлла. Вы мне высказали прекрасный комплимент, в нем, в некотором смысле, оправдание моей жизни. — А следом, словно угадывая нечто сокровенное, мечту, давний порыв, спросила напрямую Рафаэллу: — Вы тоже пишете?

Рафаэлла же покачала головою, чуть улыбнувшись, с видом юным, детским, а не рафинированным, как поначалу.

— О нет! — И засмеялась. — Но сказки рассказываю.

— Что ж, это первый шаг к писательству.

Алекс молча разглядывал их. Восторгался, наблюдая их вместе, наблюдая многосторонний контраст меж двумя красивыми женщинами, одна из которых в зрелости и победности, а другая так молода и хрупка, одна — седая, у другой — черные волосы, одну он дотошно знает, а другую не знает совсем. Но хочет узнать о ней больше, чем о ком-нибудь до сих пор. Глядя на это зрелище, он услышал, как Шарлотта продолжила беседу:

— Что же за сказки вы рассказываете, Рафаэлла?

— Развлекаю детишек. Летом. Всех своих младших кузин и кузенов. Каждое лето мы проводим в нашем фамильном доме в Испании. — Познания Шарлотты относительно подобных фамильных «домов» подсказали ей, что в виду имеется нечто посолиднее. — Там их целые дюжины, семья у нас очень большая, и мне нравится верховодить над детишками. Вот и рассказываю им сказки, — улыбка ее была светла, — а они слушают, хихикают, хохочут. Это прелесть, душа не нарадуется.

Шарлотта с сочувствием встретила эти слова и, вглядевшись, внезапно все сфокусировала в памяти. Рафаэлла... Рафаэлла... Испания... фамильное поместье там... и Париж... банк... Пришлось бороться с позывом высказать нечто вслух. Взамен же она позволила Алексу поддержать беседу, а сама поглядывала на девушку. Ей хотелось бы знать, известны ли Алексу все подробности. И возникало подозрение, что он о них и ведать не ведает.

Побыв всего час, Рафаэлла огорченно, но нервно сверилась со своими часиками.

— Мне очень жаль... Боюсь, надо возвращаться к матери, к тете, к кузинам. А не то они подумают, что я сбежала. — Она не стала рассказывать матери Алекса, что под предлогом головной боли уклонилась от ленча.

Ей отчаянно хотелось познакомиться с Шарлоттой Брэндон и снова повидать Алекса, ну хоть разочек. Теперь тот предложил проводить ее до такси и, оставляя мать за очередной чашкой кофе, пообещав незамедлительно вернуться, удалился под руку со своей обольстительной знакомой. Перед уходом она высказала Шарлотте все приличествующее случаю, на мгновение глаза их встретились, остановились друг на друге. Рафаэлла словно бы поведала ей обо всей своей судьбе, а Шарлотта словно бы призналась, что все это ей известно. Это был один из примеров бессловесного взаимопонимания, какое случается между женщинами, и, пока смотрели они одна на другую, сердце Шарлотты устремилось к прекрасной юной даме. Пока они были вместе, Шарлотта вспомнила все обстоятельства, теперь это уже не было темой трагических комментариев в прессе, ей открылась действительно одинокая молодая женщина, которая испытала эту трагедию. На миг возникло побуждение обнять ее, но вместо того Шарлотта лишь пожала прохладную точеную ладонь и проводила взглядом обоих уходящих — столь очаровательного сына и столь потрясающе привлекательную девушку, — которые спускались по лестнице.

Алекс смотрел на Рафаэллу с откровенной радостью, когда они, выбравшись на улицу, приостановились, вдыхая свежий осенний воздух и ощущая себя счастливыми и молодыми. Его глаза играли, и он не прятал улыбку, хоть она глядела на него несколько печально и задумчиво, а, впрочем, радость проблескивала и в ее взоре.

— Знаете ли, вы очаровали мою мать.

— Не пойму чем. Вот она меня очаровала. Она — сама прелесть, Алекс. Со всеми достоинствами, какие только возможны в женщине.

— Да уж, милейшая дева в годах, — сказал он шутливо, но не о матери думал, направив взгляд на Рафаэллу. — Когда мне предстоит увидеть вас вновь?

Она нервно отвела взор, прежде чем ответить, обозревая при этом улицу в поисках проезжающего такси. Потом вновь посмотрела на Алекса темными, озабоченными глазами, лицо вдруг стало неожиданно грустным.

— Я не смогу, Алекс. Простите меня. Мне надо быть вместе с матерью... и...

— Да не сутками же напролет. — В голосе прозвучало упрямство. Рафаэлла усмехнулась. Нет, ему не понять этого. Никогда не жил он в таких правилах.

— Только так. Беспрерывно. А потом надо вернуться домой.

— И мне тоже. Увидимся там. Кстати, я вспомнил, что вы, юная дама, забыли поведать мне нечто, сообщая, что остановитесь в «Карлейле».

— Что именно? — вмиг обеспокоилась она.

— Свою фамилию.

— Разве? — Поди разбери, искренняя или напускная сия невинность.

— Забыли. И не появись вы сегодня, то заставили бы меня усесться в вестибюле «Карлейля» до конца недели, поджидая, пока вы не покажетесь там, а уж тогда пасть к вашим ногам в присутствии вашей матери и капитально смутить вас мольбой назвать свою фамилию! — Оба при этом засмеялись, он нежно взял ее руку в свою. — Рафаэлла, мне нужно видеть вас снова.

Она подняла на него глаза, таявшие перед ним, желавшие всего желанного ему, но понимающие, что у нее нет на то права. Он наклонился было, чтобы поцеловать ее, но она отвела лицо и уткнулась в его плечо, вцепилась рукою в лацкан его пальто.

— Нет, Алекс, не нужно.

Он понял, что, коль ее мир наполнен дуэньями, ей не по нраву целоваться с мужчиной на улице.

— Ладно. Но, Рафаэлла, видеть вас мне нужно. Сможете сегодня вечером? — Он расслышал вздох у своего плеча, она опять подняла голову.

— А как быть с мамой, тетей, кузинами? — Он несносен, упрям, но таких обаятельных едва ли приводилось ей встречать.

— Возьмите их с собой. Я приведу свою мать. — Говорил он не всерьез, и она, поняв это, на сей раз громко расхохоталась:

— Невозможный вы человек.

— Конечно. И к тому же не сочту «нет» пригодным ответом.

— Алекс, ну пожалуйста! — Глянув вновь на часы, она впала в панику. — О Боже, они меня убьют! Сейчас как раз должны вернуться с ленча.

— Тогда пообещайте мне, что вечером вы со мною встретитесь за бокалом вина. — Он цепко держал ее за руку, вдруг вспомнил: — И как, наконец, ваша фамилия?

Она высвободила руку, чтобы подозвать такси, показавшееся вблизи. Оно с визгом затормозило рядом с ними. Алекс еще крепче сжал другую ее руку.

— Алекс, не надо. Я должна...

— Не раньше, чем...

Она опять нервно усмехнулась, посмотрев ему в глаза.

— Ну хорошо, хорошо. Филипс.

— Под этой фамилией вы значитесь в «Карлейле»?

— Да, ваша честь. — Она на миг смягчилась, затем снова забеспокоилась. — Но, Алекс, я не смогу видеться с вами. Ни здесь, ни в Сан-Франциско. Никогда. Надо прощаться.

— Ради Бога, не глупите. Это только самое начало.

— Нет и нет. — В этот момент она была совершенно серьезна. Таксист нетерпеливо фыркал. Алекс не сводил с нее глаз. — Это не начало, Алекс, это конец. И я должна уехать сейчас же.

— Ничего подобного! — Алекс вышел из себя. И пожалел, что прежде не поцеловал ее. — Как? Только что, побывав на ленче со мною, вы познакомились с моей прославленной матерью! Что в том дурного? — Так он вышучивал ее, она глядела растерянно, и ему подумалось, что счет в его пользу.

— Алекс, но как я могу...

— Так увидимся попозже?

— Алекс...

— Никаких возражений! Одиннадцать вечера. Кафе «Карлейль». Потолкуем, Бобби Шорта послушаем. А не найду вас там, то поднимусь, чтобы молотиться в дверь к вашей маме. — И сразу стал озабоченным. — Вы же сможете освободиться от них к одиннадцати? — Даже ему следовало признать, что это смехотворно. Ей тридцать два года, и он расспрашивает, сможет ли она освободиться из-под материнского надзора. В сущности, заведомый абсурд.

— Я постараюсь. — Она чуть улыбнулась ему, виновато посмотрела. — Не следовало бы нам так поступать.

— Почему же?

Она собралась было объяснить ему, но трудно это сделать, стоя на тротуаре, когда шофер такси рычит от нетерпения.

— Поговорим об этом сегодня вечером.

— Хорошо, — широко улыбнулся он. Значит, она придет. С тем он распахнул дверцу такси и отвесил поклон. — Увидимся вечером, мисс Филипс. — Нагнулся и поцеловал ее в лоб, в следующую секунду дверца захлопнулась и машина рванулась в путь, а Рафаэлла, поместясь на заднем сиденье, яростно казнила себя за собственную слабость. Ни в коем случае не надо было с самого начала вводить его в заблуждение. Сказать бы ему всю правду в самолете, и ни на какой ленч не пришлось бы идти. Но один раз, всего-навсего один раз, подумалось ей, есть же у нее право поступить дико, романтически, нежданно. Или она вовсе лишена такого права? Откуда оно у нее, когда Джон Генри, умирающий, сидит в своем кресле-каталке? Как позволить себе такие игры? Такси подъезжало к «Карлейлю», и Рафаэлла поклялась себе, что нынешним вечером объяснит Алексу, что она замужем. И не собирается в дальнейшем встречаться с ним. А после этого ленча... всего-то остается встретиться единственный раз... И сердце ее забилось при мысли о еще одной, предстоящей, встрече с ним.

— Ну? — Алекс победно посмотрел на мать и сел за столик. Она улыбнулась ему и внезапно ощутила себя совсем старой. Как молодо выглядит он, весь в надеждах, радости, ослеплении.

— Что «ну»? — В голубых ее глазах были ласка и печаль.

— Отчего это ты переспрашиваешь? Ведь она изумительна, правда?

— Правда. — Шарлотта не собиралась возражать. — Наверное, подобных красавиц я в жизни не встречала. Очаровательна, тактична, мила. Приглянулась мне. Однако, Алекс... — Она остановилась в нерешительности, но через какое-то время предпочла все высказать: — Что хорошего это тебе сулит?

— О чем ты? — Он вроде обиделся, отхлебнув холодного кофе. — Она же чудо.

— Хорошо ли ты знаком с ней?

— Не очень-то, — улыбнулся он. — Но надеюсь преодолеть это, невзирая на ее маму, тетю, на всех кузин и дуэний.

— А муж ее ни при чем?

Вид у Алекса сразу стал такой, словно в него выстрелили. Глаза распахнулись недоуменно, тут же сузились.

— Как это понимать — «ее муж»?

— Алекс, ты знаешь, кто она?

— Наполовину испанка, наполовину француженка, живет в Сан-Франциско, безработная, тридцати двух лет, как я узнал сегодня, и зовут ее Рафаэлла Филипс. Только что выяснил ее фамилию.

— И при этом ничего не почувствовал?

— Нет, и, ради Бога, хватит с меня намеков. — Его глаза метали молнии. Шарлотта Брэндон откинулась на спинку стула и издала вздох. Значит, она права. Фамилия подтверждает это. Откуда-то она помнила это лицо, хотя многие годы фото ее не появлялось в газетах. В последний раз это было лет семь-восемь назад, когда Джон Генри Филипс выписывался из больницы после первого своего инсульта. — Черт возьми, что ты стараешься мне внушить, мама?

— Что она замужем, дорогой, и за очень видным человеком. Джон Генри Филипс — это имя говорит тебе что-либо?

На краткое мгновение Алекс зажмурился. Счел, что сказанное матерью никак не может быть правдою.

— Он же, по-моему, умер?

— Насколько мне известно, нет. У него было несколько инсультов подряд, лет семь назад, ему теперь под восемьдесят, но он, несомненно, еще жив. Мы бы наверняка знали, будь оно иначе.

— А с чего ты взяла, что она ему жена? — Алекс выглядел так, словно его тряхнуло, стукнуло промеж глаз.

— Вспомнила, я читала статью и видела фотографии. Она тогда была такая же красавица. Меня при этом шокировало, что женился он на такой молоденькой. Кажется, ей было семнадцать или восемнадцать, не больше. Дочь крупного французского банкира. Потом увидела эту супружескую чету на пресс-конференции, куда попала со знакомым журналистом, вгляделась в фотографии — и переменила свое мнение. Знаешь ли, в свое время Джон Генри Филипс был особенный человек.

— А теперь?

— Поди узнай. Я только слышала, что он прикован к постели, совсем слаб после перенесенных ударов, но не думаю, чтобы публика была более осведомлена. А Рафаэллу всегда держали в отдалении от глаз публики, оттого-то я опознала ее не сразу. Однако такое лицо... Разве его легко забудешь? — Их взоры встретились, Алекс согласно кивнул. Ему и прежде не удавалось забыть его, а уж впредь не забудет никогда. — Как я понимаю, она тебе ничего этого не сообщила. — Он покачал головой. — Надеюсь, она решится тебе сказать. — Голос матери звучал умиротворяюще. — Пусть-ка сама это сделает. Может, мне и не следовало бы... — Она приумолкла, он вновь покачал головой, потом жалобно взглянул на ту, кто была его самым старинным другом.

— Зачем? Ну зачем ей надо было выходить замуж за этого поганого старика? Он ей в деды годится и практически уже мертвец. — Эта несправедливость разрывала на куски его сердце. Зачем? Зачем такому досталась Рафаэлла.

— Пока он жив, Алекс. Не пойму, что у нее на уме относительно тебя. Хотя могу предположить, что она, прямо скажем, сама сбита с толку. Сама не знает, как ей быть с тобою. А ты имей в виду, что живет она укромно, как в затворе. Джон Генри Филипс напрочь упрятал ее от любого общества на все эти без малого пятнадцать лет. Сомневаюсь, чтоб ей выпадало встречаться с настырными молодцеватыми юристами, заводить случайные романы. Возможно, я не права, но скорее наоборот.

— По-моему, тоже. Господи! — Он сидел, вздыхая с несчастным видом. — Что же теперь делать?

— Ты опять с ней встретишься?

Он подтвердил:

— Сегодня вечером. Она сказала, что ей надо переговорить со мной. — И предположил, что все ему она изложит. А дальше что? Алекс осознал, мимо матери глядя в пространство, что Джон Генри Филипс может прожить и еще двадцать лет — в ту пору Алексу будет под шестьдесят, Рафаэлле — пятьдесят два. Вся жизнь уйдет на ожидание смерти того старика.

— Что ты надумал? — тихонько спросила мать.

Не сразу собрался он, чтобы остановить на ней свой взор.

— Ничего особо приятного. Пойми, — медленно начал он, — я однажды увидел ее на ступенях близ их дома. Она плакала. Я думал о ней изо дня в день, пока не повстречал вновь в самолете, летящем сюда. Мы разговорились, и... — Беспомощно взглянул он на мать.

— Алекс, ты едва знаком с нею.

— Ты не права. Я все-таки с нею знаком. Кажется, будто знаком ближе, чем с кем-либо. Мне понятны ее душа, ум и сердце. Понятны ее чувства и ее одиночество. А теперь понятно, почему так. Ибо я понял кое-что еще. — Теперь он посмотрел на мать взглядом долгим и упорным.

— Что понял, Алекс?

— Я ее люблю. Да, звучит как безумие, но — люблю.

— Не утверждай так. Слишком скоропалительно. Ты ее почти совсем не знаешь.

— Нет, знаю. — И не стал продолжать. Вынул свою кредитную карточку, чтобы рассчитаться, и сказал матери: — Разберемся.

А Шарлотта Брэндон лишь закивала, в душе совершенно не желая, чтоб это получилось.

Когда несколькими минутами позднее он прощался с нею на Лексингтон-авеню, в его глазах можно было прочесть решимость. Наклонив голову навстречу резкому ветру и деловито зашагав в северном направлении, он укрепился в мысли, что ни за чем не постоит, чтобы добиться Рафаэллы, ничто его не остановит. Никогда прежде не влекло его ни к одной женщине так, как к ней. И его сражение за нее в самом начале. И сражение это Алекс Гейл не намеревался проигрывать.

Глава 7

Вечером того же дня, без пяти одиннадцать, бодро пройдясь по Мэдисон-авеню, Алекс Гейл свернул вправо на 76-ю улицу и вошел в «Карлейль».

Он заказал столик на двоих в кафе «Карлейль», твердо намерившись поболтать часок с Рафаэллой, а потом насладиться полночной программой Бобби Шорта. То была одна из славных приманок Нью-Йорка, и слушать его вместе с Рафаэллой Алекс надеялся до поздней ночи. Он сдал пальто в гардероб, проложил, лавируя, путь к столику, а после сидел минут десять, дожидаясь ее прихода. В четверть двенадцатого начал тревожиться, а в одиннадцать тридцать — подумывать, не позвонить ли ей в номер. Но было ясно, что делать этого нельзя. Тем более когда ты осведомлен о наличии у нее мужа. Алекс осознал, что надобно дожидаться ее, сидя мирно и шума не поднимая.

Без двадцати двенадцать он заметил ее, смотревшую сквозь стеклянные двери, похоже, колеблющуюся, не убежать ли отсюда. Постарался поймать ее взгляд, но она не заметила Алекса и, еще немного поисследовав зал, исчезла. Почти непроизвольно встав, Алекс заспешил к дверям, вышел в коридор и только-только успел завидеть ее покидающей кафе.

— Рафаэлла! — позвал он сдержанно, она обернулась, с расширившимися, испуганными глазами, сильно побледнев. На ней было прекрасное вечернее платье из атласа цвета слоновой кости, прямо ниспадающее от плеч до темной оторочки по низу. На левом плече — изящная замысловатая брошь с громадной неровной жемчужиной посередине, окруженной ониксами и бриллиантами, в ушах — соответствующие ансамблю серьги. Эффектна Рафаэлла была до поразительности. Алекс снова отметил, какая она невероятная красавица. Остановившись, когда он окликнул, она замерла на месте, а он приблизился к ней и проговорил со всею серьезностью: — Уж не убегайте. Давайте выпьем и поговорим. — Голос был нежен, хотелось быть еще ближе к ней, но Алекс не решился даже тронуть ее за руку.

— Я... я не смогу. Мне нельзя. Я пришла сказать вам, что... извините... что сейчас слишком поздно... мне...

— Рафаэлла, еще и полуночи нет. Разве нельзя нам побеседовать полчасика?

— Кругом столько публики... — Ей было явно неуютно стоять здесь, и тут вспомнил он про бар «Бемельманс». Жалко упускать Бобби Шорта, не сводить ее на него, но важнее было отдать время тому, чтобы обсудить, что у нее на уме.

— Здесь рядом есть бар, в котором мы сможем переговорить в большей тишине. Пойдем. — И не дожидаясь ответа, положил ее руку на свою, повел

Рафаэллу назад по фойе, к бару напротив кафе «Карлейль», там они поместились на банкетке у маленького столика, и Алекс улыбнулся Рафаэлле мирно и радостно. — Что желаете выпить? Вина? Черри? — Она лишь помотала головой, было видно, что до сих пор не пришла в себя. Когда официант удалился, он, повернувшись к ней, тихо молвил: — Рафаэлла, что-нибудь не так? — Она едва кивнула, оторвала взгляд от своих пальцев, ее совершенный профиль отчетливо прорисовывался перед Алексом в полумраке зала.

Она подняла глаза, ловя его взгляд, одно это словно доставляло ей острую боль. Лицо ее было столь же грустным, как в тот вечер, когда он обнаружил ее в слезах там, на ступенях.

— Почему мы раньше не обговорили это?

Переведя дух, она выпрямилась на банкетке, не спуская взора с Алекса.

— Надо было мне рассказать вам это раньше, Алекс. Я вас... — не сразу выбрала она нужное слово, но продолжала: — ...сильно обманула. Не пойму, как это вышло. Слишком размечталась. Вы в самолете были такой милый. И мать такая у вас очаровательная. Но я, друг мой, была с вами неискренна... — С печалью в глазах она тихо тронула его за руку. — Создавая впечатление, будто я свободна, я совершала большую ошибку. И должна просить прощения за это. — Она угрюмо глянула, отняла свою руку. — Я замужем, Алекс. И должна была сразу предупредить вас. Но почему-то затеяла вот эту игру. Совсем, совсем напрасно. Я не смогу больше с вами видеться.

Это была дама чести, и его до глубины души тронула ее искренность по отношению к нему, слезы плясали на кончиках ее ресниц, глаза распахнулись, лицо стало совсем бледным.

Он заговорил с нею осмотрительно и со всею серьезностью, как это бывало у него с Амандой, пока та была маленькая:

— Рафаэлла, я глубочайшим образом уважаю вас за нынешнее ваше признание. Но должно ли оно отразиться на нашей... на нашей дружбе? Разве нельзя нам видеть друг друга, невзирая на такие обстоятельства? — Вопрос был поставлен честно, Алекс рассчитывал при этом на отклик.

Она печально покачала головой.

— Я бы с удовольствием виделась с вами, если б... если б была вольна. Но я замужем. Так что нельзя. Не имею права.

— Отчего ж?

— Это будет несправедливо по отношению к мужу. А он такой... — сказала она сбивчиво, — такой добрый. Был... очень внимателен ко мне... очень заботлив... — Рафаэлла отвернулась, и Алекс заметил, как по нежной бледной щеке скатилась слеза. Он протянул руку, кончиками пальцев едва коснулся шелковистой кожи ее щеки, и вдруг ему тоже захотелось плакать. Не надо так думать. Не надо так стремиться хранить верность мужу на весь остаток его жизни. Весь ужас ситуации начал открываться ему, пока он смотрел ей в лицо.

— Но, Рафаэлла, не может быть, чтобы... в тот вечер, когда я застал вас на ступенях... вы были счастливы. Ясно, что были несчастны, почему бы не встречаться нам и не радоваться хоть тому, что имеем?

— Потому что я не вправе. Я не свободна.

— Ради Бога... — Он был готов сказать, что знает обо всем, но она, выставив руку, остановила его, словно защищаясь от агрессора, грациозно поднялась с банкетки и со слезами, сбегавшими по лицу, посмотрела сверху на него.

— Нет, Алекс, нет! Не могу. Я замужем. И очень, очень сожалею, что позволила нашему знакомству зайти так далеко. Мне не следовало так поступать. Было бесчестно приходить на ленч к вам, к вашей матери...

— Хватит каяться, сядьте. — Он ласково взял ее за руку, побуждая снова сесть рядом, и по причине, оставшейся непонятной для нее самой, Рафаэлла подчинилась, и он стер своей рукой слезы с ее щек. — Рафаэлла, — сказал он очень тихо, чтобы никто другой не смог расслышать, — я люблю вас. Знаю, звучит это как безумие. Мы едва знаем друг друга, но я вас полюбил. Я искал вас долгие годы. Не уйдете же вы на этом, прямо вот сейчас. И ваш муж тут ни при чем.

— Как это понимать?

— А так, что, насколько я понял свою мать, ваш муж очень стар, очень болен уже много лет. Добавлю, что я понятия не имел, кто вы, когда мы познакомились, это мать моя узнала вас, объяснила мне, кто вы и... про вашего мужа тоже.

— Значит, ей все было известно. Наверное, она обо мне ужас что подумала. — Рафаэлле определенно стало очень стыдно.

— Отнюдь, — высказался он со всею уверенностью, голос прозвучал категорично. Алекс наклонился к ней. И словно ощутил тепло ее шелковистой кожи совсем рядом и никогда не был исполнен желания настолько, как в тот миг, но было не до страсти. Надлежало говорить с ней, убеждать, растолковывать. — Да может ли кто-то подумать о вас дурно? Вы хранили верность ему все эти годы, не так ли? — Вопрос был по сути риторический, она тихо кивнула, потом вздохнула.

— Да, так. И нет причин покончить с этим. Нет у меня права вести себя будто я свободна, Алекс. А я не свободна. И не вправе вторгаться в вашу жизнь, вносить в нее свои печали.

— Исток того, что вы так одиноки, в том, каково вам живется. Одиноко, наедине с очень больным, престарелым человеком. У вас есть право на нечто большее.

— Да, но не его вина, что все так обернулось.

— И не ваша вина. За что же вам такое наказание?

— Пусть не моя вина, но не могу же я его наказывать. — Сказала она это так, что Алекс вновь почуял, как начал уступать в сражении, сердце упало в отчаянии. Не успел он преодолеть это, она вновь встала, на сей раз в совершенной решительности. — Я должна теперь уйти. — Его взгляд умолял не делать этого. — Должна. — И затем, не прибавив ни слова, нежно прикоснулась губами к его лбу, тихонько поцеловала и быстро направилась к выходу из бара. Он было двинулся следом, но она покачала головой и остановила его жестом руки. Алекс заметил, что Рафаэлла опять расплакалась, но понял, что на этот момент он терпит поражение. Преследовать ее — это значит усугубить ее несчастье, и ясно стало, что ему тут ничего не поделать. Он уже осознал это, пока слушал ее. Она связана с Джоном Генри Филипсом браком и честью, и эти узы Рафаэлла не готова ни оборвать, ни даже хотя бы разнять, и уж во всяком случае не ради незнакомца, случайно попавшего накануне в ее попутчики в самолете.

Заплатив за выпитое в баре «Карлейля» и забыв про зарезервированный столик по другую сторону кафе, где выступает Бобби Шорт, вышел Алекс Гейл на Мэдисон-авеню, вскинул руку, подзывая такси, чтобы вернуться в свою гостиницу. И когда он устраивался на заднем сиденье в машине, водитель поглядел, пожевывая сигару, в зеркальце над собой и был крайне удивлен.

— Видать, холодает, а, земляк? — Это было единственное приемлемое объяснение, которое он мог сыскать слезам, сочившимся из глаз Алекса и сбегавшим по его щекам.

Глава 8

Алекс и его племянница долго стояли вместе и смотрели вниз на конькобежцев, ловко проходивших круг за кругом в Рокфеллер-центре. Вдвоем они только что прикончили ранний ужин в кафе «Франсе» и следовало доставить Аманду домой к восьми, если намереваешься не опоздать на самолет.

— Мне бы, дядя Алекс, всю жизнь так вот прожить, — улыбнулась своему дяде худенькая девочка со светлыми глазами и ореолом светлых кудряшек.

— Как? На коньках? — усмехнулся он тому, что она сказала, и вообще ее субтильному виду. Они неплохо провели время, и, как всегда, заброшенность милой девчонки вызывала горечь на сердце. Она ни на кого в их семье не походила. Ни на мать, ни на отца, даже ни на бабушку, не говоря уж об Алексе. Была она смирная и доверчивая, ласковая, одинокая, послушная. И, надо сказать, напомнила ему Рафаэллу. Возможно, и та и другая настрадались в жизни, и ему подумалось, пока в здешней прохладе он глядел на девочку, что обе равно одиноки. Весь вечер хотел он узнать ее мысли. То тиха, то неспокойна, а сейчас следит за конькобежцами прямо-таки жадно, словно голодный младенец. Ему даже захотелось не улетать ночным рейсом в Сан-Франциско, а уделить ей побольше времени, может, взять коньки напрокат. Но билет уж был заказан, а номер в гостинице сдан.

— Следующий раз приеду, мы с тобой тут покатаемся.

— А я, знаешь, теперь как следует научилась.

— Да ну? — в шутку удивился он. — Откуда?

— Я все время ходила кататься.

— Сюда? — Он залюбовался на свою стройную племянницу. И вновь пожалел, что нет сейчас времени проверить, получается ли у нее «как следует».

Она же на его вопрос покачала головой:

— Не сюда. У меня нет столько денег. — Это показалось ему абсурдным. Отец — один из ведущих хирургов в Манхэттенской клинике, да и у Кэ приличная сумма в распоряжении. — Я катаюсь в парке, дядя Алекс. — Редко она так вот к нему обращалась.

— Одна? — ужаснулся он, а она свысока улыбнулась.

— Иногда. Я же ведь уже стала большая.

— Достаточно большая, чтоб на тебя напали? — сердито заметил он, в ответ она лишь посмеялась:

— Ты сердишься точно как бабушка.

— А ей известно, что ты ходишь на каток в Центральном парке совсем одна? Это ж надо! Мама-то знает? — Получилось так, что Кэ уехала в Вашингтон прежде его появления в Нью-Йорке и он ее не застал.

— Обе они знают. И я осмотрительна. Если катаюсь в позднее время, ухожу из парка с другими людьми, а не в одиночку.

— Откуда ты знаешь, что с этими «другими людьми» тебе не грозит опасность?

— Да зачем им на меня нападать?

— Ох, Боже мой, будто ты, Мэнди, не знаешь, что это за место. Всю жизнь в Нью-Йорке живешь. Надо ли тебе объяснять, что там творится?

— Детей оно не касается. Зачем меня трогать? Что отнимать: щитки, трешку да ключи?

— Может быть. Или, — ему и произнести это было нелегко, — нечто куда более ценное. Тебя могут ранить, — не хотелось сказать вслух — «изнасиловать». Ну не этой же невинной девочке, глядящей на него с наивной улыбкой. — Слушай, будь любезна, не ходи туда. — Тут он, нахохлившись, полез в карман, достал свой бумажник, откуда вытащил новенькую стодолларовую купюру. Вручил ее с серьезным выражением на лице Аманде, она от неожиданности сделала большие глаза.

— Что это?

— Твой конькобежный фонд. Хочу, чтобы отныне ты каталась вот тут. А кончатся эти деньги, сообщи, и я пришлю тебе еще. Строго между нами, юная дама, но я желаю, чтоб впредь ты не ходила в Центральный парк. Ясно?

— Да, сэр. Но, Алекс, ты с ума сошел! Сто долларов! — широко улыбнулась она, выглядя словно десятилетняя. — Ух! — и не мешкая, стала на цыпочки, обняла своего дядю, звонко поцеловала в щеку, потом затолкала стодолларовую бумажку в жесткую матерчатую сумочку. То, что она взяла деньги, немного успокоило его, но вот чего он не знал и что его должно было бы тревожить: на каток она ходила так часто, что этой сотни хватит едва на полмесяца. А попросить его, чтобы прислал еще, она постесняется. Уж такого она характера. Не настырного. И всегда довольна тем, что имеет, большего не потребует.

Без радости глянул он на часы, а потом на Аманду. Его огорчение вмиг отразилось на ее лице.

— Боюсь, юная дама, нам следует отбыть. — Она молча кивнула. Хотела бы только знать, скоро ли увидятся они вновь. Появление дяди всегда становилось для нее словно вспышкой солнечного сияния. Эти наезды, да еще встречи с бабушкой делали ее жизнь чуть более сносной и значительной. Не спеша поднимались они по пологому склону к Пятой авеню, и на той улице он подозвал такси.

— Ты не знаешь, Алекс, когда опять приедешь?

— Не знаю. Но скоро. — Всегда, покидая ее, он чувствовал боль и укоризну. Словно должен был еще что-то сделать для нее, но не сделал и в том себя винил. Но что ему посильно одному? Разве заменишь родителя-слепца и бесчувственную родительницу? Как дать девочке то, чего ей недодано за шестнадцать с лишним лет? Хоть росточком она махонькая, но не ребенок уже, даже Алексу приходится с этим считаться. Она становится по-своему красивой девушкой. Остается удивляться, что сама она этого еще не обнаружила.

— На День благодарения приедешь?

— Возможно. — В ее глазах была мольба. — Ладно, постараюсь. Но не обещаю.

Тут они подошли к ее дому, и Алекс привлек ее к себе, поцеловал в щеку, крепко обнял. Заметил слезы в ее глазах, когда пришлось расставаться, но она бодро помахала ему, отъезжавшему в том же такси, и светились в улыбке Аманды все надежды, какие бывают в шестнадцать с половиной лет. Оттого с неизменной грустью он всегда расставался с нею. Всегда задумывался о том, что сам упустил, — о детях, которых не завел. И был бы в восторге, окажись Аманда его дочерью. И вечно злился от этой мысли. Его сестра относилась к девочке куда холодней.

Он дал таксисту адрес гостиницы, взял там у швейцара свои вещи, вновь сел в машину, еще раз глянул на часы, издал долгий усталый вздох.

— Аэропорт Кеннеди, пожалуйста. — Тут он порадовался, что возвращается домой. Пробыл в Нью-Йорке всего-то два дня, но они из него все силы высосали. Объяснение с Рафаэллой накануне вечером оставило чувство уныния и одиночества. С делом он управился отлично, но теперь, уезжая из города, оказался под бурным натиском эмоций. Алекс заметил, что меньше и меньше думает об Аманде, больше и больше — о Рафаэлле. Жалеет ее, но и гневается. Зачем ей упорно хранить верность мужу, который по возрасту годится ей в деды и уже полумертв? Бессмыслица. Сумасшествие... Вспомнилось выражение ее лица, когда она удалялась в тот вечер. Вчера. Всего-то вчера. И вдруг, в приступе необъяснимой ярости, задался вопросом, чего это ради быть ему таким понимающим, покорным всему, что бы она ни сказала. «Уходи» — вот, в сущности, что она ему заявила. А он решил ослушаться. Враз. Немедля. — Водитель! — Алекс озирался, словно при внезапном пробуждении. Они ехали 99-й улицей. — Везите меня в «Карлейль».

— Сейчас?

Алекс настойчиво повторил:

— Сейчас.

— Не в аэропорт?

— Нет. — Черт с ним. Всегда можно остановиться в квартире матери, если опоздаешь на рейс в Сан-Франциско. Она уехала на выходные в Бостон на какие-то там презентации своей новой книги. А ведь стоит попытаться еще раз хоть просто глянуть на Рафаэллу. Если она не уехала. Если спустится из номера на свидание с ним. Если...

В своем номере в «Карлейле» Рафаэлла прилегла на широкую двуспальную кровать, в розовом атласном купальном халате, в кремовом кружевном белье под ним. В первый раз будто за целую вечность была она одна. Только что распростилась с матерью, теткой, двоюродными сестрами, теперь они направляются в аэропорт, на самолет до Буэнос-Айреса. Она же полетит назад в Сан-Франциско с утра, а нынешним вечером отдохнет, побездельничает в «Карлейле». Не надо соблюдать вежливость, терпение. Не надо выступать переводчицей своих родственников в дюжине модных магазинов. И не надо заказывать меню для всех, носиться по городу за покупками. Можно просто лежать с книгой в руках, расслабиться, а скоро горничная доставит ужин ей в номер. Рафаэлла сможет спокойно поесть без чьей-либо компании, в гостиной этого номера, в котором она привыкла останавливаться. Сейчас она поглядывает по сторонам, со смешанным чувством утомления и довольства. Так приятно не выслушивать их болтовню, не поддерживать общее оживление, не притворяться радостной. У нее ни минуты для себя не было с самого появления здесь. Как и прежде. Как положено. А положено ей не оставаться одной. Никогда. Женщине такое не пристало. Она должна быть на виду, под опекой, под охраной. Исключая, конечно, ночное время, когда в одиночестве оказываешься в постели в отдельном номере, как вот сейчас, перед отбытием с утра в Сан-Франциско. Из номера она не выйдет, вызовет, если надо, горничную, а утром лимузин доставит ее в аэропорт.

В конце концов осторожность уместна, а то ведь могло произойти нечто, призналась она себе и припомнила, как это было. Тысячу раз за истекшие два дня и вот сейчас снова ее мысли обратились к Алексу, вспомнились его лицо, взгляд, широкие плечи, мягкие волосы, — нечто ведь произошло. Пристанет к тебе незнакомец в самолете. Пойдешь с ним на ленч. Сходишь в бар. Позабудешь свой долг. Влюбишься.

Она мысленно вернулась к своему решению, утешила себя, что поступила правильно. Надо перейти к другим темам. Нет смысла далее рассуждать об Алексе Гейле, так она сказала себе. Никакого нет смысла. Никогда она с ним больше не встретится. И не познакомится с ним ближе. А заявленное им в минувший вечер было лишь от глупейшего перевозбуждения. Глупого и грубого. Как он мог рассчитывать на новые встречи? Что дало ему основание решить, будто она не прочь завести с ним роман? И вновь замаячило перед нею его лицо, и явилось любопытство: не случалось ли подобного с ее матерью? Не бывало ли такое у кого-либо из ее близких в Испании? Судя по внешним признакам, каждая из них удовлетворялась жизнью под домашним арестом, когда при этом можно беззаботно тратить деньги, покупать драгоценности, и меха, и туалеты, бывать на праздниках, оставаясь постоянно в женском кругу, за тщательно охраняемыми стенами. Что же на нее напало? С чего бы это стали ей досаждать эти традиции? Женщины, знакомые ей по Парижу, Мадриду, Барселоне, все они бывали на вечерах и торжествах, на концертах, так и протекало их время из года в год.

И были у них дети... дети... сердце ее всегда саднило, стоило подумать о детишках. Сколько лет уже не могла она спокойно видеть беременную женщину, проходящую мимо, обязательно подступит желание разрыдаться. Никогда не сознавалась она Джону Генри, как ей тягостно не иметь детей. Но подозревала, что он сам это понимает. Не потому ли неизменно был предупредителен, баловал ее донельзя, хотел показать, что любовь его все сильнее.

Рафаэлла зажмурилась, села в постели в своем купальном халате, злая на себя, что позволила мыслям приобрести такое направление. От налаженной жизни она свободна еще один вечер, один день. Не обязана думать про Джона Генри, про его болезни, инсульты, про то, что будет с нею, пока он не умрет. Не надо думать и про то, чего она себя лишает и чего уже лишила. Что проку рассуждать о балах, на которых не бывать, о людях, с которыми не будешь знакома, о детях, которых у нее так и не будет. Она отрезана от той жизни. Это ее судьба, ее путь, ее долг.

Тыльной стороной ладони она смахнула со щеки слезу и заставила себя приняться за книгу, лежавшую рядышком на кровати. Это была «Любовь и ложь», купленная еще в аэропорту, а мысли были в духе тех, от которых всегда уводили ее романы Шарлотты Брэндон. Пока читаешь книгу, то от всего, кроме увлекательных ее перипетий, голова свободна. Эти романы были единственным прибежищем. Успокоительно вздохнув, Рафаэлла обратилась к книге, благодарная Шарлотте Брэндон за то, что по-прежнему та может сочинять по две в год. Иногда и перечитаешь. Рафаэлла все ее книги прочла не меньше двух-трех раз. На разных языках. Но сейчас успела одолеть лишь две-три страницы, как зазвонил телефон и сокрушил мир, в который она вступила.

— Алло! — Странно, что ей позвонили. Мать, надо догадываться, уже в самолете. Из Сан-Франциско звонить не станут, если только не произошло чего-то ужасающего. Она сама туда дозвонилась с утра, поговорила с Джоном Генри, а сиделка сказала, что он хорошо себя чувствует.

— Рафаэлла? — Сперва она не узнала голос, но тут же сердце у нее заколотилось.

— Да? — Он едва расслышал ее.

— Я... я прошу прощения... хочу спросить, нельзя ли увидеться с вами. Верно, вы все мне объяснили вчера вечером, но вот я подумал, не удастся ли нам обсудить это более спокойно и просто поддерживать знакомство. — Сердце у него колотилось не слабее, чем у нее. Вдруг скажет она, что не желает его видеть? Ему показалось невыносимой мысль, что он может никогда больше с нею не встретиться. — Я... Рафаэлла... — Она не отвечала, и он пребывал в страхе, что сейчас будет повешена трубка. — Вы здесь?

— Да. — Слова будто не слушались ее. Зачем ему было это делать? Зачем звонить ей теперь? Она подчинялась своему долгу, своим обязанностям, зачем же ему обижать ее с такой жуткой жестокостью? — Я здесь.

— Можно мне... Можем ли мы... Можно мне встретиться с вами? Я уезжаю в аэропорт через несколько минут. Решил забежать и проверить, нельзя ли увидеться. — Вот и все, чего он желал. Поговорить, еще единожды, прежде чем поспешить на последний рейс.

— Вы где? — спрашивая так, она насупилась.

— Я внизу, — сказал он столь смиренно и покаянно, что она рассмеялась.

— Здесь? В отеле? — переспросила. С улыбкой. Право, он забавен. Как совсем маленький мальчик.

— Что вы скажете?

— Алекс, я не одета. — Но это пустяшная была деталь. Оба вдруг поняли, что он победил. Хотя бы на несколько минут. Но победил.

— Велика важность! Мне все равно, пусть хоть в одном полотенце... Рафаэлла? — Оба примолкли, и в этой паузе Алекс расслышал отдаленный звук дверного звонка в номере. — Это ваша мать пришла?

— Едва ли. Она улетела в Буэнос-Айрес. Наверно, мне доставили ужин.

Через секунду дверь номера медленно растворилась, и официант вкатил в комнаты заставленный столик. Она подала знак, что подпишет чек, сделала это и вернулась к телефонному разговору.

— Как мы поступим? Вы сойдете вниз, или мне подняться и стучать к вам в номер? Или же нарядиться сперва официантом? Что выбрать?

— Алекс, ну будет. — И вновь стала серьезна: — Все на эту тему я высказала вчерашним вечером.

— Да не все. Вы не объяснили мне, отчего избираете такое решение.

— Потому что люблю своего мужа. — Она зажмурилась, словно бы стойко отрицая, что уже неравнодушна к Алексу. — И у меня нет выбора.

— Неверно. Возможностей выбора у вас сколько угодно. Как у любого человека. Иногда не хочешь их признать, но они являются сами. Я понимаю ваши чувства, уважаю их. Но хоть поговорить-то нам позволительно? Увидите, я буду стоять в дверях. Вас не трону. Обещаю. Хочу просто глянуть на вас. Рафаэлла... Прошу...

Со слезами на глазах она глубоко вздохнула, собравшись сказать, что он должен уйти, что не имеет права поступать с нею так, что это нечестно, и вдруг, сама не понимая почему, кивнула:

— Ладно. Поднимитесь. Но всего на несколько минут. — Дрожащей рукой повесив трубку, она ощутила такую слабость, что пришлось смежить глаза.

У нее недоставало времени натянуть на себя что-либо из гардероба, и вот уже звонок в дверь. Она потуже стянула халат и пригладила волосы, рассыпавшиеся по спине, отчего выглядела она куда моложе, чем со своим элегантным пучком. Поколебалась было перед дверью, прежде чем открыть, понимая, что еще не поздно отказаться впустить его к себе в номер. Наоборот, она отперла замок, повернула дверную ручку и застыла, уставив взор на дивно привлекательного мужчину, стоявшего на пороге. Он молчал, молчала и она, после отступила назад и подала ему знак войти. Но улыбки на ее лице уже не было, очень серьезный взгляд встретил вошедшего.

— Привет, — сказал он, словно мальчишка, и застыл, не сводя глаз с нее, стоящей посреди комнаты. — Спасибо за позволение подняться-таки сюда. Конечно, отчасти это дико, но хотелось вас повидать. — Взглянув на Рафаэллу, Алекс сам удивился, зачем пришел. Что намерен ей сказать? И что способен сказать, кроме того, что с каждой встречей все больше влюбляется в нее, всякий раз все сильнее. А когда не с нею, то ее образ преследует его как будто призрак, без которого ему не жить. Вместо всех этих слов он лишь произнес: — Спасибо.

— Ничего, ничего. — Голос ее стал совсем спокоен. — Вы не желаете поесть? — Она неуверенно указала на полный стол на колесиках. Он тряхнул головой:

— Благодарю. Я уже поужинал с племянницей. И не собирался мешать вашему ужину. Так садитесь же, приступайте. — Но она, улыбнувшись, не согласилась.

— Ужин подождет. — После короткой паузы она, вздохнув, пересекла медленно комнату. Посмотрела рассеянно в окно, потом перевела взгляд на него. — Алекс, простите. Меня глубоко трогает ваше чувство, но я бессильна что-либо предпринять. — Она обратилась к нему голосом одинокой принцессы, неотступно сознающей свои августейшие обязательства и сожалеющей, что иначе поступить ей не дано. Все в ней было аристократично — и манеры, и выражение лица, и стан; даже в розовом атласном купальном халате Рафаэлла Филипс смотрелась по-королевски с головы до пят. Лишь одно напоминало о ее человеческой сути — острая боль во взгляде, которую было никак не скрыть.

— А ваше чувство, Рафаэлла? Как быть с ним? С вами?

— Со мной что? Я — это я. Ничего не могу поменять. Я — жена Джона Генри Филипса. Уже пятнадцатый год. Надо жить соответственно, Алекс. И я буду всегда соблюдать это.

— И сколько лет он в том состоянии, как сейчас?

— Семь с лишним.

— Вам мало? Не хватит ли уговаривать себя, что выполняете свой долг? Это ли утешение за вашу погубленную молодость? Вам сколько? Тридцать два? Выходит так, Рафаэлла, вы не живете с двадцати пяти лет. Как можно? Как можно терпеть дальше?

Она в ответ покачала головой, слезы выступили на глазах.

— Я обязана. Вот и все. И нет вопросов.

— Вопросы, однако, есть. Как вы можете такое говорить? — Он приблизился, ласково глядя на нее. — Рафаэлла, речь о вашей жизни.

— Нет иного выбора, Алекс. А вы никак не хотите понять этого. Может, нет лучшей жизни, чем заведенная моей матерью. Может, только в таких условиях все это обретает смысл. Там, где нет искушений. И никто не приблизится к тебе, заставляя сделать иной выбор. Тогда не из чего и выбирать.

— Сожалею, что вам это причиняет такую боль. Но при чем тут выбор? К чему сейчас нам все это обсуждать? Почему не быть нам друзьями, вам и мне? Я от вас ничего не требую. Но мы можем встречаться по-дружески, ну, например, за ленчем. — Об этом оставалось мечтать, и было это ясно и ему, и Рафаэлле, которая в ответ покачала головой.

— Как долго, по-вашему, это продлится, Алекс? Ваши чувства мне известны. И, думаю, вы знаете, что я отношусь к вам таким же образом.

При этих словах у него защемило сердце, захотелось обнять ее, однако он не набрался смелости.

— Как мы забудем об этом? Как притворяться, будто этого не существует? — Стоило взглянуть на него, чтобы убедиться, что подобное невозможно.

— Думаю, нам это предстоит. — И потом, храбро улыбнувшись, добавила: — Может, через несколько лет снова встретимся.

— Где? В вашем фамильном доме в Испании, когда они вновь запрут вас на замок? Кого вы дурачите? Рафаэлла... — Он подошел к ней, мягко положил руки ей на плечи, она же подняла на него свои громадные встревоженные черные глаза, которые он так полюбил. — Рафаэлла, люди всю жизнь проводят в поисках любви, желая, ожидая, разыскивая ее, и обычно ее так и не обретают. Но в свой срок, в свой чудный срок она приходит, устремляется в твое лоно, стучится в твою дверь, извещает: «Вот она я, бери меня, я твоя». Коль она пришла, как ты можешь отвернуться? Как выговоришь: «Не сейчас. Может, попозже». Как откладывать, зная, что открывшаяся возможность, вполне вероятно, никогда не повторится?

— Порою воспользоваться такой возможностью — роскошь, такая роскошь, которую нельзя себе позволить. Пока нельзя. Не могу я так поступить, и вам известно.

— Ничего не известно. Позволив себе полюбить меня, что вы, по сути, отнимаете у своего мужа? Не все ли ему равно, в его-то положении?

— Не все равно. — Она не отводила глаз под взглядом Алекса, он по-прежнему держал ее за плечи, так стояли они лицом к лицу посреди комнаты. — Будет не все равно, совсем не все равно, если я стану пренебрегать его нуждами, если меня не окажется рядом, чтобы удостовериться, что ухаживают за ним так, как надо, если я, связав себя с вами, позабуду о нем. Нечто в этом роде может его погубить. Ему не все равно. Что касается выбора меж жизнью и смертью, не могу я так вот обмануть его.

— Я не собираюсь предлагать это. Никогда. Разве не понятно? Я же говорил, что уважаю ваше к нему отношение, уважаю ваши действия и чувства. Понимаю все это. А настаиваю лишь на том, что есть у вас право на нечто большее, да и у меня тоже. И ничего, что касается вашего мужа, для вас не изменится. Клянусь, Рафаэлла. Всего-то хочу разделить с вами то, чего у нас обоих нет, а может, и не было. Насколько я могу судить, вы живете в вакууме. И я тоже, в некотором смысле, уже порядочное время.

Рафаэлла посмотрела на него, в глазах были боль и решимость.

— Откуда знать, что нам когда-либо выпадет нечто, Алекс? Не исключено, что ваше чувство — иллюзия, сновидение. Меня вы не знаете. И все, что надумали обо мне, просто фантазия.

На сей раз он только мотнул головой и ласково потянулся губами к ее губам. Какое-то мгновение ощущал, как она напряглась, но обнял он ее так быстро и так крепко, что она не успела отпрянуть, а секундой позже уже и не желала того. Прильнула к нему, словно то был последний сберегшийся на земле человек, все тело ее стало дрожать от страсти, прежде неизведанной. А затем, едва дыша, она высвободилась, покачала головой, отвернулась.

— Нет, Алекс. Нет! — обратилась она к нему с пламенем во взоре. — Нет! Не делайте этого! Не соблазняйте тем, чего мне не позволено. Не позволено, сами знаете! — И снова отвернулась, плечи поникли, глаза наполнились слезами. — Пожалуйста, уйдите.

— Рафаэлла...

Она медленно приблизилась к нему, глаза были огромными, черты лица обострились. И тут ему показалось, что она внезапно оттаяла под его взглядом. Пламень в очах сник, она смежила веки ненадолго, потом прильнула к нему, обхватила руками, губы ее стали жадно искать его губы.

— О, милая, люблю тебя... люблю... — Его слова были нежны, но настойчивы, она обнимала и целовала его со страстностью, таившейся больше семи лет. И затем, не задумываясь, он откинул розовый атласный купальный халат с ее плеч, склонился, целуя ее тело, а она стояла пред ним, богиня, которой он поклонялся с первой минуты, как увидел ее плачущей на ступенях.

О такой женщине он мечтал, в такой нуждался и не замедлил ее полюбить. Он ласкал, прижимал ее к себе, а Рафаэлла решилась всей душой отдаться ему. Казалось, уже целыми часами они целуются, прикасаются, прижимаются, впиваются друг в друга, пальцами лаская друг друга. У нее началась дрожь в ногах, и тогда, прервав ласки, он схватил ее на руки, сбросив на ковер розовый атласный халат, и уложил ее в постель. — Рафаэлла? — Его губы произнесли ее имя вопросительно, и она в согласии кивнула ему с несмелой улыбкою. Он погасил свет, быстро скинул одежду и лег рядом с Рафаэллой.

Снова с жадностью стал касаться ее губами и руками. Она теперь чувствовала себя словно во сне, будто такого быть не может, будто это нечто нереальное, и с самоотречением, самой ей неведомым, отдала она себя ему, и тело ее вздымалось, билось, извивалось в желании, которое прежде и не снилось. С таким же влечением Алекс вжимался в нее, достигая телом ее глубин, самой души, их руки сплелись, ноги сплелись в единую плоть, губы накрепко соединились в одном бесконечном поцелуе, пока не истек, не покинул их финальный миг наслаждения, когда они вместе словно пребывали на небесах.

Потом они недвижно лежали бок о бок в мягком свете бра, и Алекс не сводил глаз с женщины, ставшей его любимой. И вдруг подступил страх. Что он сделал и как теперь поведет себя она? Возненавидит его? И всему конец? Но таким теплом веяло от ее глаз, что было ему ясно, что это не конец, а начало, и под его взглядом она склонилась к нему, нежно поцеловала в губы и медленно-медленно провела пальцами по его спине. Все его тело словно зазнобило, он вновь поцеловал ее, затем лег на бок, чтобы видеть ее улыбку.

— Я люблю тебя, Рафаэлла. — Сказано это было совсем тихо, только для нее одной, и она тихо кивнула, и веселы были ее глаза. — Люблю, — повторил он, и шире стала ее улыбка.

— Знаю. И я тебя люблю. — Она говорила так же тихо, как и он, и Алекс внезапно привлек ее к себе, крепко обнял, чтобы она никогда не смогла покинуть его. И будто поняв это, она еще теснее прижалась к нему. — Все хорошо, Алекс... ох... все хорошо.

Несколькими минутами позже его руки снова начали ласкать ее.

Глава 9

— Рафаэлла! — шепнул он, приподнявшись на локте, не уверенный, что она проснулась. Но вот ее ресницы затрепетали под молодым светом утра, и первым делом она увидела Алекса, смотревшего на нее полным любви взором. — Доброе утро, моя милая. — Тут он ее поцеловал, погладил по длинным шелковистым черным волосам, столь похожим на его собственные. Рафаэлла заметила, что при этом он ухмыльнулся, и ответно улыбнулась.

— Над чем это ты посмеиваешься с раннего утра?

— Подумалось: если заведутся у нас дети и будут у них волосы не иссиня-черные, а какие-то другие, то у меня возникнут вопросы к тебе.

— Ко мне? — весело отозвалась она на его кивок.

— А как же. — Задумчиво посмотрел он на нее, обвел пальцем ее груди и продолжил линию вниз по телу вплоть до того места, откуда начинаются ноги, потом лениво прочертил пальцем обратный путь к ее грудям и вокруг них. Приостановился, спросил: — Ты не хочешь детей, Рафаэлла?

— Сейчас?

— Нет. В принципе. Мне любопытно это узнать. — Он поколебался, прежде чем решиться спросить это: — Можешь ли ты?

— По-моему, да. — Не хотелось выдавать тайну Джона Генри, поэтому разъяснять она не стала, хоть глядел он на нее весьма пристально.

— Ты не заводила детей, потому что не хотела... Или были другие причины?

Он сообразил, что Рафаэлла нечто утаивает.

— Другие причины.

Алекс успокоительно заметил:

— Так я и думал. — Она потянулась к нему, нежно поцеловала в губы. И вдруг села на постели, охваченная ужасом, едва успев глянуть на часы, а теперь на Алекса, прикрыв рот рукою.

— В чем дело?

— Боже... Я ведь опоздала на самолет.

Он усмехнулся без всякого сочувствия:

— Я свой рейс упустил еще вечером. Даже, — еще спокойнее добавил, — до сих пор не забрал у швейцара свои вещи.

Но она его не слышала.

— Как мне быть? Надо позвонить в авиакомпанию... наверняка есть другой... Господи, когда Том явится встречать меня в аэропорту...

Алекс нахмурился, услышав это:

— Кто такой Том?

Настала очередь Рафаэллы усмехнуться:

— Это шофер, глупышка.

— Ну ладно. В общем-то позвони-ка домой и скажи им, что опоздала на рейс. Просто предупреди, что поспеешь... — он был готов сказать «на следующий», но сразу передумал. — Рафаэлла, а что, если... — не без боязни заговорил он, взяв ее за руку: — Что, если нам не возвращаться до завтра, провести уик-энд здесь, вместе? Ведь это вполне возможно.

— Нет, невозможно. Меня ждут... Мне нужно...

— Что нужно? Никаких дел у тебя дома нет, сама же объясняла. День-другой ничего не изменит. Потом долго не будет у нас такой свободы. Мы здесь, мы одни, мы вдвоем... Ну, как? До завтрашнего вечера? — Он привлек ее к себе, когда спрашивал, и молил небо, чтоб она согласилась. Однако Рафаэлла опять отстранилась, медленно, неуверенно, с задумчивостью на лице.

— Придется пойти на ложь, Алекс. Если же...

— Если же что-то случится, — оба понимали, что речь идет о Джоне Генри, — ты можешь улететь ближайшим рейсом. Но ничего не случилось, пока ты была здесь вместе со своей матерью. Единственная разница в том, что теперь ты будешь здесь вместе со мной. Прошу тебя. — Говорил он нежно и по-мальчишески, да и ей ничего не хотелось, кроме как быть с ним в Нью-Йорке, но вот ее обязанность... Джон Генри... Вдруг она решила, что надо на сей раз сделать что-то для себя самой. Подняла глаза на Алекса. Согласилась. Вид у нее был испуганный, но возбужденный. Алекс издал крик восторга: — Милая моя, я тебя люблю!

— Ты безумец.

— Мы оба такие. Иду в душ, ты заказываешь завтрак, затем отправляемся гулять. — Неловкость заказывания завтрака на двоих не помешала им, просто Рафаэлла затребовала у горничной целую кучу еды, но на вопрос, на сколько персон, отвечала без промедления: — Накройте на одну. — Сообщила об этом ему, стоявшему под душем, и поймала себя на том, что и сейчас смотрит на его тело с вожделением, восхищенно. Такой он высокий, сильный, стройный, прямо статуя юного греческого бога.

— Что вас занимает, мадам? — обратил он на нее свой взгляд. Вода сбегала по лицу.

— Ты... Ты красив, Алекс.

— Теперь ясно, что ты безумная. — На миг он посерьезнел. — Ты позвонила домой? — Она отмахнулась, словно непокорная школьница. Он по-прежнему стоял под душем, и ей захотелось сбегавшую по его телу воду проводить своим языком. Тут не до дома было. Тот словно перестал существовать. Думать она могла лишь об Алексе.

— Почему бы это не сделать сразу, малыш? — Она послушно кивнула и ушла из ванной. Села к телефону, чудный облик мужского тела отступил. Вдруг она вновь ощутила себя миссис Джон Генри Филипс. Какую ложь наговорить им? Телефонистка откликнулась очень быстро, сразу дали

Сан-Франциско. В следующую секунду Рафаэлла уже слышала голос сиделки, та сообщила, что Джон Генри еще спит, ведь в Сан-Франциско всего семь часов утра и ему пока рано пробуждаться.

— Хорошо он себя чувствует? — Она не могла освободиться от страха. Наверно, последует наказание. Наверно, ему станет хуже, и вина за это будет на ней. Однако бодрый ответ сиделки не заставил себя ждать:

— Отлично. Мы выкатывали его на час в кресле вчера. Кажется, он был этим доволен. После ужина я почитала ему газету, недолго, и затем он сразу уснул. — Так что ничего не приключилось, вроде бы никаких перемен за время ее отсутствия. Она объяснила, что задержалась в Нью-Йорке из-за матери. И полетит в Сан-Франциско завтра. Чуть подождала, готовая услышать, как сиделка назовет ее лгуньей и потаскушкой, но этого не произошло, а мать, понятное дело, не станет звонить из Аргентины, так что нет причины бояться разоблачения. Но она так остро чувствовала вину за собой, что казалось — обязательно дознаются, она попросила сиделку передать Тому, чтоб не ездил сегодня за ней в аэропорт, она сама позвонит завтра утром и сообщит, каким самолетом прибывает. В голову пришло, что можно бы добраться из аэропорта на такси вместе с Алексом, однако стоит проделать такое, повергнешь домашних в недоумение. Ни разу за всю свою жизнь не ездила она из аэропорта на такси. Поблагодарив сиделку, Рафаэлла обратилась к ней с просьбой передать мистеру Филипсу, что она звонила и что все прекрасно, и повесила трубку. Взор погас, лицо помрачнело.

— Какие-то неприятности? — Алекс вышел из ванной, причесанный, перепоясанный полотенцем. Вид у нее был совсем не такой, как несколько минут ранее, когда он уговаривал ее звонить домой. — Что-нибудь случилось?

— Ничего. Я... я просто позвонила туда. — И она опустила глаза.

— Что-то не так? — В голосе звучали настойчивость, беспокойство, но Рафаэлла спешно замотала головой:

— Нет-нет. Он отлично себя чувствует. Я... — жалобно глянула она на него, — я ощущаю себя виноватой. Алекс, надо было мне уехать. — Сказано это было шепотом, горестно. Он сел рядом, сперва не двигался, а потом крепко взял ее за плечи.

— И пожалуйста, если тебе охота. Я тебе говорил: я пойму правильно. Всегда пойму. — Она взглянула на него, полная смущения, а он прижал ее опять к себе. — Полный порядок, дорогая. Все отлично.

— Почему ты так добр ко мне? — Спрашивая так, она уткнулась лицом в его обнаженное плечо.

— Потому что люблю тебя. И объяснил это еще вчера. — Он улыбнулся и поцеловал ее в затылок.

— Но ты едва знаешь меня.

— Вот уж нет. Знаю тебя до пальчиков на ножках! — Она покраснела, поняв, что сказано это в другом смысле, более возвышенном. И она, странное дело, после столь краткого знакомства верит его словам. Да, он знает ее лучше, чем кто-либо когда-нибудь. Даже муж.

— А ты очень рассердишься, если я уеду сегодня? — Она произнесла это с сожалением, с долгим вздохом.

— Нет, очень огорчусь. Но не рассержусь. Раз тебе так надо, будь по-твоему.

— Ну, а ты что станешь делать? Пойдешь в гости к матери или сестре?

— Да нет, мать в Бостоне, Кэ в Вашингтоне, у племянницы свои планы на все эти дни. Поеду домой. Может, одним рейсом с тобой. Если достанем билеты. Это тебя устраивает? — Она кивнула. — Хорошо. — Он не спеша встал. — Тогда звони в авиакомпанию. Я пошел бриться. — Он вновь заскочил в ванную, закрыв за собой дверь, она же сидела с таким чувством, словно отказалась только что от того единственного на свете, чего ей желалось. Провести время с Алексом. Вместе. Не иначе как вдвоем. Наедине. Долго оставалась она так, прежде чем подойти и тихо постучать в закрытую дверь.

— Да?

— Можно войти? — Он открыл дверь, и его улыбка вновь убедила Рафаэллу, что он ее любит.

— Конечно, можно, деточка. И спрашивать не нужно. Позвонила в авиакомпанию?

Она покаянно закачала головой:

— Не хочу.

— Почему же? — Сердце его забилось в ожидании.

— Потому что не хочу уезжать. — Словно девочка стояла она перед ним, длинные ее волосы ниспадали с плеч, еще в беспорядке с минувшей ночи. — Хочу остаться здесь с тобой.

— Да, правда? — Он не мог сдержать улыбки, отложил бритву, сгреб Рафаэллу одной рукой, а другой потянулся за полотенцем, чтобы стереть мыло со своего лица. — Ну, для меня ничего лучше быть не может... — Он, после долгого и крепкого поцелуя, опять отнес ее в постель. И прошло полчаса, прежде чем они насытились друг другом и объявился официант.

Когда тот ушел, они сели вдвоем завтракать, она в розовом атласном халате, а он в полотенце, оба счастливые, оживленные, строя планы на этот день. Будто всегда они были вместе, так дружно поделили яичницу.

— А теперь я хочу подняться на Эмпайр-стейт-билдинг, хочу горячих каштанов и на коньках покататься...

Он рассмеялся:

— Точно как моя племянница. Она тоже обожает коньки.

— Так пойдем вместе. Но прежде я хочу на Эмпайр-стейт-билдинг.

— Рафаэлла? — простонал он, как раз допив кофе. — Ты это серьезно?

— Вот именно. Мне никогда раньше не удавалось.

— Ой, малышка. — Он наклонился через столик, чтобы поцеловать ее. — В жизни не видел такой красавицы.

— Значит, слепец и безумец, а я тебя люблю. — И подумала, что сама не менее безумная. Чистое же сумасшествие. А всего безумней то, что кажется ей, будто знакомы они целую вечность.

Вместе разработали они сценарий, по которому Рафаэлла смогла затребовать вещи Алекса у швейцара, а когда носильщик принес их, Алекс смог одеться, пока Рафаэлла принимала ванну. Они стояли рядом у большущего шифоньера, прихорашиваясь и болтая, и очень это походило на медовый месяц, как она заметила ему, когда они вышли в город.

Он добросовестно сводил ее на самый верх Эмпайр-стейт-билдинга, на ленч в «Плазу», после чего они катались в экипаже по парку. Два часа осматривали сокровища музея Метрополитен, забрели в Парк-Берне, где был в полном разгаре аукцион французского антиквариата. А потом, радостные, полные впечатлений, в немалой степени усталые, пришли пешком в «Карлейль» и поднялись лифтом в ее номер. Зевая, сняла она пальто и повесила в шкаф, Алекс же сразу растянулся на кровати, скинув куртку и обувь и простирая руки к Рафаэлле.

— Не знаю, как вы, миледи, но я без сил. Пожалуй, с детства не одолевал столько всего за один день.

— И я тоже. — И тут вдруг захотелось ей, чтоб можно было свозить его в Париж, в Барселону и Мадрид, показать ему там все, что самой дорого. А потом доставить его в Санта-Эухению, пусть увидит, где она проводит лето за летом, где можно свидеться со всеми детишками, которых она так обожает. Но странно воспринимать их по-старому. Детишки, которым она сочиняла сказки, пока не вышла замуж, уже сами переженились и завели собственных детей. Оттого она порой казалась себе совсем старой, словно основная часть жизни уже миновала.

— О чем задумалась? — Он вдруг подметил прежнюю грусть в ее глазах.

— Задумалась о Санта-Эухении.

— А в частности? — продолжал он выспрашивать.

— О тамошних ребятишках... О, Алекс, не поверишь, до чего обожаю их.

Он взял ее за руку, произнес твердо и невозмутимо:

— Со временем будут у нас собственные дети.

Она промолчала, избегая темы, которая целых четырнадцать лет как лишилась для нее смысла.

— Не стоит надеяться.

— Нет, стоит. Очень даже. Нам обоим. Я так хотел детей еще от бывшей жены.

— Она не могла их иметь? — Рафаэлла спросила с интересом и надеждой, что у них окажется нечто общее, то есть оба пострадали от подобного поворота судьбы.

— Не в том дело, — покачал он задумчиво головою. — Могла иметь. Но не хотела. Забавно, как со временем меняются воззрения. Встреть я нынче женщину с такими понятиями, то, думаю, не смог бы полюбить ее. Я надеялся убедить Рэчел. Но не удалось. Слишком была увлечена своей работой. Оглянусь в прошлое — и думается, хорошо, что мы не завели детей.

— А чем она занимается?

— Она адвокат. — Это произвело впечатление на Рафаэллу. Он легонько поцеловал ее в губы. — Но в ней, Рафаэлла, мало оказалось женственности, не те были начала.

— Ты ушел от нее?

Он опять покачал головой:

— Нет. Она от меня ушла.

— К другому мужчине?

— Нет. — Алекс улыбнулся, причем без огорчения. — К своей работе. Только она имела для нее значение. Всегда. Выходит, удачно все сложилось. — Они лежали рядом друг с другом, словно старинные друзья, давняя любовная пара, и Алекс не грустил.

— И она многого достигла?

— Пожалуй.

Рафаэлла опустила голову.

— Иногда мне хочется тоже чего-то достичь. Единственное, с чем я, наверное, хорошо бы справилась, не было мне дано, а все прочее... ну... ни на что я не гожусь.

— Ты рассказываешь детям сказки.

Она уныло улыбнулась.

— Едва ли это жизненно важное занятие.

Он, поглядывая на нее, вспомнил, что сказала его мать.

— Почему бы тебе не записать свои сказки? Ты могла бы сочинять книги для детей, Рафаэлла. — Ее глаза заблестели, когда она выслушала этот совет, Алекс же приник к ней, взял ее в объятия. — Надеюсь, ты поняла, что, если никогда ничегошеньки не будешь делать, кроме как любить меня, этого одного достаточно...

— Ой ли? Не покажется это тебе нудным? — Она выглядела вправду озабоченной.

— Никогда. Даже смешно. Всю жизнь окружают меня женщины честолюбивые, занятые своей профессией, своей карьерой. Не думал, что смогу понять ту, которая от них отличается. И вдруг осознал, что постоянно ждал такую женщину, как ты. Не хочу борьбы и соревнования, не хочу состязаться, кто больше зарабатывает. Хочу быть самим собой, быть с кем-то, о ком стану заботиться; с тем буду, кто сердечен, добр, сочувствен, с кем приятно вдвоем. — Он уткнулся ей в шею. — Глянь-ка, описание вполне соответствует тебе.

Она долго смотрела на него, потом склонила набок голову.

— Знаешь, что удивительно? В эту минуту я почувствовала: вот где жизнь для меня. Здесь с тобой. Будто ничего иного и не существовало, будто в действительности я в Сан-Франциско и не жила. Не странно ли? — Вид у нее был озадаченный. Алекс нежно коснулся ее лица, прежде чем поцеловать Рафаэллу в губы. А потом отстранился от нее с едва заметной улыбкой.

— Нет. По-настоящему, я вовсе не нахожу это странным. — Вот теперь он ее обнял, стал жадно целовать, а ее руки нежно касались его тела.

Глава 10

Еще не отзвучал голос стюардессы, объявлявшей о посадке в Сан-Франциско, а чувство подавленности уже охватывало Алекса, пока самолет медленно снижался. Два дня вдвоем были такие идеальные, такие идиллические. Вчера сходили поужинать, потом — послушать Бобби Шорта, как еще прежде предлагал Алекс. Потом она вновь отдавалась ему. После чего они уселись и проговорили почти до четырех утра. Взаимно постигали любимое тело, затем, лежа бок о бок, по очереди описывали свою жизнь. Когда воскресным утром встало солнце, она знала все про Рэчел, про его мать и его сестру. Ему рассказала о своем отце, о Жюльене — своем брате, погибшем шестнадцати лет во время игры в поло, о своем супружестве с Джоном Генри — от начала и доныне. Словно они издавна были вместе, издавна именно это было задумано. А теперь — возвращаются в Сан-Франциско, и ему предстоит позволить ей удалиться, по крайней мере на какой-то срок. Ему же останется утешаться тем коротким временем, которое она смогла провести с ним, ускользнув от другой своей жизни в доме мужа. Во всяком случае, это они обсуждали минувшей ночью.

— О чем думаешь? Вид у тебя ужасно важный. — Он нежно смотрел на нее, пока близилась посадка. Без труда заключил, что Рафаэлле так же грустно, как и ему. Деньки, проведенные вместе, казались бесконечны, словно жизненный срок, а теперь все вновь готово перемениться. — Самочувствие в порядке?

Она печально глянула на него и утвердительно кивнула.

— Я вот думала...

— О чем?

— О нас. Как все повернется.

— Все будет в порядке. — Он говорил ей в самое ухо, тихая доверительная речь Алекса приводила ее в трепет, но она покачала головой.

— Нет, не будет.

Он взял ее руку в свою и не выпускал, ловя взгляд и вдруг огорчась тому, что в нем прочел. Он подозревал, что ее опять гложет чувство вины, но этого следовало ожидать, ведь они снижаются, сейчас сядут на родимую землю. Здесь ей сложнее будет отодвинуть в сторону свои обязательства. Да по сути особо-то не надо стараться. В ее жизни хватит места обоим мужчинам.

— Алекс, — сбивчиво проговорила она. — Я так не смогу. — Когда их взгляды встретились, ее глаза были полны слез.

— То есть? — Он попытался унять тревогу и сохранить хотя бы внешнюю невозмутимость после сказанного ею.

— Не смогу.

— А тебе ничего и не надо делать, лишь передохнуть. — Он произнес это в лучшей своей профессиональной манере, но это, кажется, не утешило ее. Слезы катились по щекам, сбегали вниз, падали на их сцепленные руки. — Мы все преодолеем, по ходу дела.

Однако она снова не согласилась, сказала едва слышно:

— Нет... Я была не права... не смогу я, Алекс... здесь. В одном городе... с ним. Это нехорошо.

— Рафаэлла, подожди... дай срок, привыкнешь.

— К чему? — Она враз рассердилась. — Предавать своего мужа?

— Разве это так?

Она не могла успокоиться, ее взгляд молил о понимании.

— Что мне делать?

— Ждать. Старайся беречь радость, которая нам выпала. Будь честной по отношению к нему и к себе. Вот чего я желаю всем нам... — Она тихо покачала головой, он изо всей силы ухватился за ее руку. — Попробуешь?

Вечность прошла, пока Рафаэлла ответила:

— Постараюсь.

Через минуту самолет приземлился, а когда застыл на стоянке, показались две стюардессы, одна из них несла ее меховое пальто, и Рафаэлла спокойно поднялась, надела его, и не подав виду, что человек, сидевший с нею рядом, имеет к ней хоть какое-то отношение, она забрала свою дорожную сумку, застегнула пальто, затем поклонилась. Одними глазами сказала «Я тебя люблю», прошла мимо и исчезла в хвостовом люке самолета, как это происходило и прежде. Выход сразу заперли за ее спиной, и Алекс ощутил, как его засасывает одиночество. Вдруг ему показалось, что все дорогое ему отнято, и на него нахлынула волна испуга. Вдруг он никогда больше не увидит ее? Алекс старался овладеть собой, пока ждал в толпе своей очереди на выход, потом подошел к багажному отсеку получить свой саквояж. Обратил при этом внимание на длинный черный лимузин, поджидающий у ограды аэровокзала, на шофера, стоявшего еще здесь за ее багажом. Алекс быстро покинул перрон с вещами в руках и остановился на секунду, всмотрелся в черную машину. Блики яркого света в окне скрывали Рафаэллу, делали невидимой, но он не мог заставить себя уйти, и она словно почуяла это, одно из боковых стекол медленно опустилось, ибо она нажала пальцем маленькую кнопку. Жадно взглянув на Алекса, мечтая вновь хоть мимолетно прикоснуться к нему. Их глаза встретились на бесконечный миг, и тут, будто солнце заново взошло для них, он ласково ей улыбнулся и, повернувшись, двинулся к автостоянке. В душе он прошептал «До завтра», а хотел, чтобы встреча произошла нынешним вечером.

Глава 11

Уже без малого четверть девятого, и он сидит, притоптывая, у себя в кабинете. Откупоренная бутылка вина стоит на столе рядом с разложенными сыром и фруктами, потрескивает яркое пламя в камине, играет музыка, а он изнервничался до предела. Она сказала, что придет после половины восьмого. Целый день она не созванивалась с ним, и теперь он опасался, что по какой-то причине ей не удастся выбраться из дому. Показалась она ему такой же одинокой, как и он сам, когда позвонила предыдущим вечером, и все тело его заныло от вожделенного желания обнять ее. А теперь он морщился от жара, прикидывал, что же могло произойти, и тут бросился к телефону.

— Алекс? — Его сердце было заколотилось, но умерило стук от разочарования. Это была не Рафаэлла, а Кэ.

— О, ку-ку.

— Что-нибудь неладно? Ты какой-то напряженный.

— Нет, просто занят. — Разговаривать с нею не было охоты.

— Работаешь?

— Вроде как... Да нет... ничего... не смущайся. В чем дело?

— Христа ради, дело срочное. Хочу поговорить с тобой об Аманде.

— Что-нибудь случилось?

— Да нет, Бог миловал. К счастью, я о подростках знаю больше, нежели ты. Сто долларов, что ты ей дал... я тебе этого не позволяла, Алекс.

— Как тебя понимать? — Слушал он свою сестру напрягшись.

— А так, что ей шестнадцать лет и детки ее возраста тратят деньги только на наркотики.

— Она тебе объяснила, почему я ей дал эту сотню? И кстати, как ты узнала, я-то полагал, что известным это останется лишь ей да мне.

— Мало ли как я обнаружила. Просматривала ее вещи, и тут эта купюра попалась.

— Боже, Кэ, ты что, учинила ей обыск?

— Слегка. Ты не забудь, в каком я деликатном положении, Алекс. Не могу же я ей позволить держать в моем доме наркотики.

— Тебя послушать, ей уже жизни не видать без героина.

— Брось ты. Но если не следить, так она станет держать при себе пачку сигарет с марихуаной, все равно как мы с тобой держим в доме виски.

— А ты не могла просто поговорить, объяснить ей?

— Это было. Но разве дети делают то, что им сказано? — Ее полнейшее неуважение к дочери выводило его из себя, Алекс был готов взорваться, слыша от сестры столь мерзкие намеки.

— По-моему, ты относишься к ней отвратительно. Думаю, она заслуживает доверия. А деньги я дал ей затем, чтоб она смогла ходить в Рокфеллер-центр. Мэнди мне сказала, что увлекается коньками, а катается на Вольмановом катке в парке. Известно тебе или нет, но девочку могут прибить у выхода из Центрального парка. А поскольку я ее дядя, я бы хотел оплачивать ее занятия коньками. Я и подумать не мог, что ты отнимешь у нее деньги, а то устроил бы все как-то иначе.

— Почему ты не позволяешь мне самостоятельно заниматься собственной дочерью, Алекс?

— Отчего не прибавишь, что мамаша из тебя никакая? — Его голос гремел в комнате, так хотелось быть чем-то полезным девочке. — Надо, чтобы ты отдала Аманде эти деньги.

— Мне плевать, что тебе надо. Сегодня же пошлю тебе чек на эту сумму.

— Я с Амандой сам разберусь.

— Не утруждай себя, Алекс, — ледяным тоном сказала Кэ. — Я проверяю ее почту. — Его чувство опустошенности, наверно, было под стать тому, что испытывала Аманда по милости Кэ.

— Ты порочная бродяжка, ясно? И не имеешь права тиранить ребенка.

— Откуда ты такой взялся, чтоб судить, верно ли я обращаюсь с дочерью? У тебя-то, черт подери, детей нет. Что ты можешь понимать?

— Может, сестричка, и ничего. Может, вовсе ничего. И пускай у меня нет детей, уважаемая госпожа депутат Виллард, а ты, мадам, заведомо бессердечна.

Тут она швырнула трубку. В то же мгновение он услышал звонок в дверь, поток эмоций охватил Алекса словно встречная волна. Наверняка это Рафаэлла. Наконец-то пришла. Сразу защемило сердце, но он еще не забыл перепалку с сестрою относительно Аманды, понял, что необходимо самому поговорить с племянницей. Из кабинета он сбежал вниз, к парадной двери, распахнул ее и застыл на секунду, радостно, смущенно и слегка нервно глядя на Рафаэллу.

— Я тревожился, не случилось ли чего. — Она молча покачала головой, все высказала ее улыбка. Потом Рафаэлла робко вошла. Закрыв за ее спиною дверь, Алекс крепко обнял Рафаэллу. — Ой, малышка, как я по тебе соскучился... У тебя все в порядке?

— Да. — Это короткое словечко укрылось меж мехом ее манто и его грудью, к которой он ее прижимал. Она была в том же манто из рыси, что и в тот вечер, на ступеньках. Вновь приникла к нему, теперь Алекс прочел в ее глазах какую-то усталость и печаль. У себя в спальне она оставила записку, сообщавшую, что, мол, ушла прогуляться, заглянуть к знакомым, это на случай, если ее станут искать. Таким образом, никто из слуг не поднимет панику и не станет обращаться в полицию, если она не вернется с прогулки незамедлительно. Да, ее вечерние отлучки уже доставляли им неудобство, а узнай про такое Джон Генри, с ним мог бы случиться припадок. — Мне сегодня казалось, что дню не будет конца. Ждала я, ждала, а всякий час равнялся суткам.

— В точности то же самое переживал сегодня я, сидя в конторе. Пошли. — Он взял ее за руку и повел к лестнице. — Покажу тебе свое жилище. — Пока они бродили по дому, ей бросились в глаза запустение в гостиной и по контрасту — трогательный уют спальни и кабинета. Кремовые драпировки всюду, мягкая кожа, крупные растения, множество книжных полок. В спальне ярко горел камин, и Рафаэлла сразу почувствовала себя как дома.

— Ах, Алекс, как тут мило! Так удобно и уютно. — Она, сбросив тяжелую меховую одежду, свернулась на полу рядом с ним перед огнем, на толстом белом ковре, а перед ними стоял низкий стеклянный столик с вином, сыром и паштетом, которые он заскочил купить для нее по пути домой.

— Тебе понравилось? — Со счастливым видом оглядел он свое жилье, дизайн которого сам придумал, когда еще покупал этот дом.

— Мне тут понравилось, — улыбнулась она, но была странно тиха, и он вновь почуял, что стряслась какая-то беда.

— Так это было, Рафаэлла? — Голос его был столь ласков, что у нее навернулись слезы. Еще пока они мирно прохаживались по дому, он с самого начала отметил, что она сильно расстроена. — Что стряслось?

Она зажмурилась, вновь открыла глаза, инстинктивно протянула руку Алексу.

— Я этого не смогу, Алекс... просто не смогу. Хотела... собиралась... распланировала, как буду каждый день проводить с Джоном Генри, а каждый вечер ускользать на «прогулку» и являться сюда, быть с тобою. А призадумалась, — грустна была ее улыбка, — и сердце зашлось. Ощущала я себя молодой, бойкой, счастливой, как... — Тут она запнулась, голос стал чуть слышимым, глаза увлажнились, — как невеста. — Взгляд она перевела на огонь, но руку Алекса не выпускала из своей. — Но я не из того племени, Алекс. Уже немолода, во всяком случае, не столь молода. И нет у меня права на подобное счастье, на счастье с тобой. Я не невеста. Я замужем. Имею обязанности перед тяжело больным человеком. — Голос стал тверже, она отняла руку. — Алекс, я больше не смогу приходить сюда. Сегодня последний раз. — Теперь она смотрела ему в глаза, и голос был решителен.

— Что заставило тебя передумать?

— Возвращение домой. Встреча с ним. Вспомнила, кто я есть.

— А обо мне и думать не думала? — Самому ему это показалось патетичным, стало неловко за сказанное, но думал-то он именно так. Жизнь нанесла ему жестокий удар. С женщиной, бесконечно желанной, ему не суждено соединиться.

Она же нежно поднесла его руку к своим губам, поцеловала ее, покачивая головою.

— Я думала о тебе, Алекс. — И добавила: — Я никогда тебя не забуду. — И быстро встала, чтобы уйти. Он продолжал сидеть и смотреть на нее, готовый остановить ее, бороться за нее, но понимая в то же время, что ничего ему сделать не удастся. Он снова желал ее, желал беседовать с нею, проводить ночи с нею... всю жизнь так провести. Медленно он поднимался на ноги.

— Я хочу, чтобы ты, Рафаэлла, знала одно. — Он простер руки и привлек ее к себе. — Я тебя люблю. Мы едва знакомы, тем не менее я уверен в своей любви. Возвращайся же домой, обдумай свои действия, и если передумаешь, хоть на миг приходи назад ко мне. Через неделю, через месяц, через год. Ты найдешь меня здесь. — Долго-долго не выпускал он ее из объятий, гадая, сколько пройдет времени, прежде чем они увидятся вновь. Ему становилась невыносимой мысль, что они могут никогда не увидеться. — Я тебя люблю. Не забывай про это.

— Не забуду. — Теперь она расплакалась. — Я тебя тоже люблю.

Тогда они пошли к выходу, словно оба поняли, что незачем оставаться далее в этом доме, обоим от того будет слишком больно. Его рука лежала на ее плече, Рафаэлла была в слезах, так и дошли до ее дома. Лишь ненадолго обернулась она, стоя на крыльце, чуть помахала рукою на прощанье и быстро скрылась из глаз.

Глава 12

Следующие два месяца Рафаэлла словно была погружена в воду. Любое ее движение стало скованным, затрудненным, замедленным. Не шевельнуться, не задуматься, не шагнуть, трудно даже поддерживать разговор с мужем, который терялся в догадках, что же могло произойти в Нью-Йорке. Какая-то до враждебности неприятная размолвка с матерью, семейный скандал, фамильная тяжба. Лишь по прошествии нескольких недель решился он обсудить эту тему, но когда попытался, Рафаэлла вроде не услышала его.

— Что-то случилось с твоей мамой, маленькая моя? Она настаивала, чтобы ты проводила больше времени в Испании? — Напрасно дожидался он ответа, неспособный представить себе, что порождает такое страдание во взоре Рафаэллы.

— Нет, нет... ничего такого. — А что-то ведь было. Но что?

— Кто-нибудь заболел?

— Нет. — Она набралась отваги улыбнуться. — Вовсе нет. Просто я очень утомилась, Джон Генри. А ты не беспокойся. Мне надо чаще бывать на воздухе. — Но и продолжительные прогулки не помогли. Сколько ни броди из конца в конец Пресидио, у маленького пруда близ Дворца пяти искусств, даже вдоль берега залива, после одолевая крутой холм. Как ни устанешь, ни запыхаешься и как ни удерживаешь себя, забыть Алекса ей не под силу. Она ловила себя на том, что сутки напролет только и думает, чем он занят, в каком настроении, на работе он или в своем домике на Вальехо. Выходило, в любой час дня ей надо знать, где находится Алекс. При этом она понимала, что в любом случае не увидит его больше, не коснется, не обнимет. Осознание этого причиняло сильную боль, обострившуюся наконец до такой степени, будто она окоченела, а взор остекленел.

В День благодарения она сидела у Джона Генри, шевелилась, словно робот, глаза были отсутствующие и тоскливые.

— Еще индейки, Рафаэлла?

— А? — Она уставилась на него, но вроде и не поняла вопроса. Одна из горничных стояла рядом, держа блюдо, и безуспешно пыталась привлечь ее внимание, пока это не взял на себя Джон Генри. Праздничный ужин проходил в его спальне, подавали с подносов, чтобы хозяин мог оставаться в постели. Он еще ослаб за последние два месяца.

— Рафаэлла!

— Да! А... Нет... Извини... — Глядя вбок, она мотнула головой, села к нему поближе, чтобы поддержать беседу, но сегодня он к этому часу явно переутомился. Через полчаса после ужина подбородок поник на грудь, веки сомкнулись, он издал тихий храп. Сиделка, стоявшая около, аккуратно убрала поднос с кровати, сменила ему позу, положив ниже в постели, и дала знак Рафаэлле, что той можно уйти. Медленно-медленно пересекла Рафаэлла длинный зал, направилась в свои комнаты, в мыслях ее царил Алекс, и тут она, словно под гипнозом, приблизилась к телефону. Неверный шаг, самой было понятно. Но можно ведь позвонить, наконец, поздравить с Днем благодарения. Что дурного? Да все, уж если она собралась избегать Алекса. Даже звук его голоса, взгляд в его глазах, его прикосновение, все это повергнет ее вновь в сладостные силки, из которых так нелегко было высвободиться. Из чести, из чувства долга она отчаянно старалась это сделать, а теперь, набирая номер его телефона, чувствовала, что старания пошли прахом. Не хотелось ни минутки более оставаться вдали от него. Не могла она. Ну, не могла. Сердце забилось, когда в трубке прозвучал звонок. Казалось, миновала вечность, прежде чем он ответил, но, позвонив, уже не остановиться.

— Алло? — Она зажмурилась, услышав Алекса, облегчение, страдание и возбуждение поглотили ее.

— Да-да. — В первое мгновение он не узнал ее голос, потом глаза его распахнулись, и он, не выпуская трубки, будто впал в шок.

— О, Бог мой.

— Нет, — улыбнулась она мягко. — Всего-навсего я. Звоню, чтоб поздравить тебя с Днем благодарения.

Возникла пауза.

— Спасибо. — Голос звучал напряженно. — Как живешь?

— Я?.. Прекрасно... — И сразу приняла решение высказать ему все. Пусть он передумал, пусть разлюбил ее, пусть завел себе другую. Она должна сказать ему все. Хотя бы напоследок. — Совсем не прекрасно... ужасно... Не могу... — перехватило дыхание, когда она вспомнила двухмесячные мученья и опустошенность. — Не могу больше так жить. Не могу это вынести... О, Алекс... — Неожиданно для себя она принялась плакать — от огорчения и в равной степени от облегчения. Наконец-то опять говорит с ним. И пусть мир разом сгинет. Такой радости она не знала долгие месяцы.

— Ты где? — спросил он резко.

— Дома.

— Жду тебя на углу через пять минут.

Она собиралась возразить, собиралась заявить, что этого нельзя, но не было сил бороться дальше. И желания такого не было. Молча кивнула в подтверждение, потом произнесла:

— Приду.

Забежав в ванную, плеснула себе на лицо холодной водой, второпях вытерлась огромным полотенцем, провела расческой по темным волосам, распахнула шкаф, извлекла свое манто из рыси и выбежала из комнаты вниз по лестнице, вон из дома. На сей раз она не оставила ни поручений, ни объяснений, да и не знала она, надолго ли уходит. То ли на пять минут, то ли на час. В настоящее время Джон Генри не нуждается в ней. Спит. У него есть сиделки, слуги, врачи, а ей всего разочек требуется нечто большее. Она осознала это, пока торопливо бежала к тому месту, где ее ждал Алекс. Черные волосы развевались, манто было распахнуто, губы застыли в полуулыбке, ее глаза искрились. Повернув за угол, Рафаэлла сразу увидела его, в темных брюках и широком свитере, с лохматой головой, с блестящими глазами, часто дышащего. Он подбежал к ней, обнял с такой силой, что она едва не задохнулась. Алекс поцеловал ее губы, и оба застыли, казалось, навсегда. Отчаянная затея — вести себя так здесь, на углу улицы, но, к счастью, их никто не видел, хотя теперь Рафаэллу в жизни ничто не пугало.

Словно по молчаливому соглашению, они перешли на спокойный шаг и через несколько минут дошли до его дома. Когда Алекс закрыл входную дверь, Рафаэлла огляделась, свободно вздохнула.

— Добро пожаловать домой. — Он пока не стал рассказывать, как скучал по ней. Алекс расскажет ей об этом, когда они будут рядышком лежать в его постели. Два месяца они провели в небытии, едва живые между оцепенением и неотступной болью. Два месяца оказались самыми тяжелыми в жизни Рафаэллы. Алексу тоже было не легче, но теперь казалось, что ничего такого и не происходило, будто и не было этих бесконечных дней. Он хотел спросить, что с ней случилось, но не решался. Алекс решил наслаждаться моментом и молиться, что теперь Рафаэлла осмелится на большее.

— Поздравляю с праздником, дорогая моя... — Он снова сжал ее в объятиях, и они предались любви. Лишь в начале одиннадцатого Алекс вспомнил, что у него в духовке жарится индейка. Часок перестояла, но, сходив за нею на кухню, они не расстроились. Рафаэлла была в его купальном халате, он в голубых джинсах и в рубахе, они дружно ели, беседовали и смеялись. Настоящий вечер встречи, и, в отличие от первого ужина в честь Дня благодарения, Рафаэлла ела так, будто ее год не кормили.

— А твоя работа? Хорошо идет? — Счастливая тем, что они сидят вместе, она улыбалась беззаботно и радостно, как дитя.

— Я бы не сказал, — виновато проговорил он. — Если бы я работал у кого-нибудь другого, то наверняка лишился бы места за последние два месяца.

— Не верю, Алекс.

— Но это правда. Я не мог ни на чем сосредоточиться.

Она тоже стала серьезней:

— И я не могла. — Вновь посмотрела на него, взгляд стал ласковым: — Думала лишь о тебе. Словно какая-то душевная болезнь, из которой не выбраться.

— А тебе этого хотелось?

— Да. Только чтобы прекратились мучения. Это было, — волнуясь, она отвела взгляд, — очень трудное для меня время, Алекс. Я боролась со своей совестью с того самого дня, когда мы виделись в последний раз.

— А что произошло сегодня? Что заставило тебя позвонить?

— Стало невыносимо. Почувствовала, что умру, если не поговорю с тобою сейчас же. — Он кивнул, ему хорошо было знакомо это чувство. И перегнулся через стол, чтобы поцеловать Рафаэллу.

— Слава Богу, что ты позвонила. Думаю, я бы долго не выдержал. Отчаянно хотелось позвонить тебе. Сто раз брался за телефон. Дважды звонил, но ты не отвечала, и я вешал трубку. Боже, думал, у меня ум за разум зайдет. — Она молча, понимающе кивнула, и, приглядевшись к ней, он решился на следующий шаг. — А что теперь? — Пугающие слова, но их необходимо было произнести. Должен же он рано или поздно знать ответ на этот вопрос. — Знаешь ли, как тебе быть теперь, Рафаэлла? — Решать он предоставлял ей, но сам не был намерен отпускать ее так легко на сей раз. После всего, что они пережили. Однако теперь сражаться за нее не пришлось. Она нежно улыбнулась ему, взяла за руку.

— Так, как нам нужно... быть вместе сколько удастся.

Он сидел, не сводя с нее глаз, словно боясь поверить ее словам.

— Ты это точно?

— Да. Я тебе еще нужна? В том смысле, как прежде?

В ответ он поднял ее, привлек к себе с такой силой и страстью, что ей стало трудно дышать.

— Алекс!

— Ты получила ответ? — В его глазах пылал огонь и восторг. — Боже мой, малышка, как я люблю тебя. Да, ты нужна мне. Я обожаю тебя, хочу тебя. И я согласен на любой выход из положения, лишь бы нам быть вместе сколько удастся, но чтобы не повредить тебе или... — Она кивнула, поняв, что он избегает называть Джона Генри по имени. — И вот... — Он снова встал, пересек кухню, открыл ящик и вынул оттуда одинокий ключ. — Это ключ от дома, дорогая, и я прошу тебя находиться здесь при любой возможности, сколько тебе захочется, есть я тут или нет. — Слезы навернулись ей на глаза, он нежно обнял ее, и вскорости они побрели снова наверх. Ключ от дома лежал у нее в кармане халата, во взгляде светилась улыбка, какой не бывало до сей поры. Такого счастья Рафаэлла в жизни не знала.

Следующие три часа они провели, предаваясь любви вновь и вновь, наконец, когда они лежали рядом, не совсем еще насытясь друг другом, Рафаэлла удивленно вздрогнула, услышав телефонный звонок. Алекс поморщился, пожал плечами, затем поднял трубку, лениво сев на постели. И тут, слушая, он стал морщиться все сильней, безотчетно поднялся, не выпуская телефон, с ужасом на лице.

— Что?.. Когда?.. О Господи. Как она? — Брови были сжаты, рука дрожала, когда он нащупывал ручку. Дальше разговор представлял собой обрывочные сдавленные звуки, потом Алекс повесил трубку и с тихим стоном спрятал лицо в ладонях. Рафаэлла испуганно глянула на него. В голову ей пришло одно: что-то случилось с его матерью.

— Алекс... — заговорила она робко и нежно, — милый... что такое? Что произошло?.. Скажи мне... ну пожалуйста... — Ее руки нежно легли ему на плечи, потом она мягко погладила его по голове, по шее, а он начал плакать. Прошло много времени, прежде чем он поднял на нее свой взгляд.

— Это с Амандой, моей племянницей, — хрипло вырывались слова. Затем, с огромным усилием, он изложил ей подробности. — Она изнасилована. Ее только что обнаружили. — Он глубоко вздохнул, на секунду закрыл глаза, прежде чем продолжать: — После праздничного обеда она к вечеру пошла на каток... одна... в парк и... — Голос дрогнул. — Рафаэлла, она вся избита. Руки сломаны, и моя мать сказала, что... — Он не скрывал слез, говоря остальное. — Все лицо разбили, и... — он перешел на шепот, — изнасиловали... маленькую Мэнди... — Не было сил продолжать, Рафаэлла обняла его и сама расплакалась.

Лишь часом позже они несколько опомнились, и она приготовила ему чашку кофе. Алекс, сидя на кровати, мелкими глотками выпил его, закурил сигарету. Рафаэлла следила за ним, насупясь.

— Ты сможешь к ночи успеть на самолет? — Глаза ее расширились, потемнели, увлажнились, лицо словно излучало магический внутренний свет. И оно вдруг будто сняло его гнев, вся ярость улетучилась просто потому, что рядом была Рафаэлла. Не отвечая на ее вопрос, он подался к ней, заключил в объятия, такие крепкие и долгие, словно намеревался никогда их не разнимать. Так они лежали какое-то время, Рафаэлла осторожно поглаживала его рукою по спине. Оба молчали. Потом он осторожно высвободился, еще раз посмотрел ей в глаза:

— Ты поедешь со мной в Нью-Йорк, Рафаэлла?

— Сейчас? — Она замерла. Среди ночи? Что она скажет домашним, Джону Генри? Как можно ей уехать с ним? У нее не было возможности подготовить это.

Мысли путались. С отчаянием во взгляде Рафаэлла ответила на его вопрос: — Алекс... Я бы хотела... Я не против. Но не смогу. — Она и так совершила сегодня вечером трудный шаг. И еще не готова на большее. Нельзя же внезапно оставить Джона Генри.

Он медленно кивнул:

— Я понимаю. — И обернулся к той женщине, которая принадлежала не ему, а другому, но которую он так полюбил. — Наверно, пробуду там некоторое время. — В свою очередь кивнула она. Ей безумно хотелось отправиться с ним, но обоим было ясно, что этого она не сможет сделать. Ей оставалось прижимать его к себе, утешая.

— Мне жаль, Алекс.

— И мне. — Он несколько пришел в себя. — Сестрицу мою высечь надо за то, как она следила за своей дочкой.

— Ее ли это вина? — Рафаэлла была поражена.

— Отчего девочка была одна? Есть у нее мать, черт возьми? И где был отец?.. — Алекс вновь разрыдался, Рафаэлла обняла его с новой силой.

Трижды за ночь они звонили в больницу, и Аманда находилась по-прежнему в критическом положении, когда Рафаэлла в конце концов ушла домой. Уже было больше половины пятого, оба находились в изнеможении, но Рафаэлла еще помогла ему уложить вещи. Они долго сидели и беседовали, уставясь на огонь. Алекс вспоминал, какой была Аманда в раннем детстве. И Рафаэлле стало ясно, как он любит свою племянницу и как ему горько, что издавна у родителей не находилось времени ею заниматься.

— Алекс... — она обратилась к нему в задумчивости. — Почему бы не перевезти ее сюда, когда ей полегчает?

— Сюда, в Сан-Франциско? — поразился он. — Как мне удастся это сделать? Я не готов... не готовился... — Добавил со вздохом: — Целыми днями в конторе. Дел полно.

— И у ее матери тоже, а разница в том, что ты любишь Аманду. — Рафаэлла мягко улыбнулась в отблесках камина, и подумалось ему, что никогда при нем не выглядела она такой красивой, как сейчас. — Когда погиб мой брат, а мать вернулась в Санта-Эухению к своим сестрам, нам с отцом выпало утешаться лишь друг другом. — Мысли ее ненадолго обратились в прошлое. — Думаю, мы принесли немалую пользу друг другу.

Алекс, выслушав ее, задумался.

— Я сомневаюсь, что родители позволят мне увезти ее сюда, от них.

Рафаэлла начала успокаивать его:

— После того что произошло, им ли выбирать? Разве нет их вины в том, что мало заботились о дочери, что позволяли ей туда ходить, да и вообще знали ли они, где она бывает?

Он ничего не сказал, лишь согласно кивнул. Как раз о том же думал он этой ночью. Во всем винил сестру. И ее безумные амбиции, с давних пор застившие ей все прочее.

— Я обдумаю это. — Потом пристально взглянул на нее. — Мы ведь можем подготовить для нее третий этаж, правда?

Она усмехнулась:

— Да, «мы» можем. Я спокойно смогу устроить все за несколько дней. Однако, Алекс...

В глазах ее был невысказанный вопрос, и на сей раз усмехнулся Алекс.

— Она тебя полюбит. В тебе есть все, в чем отказывала ей родная мать.

— Но матери, Алекс, такое может не понравиться. В конце концов, я... не... — отрывисто и нервно говорила она, но он возразил:

— Что? Какое это имеет для нас значение?

Она не согласилась:

— А для других, для тех, кто важен для Кэ, это покажется неприемлемым.

— Ничего не желаю знать! — резко ответил Алекс. При этом он пронзительно посмотрел на Рафаэллу, рассуждая о своих родственниках и о поездке в Нью-Йорк. — Хотелось бы, чтоб ты отправилась со мною. — Он заговорил об этом вновь, видя, как она одевается, чтобы идти домой, теперь он повторил это в последний раз, шепотом, когда она приготовилась оставить его и пройти в одиночестве последний квартал, отделяющий ее от дома.

В утренней дымке блеснула влага в ее глазах, впрочем, Рафаэлле показалось, что и глаза Алекса увлажнились. Они оба думали об Аманде, сберегая ее живою в мыслях и в беседах, устремляясь душою к девочке, лежавшей избитой и униженной в далеком Нью-Йорке. Но не об Аманде думала Рафаэлла, вновь целуя Алекса и касаясь на прощанье его щеки.

— Мне бы тоже следовало поехать. — Вновь ощутила она всю жестокость обстоятельств, вес и груз обязанностей, которые должна выполнять по отношению к Джону Генри. Но теперь Рафаэлла благодарила судьбу, что в ее жизнь вернулся Алекс и можно делить с ним хоть ночь. Об одном она действительно сожалела — что не может быть ему помощницей в нелегкой поездке в Нью-Йорк. — Ты там справишься? — Он кивнул, но невесело. Справится. А вот как Аманда? Они решили поселить ее в Сан-Франциско, но останется ли она в живых? Эта мысль пронзила обоих в тот момент, когда Рафаэлла ласково касалась губами его глаз. — Можно, я позвоню тебе? — Он кивнул, заулыбавшись.

Оба понимали, как много переменилось в их отношениях с начала этого вечера. Вместе они совершили этот шаг, рука об руку.

— Я думаю остановиться у матери.

— Передай ей мой самый нежный привет. — Их глаза встретились, и она в последний раз поцеловала его. — И не забывай, как сильно я тебя люблю.

Долгим и крепким был его поцелуй, и вот она уходит, на этот раз окончательно. Пролетит минута-другая, хлопнет тяжелая дубовая дверь за квартал отсюда, и Алекс заспешит домой, чтобы, ополоснувшись и одевшись, отбыть в семь ноль-ноль рейсом до Нью-Йорка.

Глава 13

Шарлотта Брэндон нервничала, поджидая его в больничном вестибюле, поглядывая на конторку регистратуры и на автоматы по продаже конфет и кофе. Алекс ушел наверх, на первую встречу с Амандой. Самые свежие сведения, которые он получил, позвонив из «Карлейля», были таковы: ей стало получше, подавленность чуть ослабела, но теперь заметны боли. Посещения противопоказаны, но раз уж Алекс прибыл издалека ради свидания, его допустят в отделение интенсивной терапии в ближайший час, минут на пять или десять, но не более.

Итак, Алекс скрылся в лифте, а его мать неподвижно сидела, поглядывая на проходивших мимо нее незнакомых людей, спешивших войти или выйти из вестибюля, несущих цветы, подарки, пакеты с тапочками и пижамами. Дважды заметила она женщин на сносях, вошедших неуклюже, с напрягшимся лицом, каждая вцепилась в руку мужа, а у того в другой руке была сумочка с туалетными принадлежностями. Шарлотта с нежностью вспомнила подобные моменты собственной жизни, но нынче ощущала себя старой и усталой, думать могла только о своей внучке, что лежит этажом выше на койке. А Кэ до сих пор к ней не явилась. Еще через несколько часов она должна прилететь из Вашингтона. Джордж заходил, конечно, но лишь изучал клинические данные, расспрашивал дежурного врача и медсестер, а девочку мало чем поддержал.

В нынешних обстоятельствах Джордж не подходил на роль отца своей дочери. Не мог положительно влиять на ее самочувствие.

— Мама! — Она вскочила, услышав, как ее окликает Алекс, и прочла горесть в его лице. В душу ей вновь закрался страх.

— Как она?

— Все так же. Но где чертова Кэ?

— Я же говорила тебе, Алекс, она в Вашингтоне. Джордж немедленно сообщил ей все, после того как ему позвонили из полиции, но у нее не получалось выбраться раньше сегодняшнего вечера. — Миновало больше суток после того кошмара. Взгляд Алекса остекленел.

— Ее расстрелять мало. А Джордж где? Санитарка сказала, он прибежит и убежит, только в бумаги посмотрит.

— Ну, что еще он смог бы сделать. Разве не так?

— А у тебя какие мысли? — Оба помолчали. Он не стал описывать ей, что, стоило ему войти, Аманда разразилась истерическими рыданиями, пришлось сделать еще один укол. По крайней мере, она узнала Алекса, с таким отчаянием ухватилась за его руку. Посмотрев на него, Шарлотта Брэндон опять прослезилась, села на один из пластмассовых стульев, стоящих в вестибюле, и высморкалась.

— Ох, Алекс, как это происходит такое?

— Да потому, мать, что кругом чокнутые. И потому еще, что у Аманды такие родители, которым на все плевать.

Шарлотта мягко возразила, когда Алекс сел на соседний стул.

— Ты действительно в этом убежден?

— Сам не знаю, в чем убежден. Но знаю вот что: что бы там сердце ни подсказывало Кэ относительно ее ребенка, у нее одной нет права управлять воспитанием дочери. Даже если она как мать ответственна перед своим ребенком. И Джордж ничем не лучше. — Шарлотта кивком согласилась с ним. Она подумывала об этом прежде, но не предполагала, что может стрястись подобное. Заглянув в глаза Алекса, она подметила что-то незамеченное.

— Алекс, ты собрался вмешаться? — вдруг она догадалась об этом. Будто уже давно знала.

— Именно, — сказал он тихо и решительно.

— Что же ты задумал? — Что бы ни было, она верила: совершится нечто радикальное, полностью отвечающее интересам Аманды. Шарлотта полностью доверяла своему единственному сыну.

— Я увезу ее с собой.

— В Сан-Франциско? — поразилась Шарлотта Брэндон. — Каким образом?

— Я уже обдумал. Пусть попробуют остановить меня. Я раззвоню о случившемся со страшной силой и поглядим, как это понравится моей сестричке-политичке. — Кэ в ногах у него будет валяться, это ясно. Мать в подтверждение наклонила голову.

— Думаешь, ты сможешь ухаживать там за девочкой, Алекс? Ведь это не просто травма от катанья на коньках. Одновременно нужно ожидать последствий в эмоциональной сфере.

— Сделаю все, что смогу. Добуду ей хорошего психиатра, буду к ней относиться со всей любовью. Вреда это не нанесет. Даст ей больше, чем она имеет здесь.

— Но ведь я могла бы взять ее к себе.

— Нет, ты не сможешь, — откровенно заявил он. — Ты не справишься с Кэ. Она так начнет на тебя давить, что заставит дать согласие на возвращение Аманды к ней через какую-нибудь неделю.

— Ну, это еще надо посмотреть, — Шарлотта почти не обиделась.

— Зачем рисковать? Почему не устроить полную перемену? До Сан-Франциско она не доберется.

— Но ты там, Алекс, будешь при ней один... — Тут, еще не закончив фразу, она вдруг что-то предположила, в глазах появился немой вопрос, а сын не замедлил улыбнуться. У них с матерью было давнее взаимопонимание.

— Один? — Он ничего не собирался скрывать от матери. Как это бывало и прежде. Они всегда оставались друзьями, он поверял ей все, даже тайну о Рафаэлле.

Вот и Шарлотта заулыбалась.

— Не совсем ясно мне, какими словами высказать то, о чем я подумала. Твоя... ну, твоя знакомая...

— Бог в помощь, мать! — Он усмехнулся. — Если ты имеешь в виду Рафаэллу, то да, мы с нею видимся. — Не хотелось добавлять, что она только что вернулась к нему после двухмесячной разлуки. Не хотелось, чтобы мать или кто-нибудь еще знал, что Рафаэлла пребывала в сомнениях. Это ранило его гордость, его душу, но не станет же он держать в секрете от своей матери ставшую фактом его связь с замужней женщиной, да еще столь известной, как Рафаэлла. С серьезным видом он обратился к ней:

— Мы все это обсудили минувшей ночью, перед моим отъездом. Думаю, она сделает много добра для Аманды.

— Не сомневаюсь, — тихо выдохнула Шарлотта. — Но, Алекс, у нее... есть другие обязанности... Ее муж тяжело болен.

— Мне это известно. Но там есть сиделки. Она не сможет быть при Аманде целыми сутками, но какое-то время станет проводить с нами. — Об этом, по крайней мере, он мечтал. — И независимо от Рафаэллы, мама, я намерен кое-что сделать для Аманды и для себя самого. Я не простил бы себе, если бы оставил ребенка здесь, с Кэ, которая вечно в отъезде, и с Джорджем, который витает в облаках. Мэнди сохнет из-за недостатка внимания к ней. Ей требуется больше, чем она от них получает.

— И ты считаешь, что мог бы ей это дать?

— Буду стараться что есть силы.

— Хорошо, — глубоко вздохнула она, глядя на сына, — желаю тебе успеха, дорогой. Наверное, ты поступаешь правильно.

— Спасибо тебе. — Глаза его подернулись влагой, он поцеловал мать в щеку и встал: — Пошли, я отвезу тебя домой, а после вернусь сюда, чтобы еще раз с нею повидаться.

— Ты, должно быть, утомлен после дороги. — Она с тревогой вгляделась в него, в темные круги под его глазами.

— Я в полном порядке. — И ему даже стало еще лучше немногими минутами позже, когда мать отперла дверь своей квартиры, а там упорно названивал телефон. Не спрашивая на то разрешения, Алекс подбежал к нему и немедленно просиял. Это звонила Рафаэлла.

— Как она там?

Улыбка стала гаснуть, когда мысли его вернулись к племяннице.

— Почти по-прежнему.

— С сестрой повидался?

— Еще нет. — Здесь его голос посуровел. — Она появится из Вашингтона не раньше чем к вечеру. — Не увидел Алекс, в какое недоумение повергло это Рафаэллу.

— А ты себя хорошо чувствуешь?

— Ну да. И люблю тебя.

Рафаэлла улыбнулась:

— А я тебя. — Весь день она нестерпимо скучала без него, несколько раз предпринимала долгие прогулки. Уже дважды побывала в его доме. И не ощущала, что входила в жилище незнакомца, а казалось, находится у себя дома. Тщательно убрала все после праздничного ужина, полила цветы. С поразительной естественностью она втягивалась в его жизнь. — А как твоя мать?

— Отлично.

— Передай ей мой самый нежный привет. — Поговорили еще немного, пока Алекс не сообщил, что твердо намерен привезти с собой Аманду.

— А ты как считаешь?

— Как я считаю? — Она вроде бы слегка удивилась, что он с ней советуется. — Считаю, это прекрасно. Ты ее дядя и любишь ее. — А после, робея: — Алекс, можно мне... можно готовить ее комнату? — Он кивнул, но задумчиво. Хотел было сказать, чтоб подождала, пока прояснится, что Аманда точно переезжает, но заставить себя произнести это не получилось. Вместо этого он еще раз кивнул, словно намереваясь одолеть судьбу.

— Приступай. — При этом он глянул на свои часы и отметил, что ему надо отправляться назад в больницу. — Позвони мне попозже, если сможешь. Мне пора вернуться туда. — Как чудесно ее присутствие в его жизни. Больше не надо молчать, не надо ждать, не надо обмирать, переживая горькое чувство потери. Вот она, Рафаэлла, словно была с ним всегда и останется навсегда. — Я тебя люблю.

— И я тебя люблю, дорогой мой. Позаботься о ней хорошенько.

Он аккуратно положил трубку на аппарат, а его мать с улыбкой тихо удалилась в кухню приготовить чай. А когда вернулась через несколько минут с двумя чашками, над которыми вился пар, то застала Алекса уже в пальто.

— Готов идти обратно? — Он собранно кивнул, а она, не проронив ни слова, опять извлекла свое пальто. Однако Алекс мгновенно остановил ее. Ведь она провела в больнице всю истекшую ночь.

— По-моему, тебе нужен хоть небольшой отдых.

— Алекс, это не получится. — И взглянула она на него так, что возражать он больше не стал. Оба глотнули чаю и вышли на улицу ловить такси.

Глава 14

С порога посмотрел он на Аманду, но взгляду открылся лишь узкий сверток на койке, замотанный в белые простыни и голубые одеяла. Шарлотта, стоя сбоку, не сразу смогла разглядеть ее лицо. Тогда обошла кровать, на которой лежала девочка, стала рядом с Алексом, и ей пришлось прятать свои переживания, чтобы они не отразились на лице. К ней вернулись все те чувства, что охватывали ее минувшей ночью.

Перед нею лежала худенькая девочка, на вид скорее девятилетняя, а не семнадцати лет, и лишь рост, размер рук и ног позволяли хоть с вероятностью определить ее пол и возраст. Руки почти на всю длину сковал гипс, лишь ладони смотрели наружу, обнаженные и неподвижные, напоминавшие двух сидящих птичек, а лицо, в которое они всматривались, было распухшее, в лиловых и багровых пятнах синяков. Лицо окружали нежным ореолом ее волосы; глаза, приоткрывшиеся сейчас, сберегли чистую, ясную голубизну. И имели некоторое сходство с глазами Шарлотты и Алекса, но нелегко было заметить это сейчас, когда в них стояло горе и их переполняли слезы.

— Мэнди, — шепнул он, не отваживаясь даже тронуть ее за руку из боязни, что причинит ей боль. Она опустила голову в ответ, но ни слова не произнесла. — Я вернулся к тебе и бабулю с собой привел. — Аманда перевела взгляд на свою бабушку, два упрямых ручейка слез сбежали на подушку, под голову. Стояла тишина, пока душераздирающим взором ее голубые глаза изучали знакомые лица, снова раздались рыдания, и тогда Алекс погладил ее ласково по макушке. Взаимопонимание соединило их без слов. Алекс просто стоял, нежно смотрел на нее, успокоительно проводя рукою по волосам девочки. Тут Аманда вновь закрыла глаза и уснула. Медсестра тут же подала им знак, Шарлотта и Алекс покинули палату, оба измученные, растревоженные. А в глазах Алекса сгущалась ярость на сестру, на Кэ. Он не позволял себе взорваться, пока они не вошли в квартиру Шарлотты, и уж тут он дал себе волю, но в гневе не находил нужных слов.

— Знаю, о чем ты думаешь, Алекс, — успокаивающе проговорила ему мать, — но сейчас ничем помочь нельзя.

— Почему же?

— Стоило бы тебе поуспокоиться, прежде чем случится разговор с Кэ. Вот тогда можешь применить свой план.

— А когда это произойдет? Когда, по-твоему, ее величество наконец соизволит явиться?

— Самой хотелось бы это знать, Алекс.

Как оказалось, произошло это лишь на следующий день.

Алекс в больнице пил кофе из пластмассовой чашки, а Шарлотта ушла домой вздремнуть пару часов. С утра Аманду перевели из отделения интенсивной терапии в маленькую палату со светло-розовыми стенами. Теперь она находилась здесь, по-прежнему в синяках и травмах, но во взгляде была большая оживленность. Алекс рассказал ей о Сан-Франциско, и раз-другой в ее глазах вроде бы вспыхивал интерес.

К концу дня она поделилась со своим дядей, какие страхи испытывает.

— Что я людям скажу? Как объяснить, что случилось? Ведь у меня все лицо всмятку. Одна санитарка созналась. — Аманде не разрешалось пользоваться зеркалом. — А посмотри на мои руки. — Она обвела взглядом грузные гипсовые накладки, заключившие в себя ее локти, и Алекс, посмотрев, не смог изобразить бодрость.

— Приготовься рассказывать всем, что попала в автокатастрофу в День благодарения. Вот и все. Вполне правдоподобно. — И с подчеркнутой весомостью посмотрел в глаза Аманде, положив руку ей на плечо. — Дорогая, никто не узнает. Если сама не откроешься. Тебе и решать. А ничего из произошедшего никому не известно. Только твоим родственникам, твоей бабушке и мне.

— А если кто-то прочтет в газетах? — С отчаянием она обратилась к Алексу: — Это попало в прессу?

Он отрицательно закачал головой:

— Да нет же, говорю. Никому не известно. И стыдиться нечего. Ты нисколько не изменилась в сравнении с тем временем, пока не попала сюда. Ты прежняя, Аманда. Произошло ужасное несчастье, жуткое испытание, но не более того. Оно не изменило тебя. И не было твоей виной. Люди не станут обращаться с тобой иначе, Аманда. Ты не изменилась. — Сегодня утром психотерапевт подчеркивал ему, что надо упорно внушать Аманде, что в ней никаких перемен не произошло и в случившемся нет ее вины. Видимо, типичная реакция жертвы изнасилования — считать себя ответственной за него и думать, что сама ты существенным образом переменилась. Увы, в случае с Мэнди она переменилась, пожалуй, сильнее иных. Насильник лишил ее девственности. Несомненно, пережитое скажется на ней ощутимо, но хороший уход и должное понимание, по мнению психиатра, дадут ей основательные шансы высвободиться из-под этого груза. Врач сожалел лишь о том, как упомянул им утром, что не смог встретиться с матерью Аманды, а у мистера Виларда не нашлось времени на консультацию, его секретарша позвонила и позволила психиатру приступить к ознакомлению с девочкой.

— Но в таких случаях нуждается в помощи не только сама потерпевшая, — втолковывал он Алексу. — В помощи нуждается и ее семья. Воззрения близких, их оценка события устойчиво окрашивают отношение жертвы изнасилования к самой себе. — И дружелюбно добавил: — Я ужасно рад, что вы уделили мне время прямо с утра. А сегодня же, но попозже, мне предстоит встреча с бабушкой Аманды. — И тут виновато повторил присказку, которую Алекс выслушивал с давних пор: — Вы знаете, моя жена читает все ее книги подряд.

Однако сейчас-то не сочинения матери господствовали в его мыслях. Он сразу спросил у врача, как скоро отпустит он Аманду домой, и тот выразил уверенность, что ее можно будет выписать в конце этой недели. То есть в пятницу, если не раньше, а это устраивало Алекса. Чем раньше увезет он Аманду в Сан-Франциско, тем больше будет за нее спокоен. Об этом он и думал, когда в палату вошла Кэ как ни в чем не бывало, в шикарном коричневом замшевом брючном костюме, отороченном рыжей лисой.

Они сверлили друг друга взглядом, Кэ не произнесла ни слова. Они вдруг стали противниками на ринге, и оба прикидывали, насколько смертоносным может оказаться соперник.

— Привет, Кэ, — первым начал Алекс. Хотелось спросить, чем объясняется столь долгий срок, понадобившийся ей, чтобы явиться в больницу, но нельзя же было устраивать сцену в присутствии Аманды. Да и не надо: все его чувства, всю его ярость легко можно было прочесть во взоре.

— Привет, Алекс. Очень мило, что ты прибыл с Запада.

— Очень мило, что ты прибыла из Вашингтона. — Первый раунд. — Видно, очень была занята. — Аманда смотрела на них, и Алекс заметил, как она побледнела. Помявшись минуту, он вышел из палаты. Когда в скором времени оттуда появилась Кэ, он поджидал ее в нише нижнего холла. — Надо переговорить с тобой.

Она взглянула на него насмешливо:

— Я догадывалась, что ты не удержишься. Этакий нервный дядечка, невесть откуда примчавшийся в Нью-Йорк.

— Ты сознаешь, Кэ, что твоя дочь едва не умерла?

— В полной мере. Джордж проверял ее историю болезни трижды в день. Если бы наступило ухудшение, я бы приехала. А вообще я никак не могла.

— Почему же?

— У меня было две встречи с президентом. Ты удовлетворен?

— Не совсем. Значит, в День благодарения?

— Правильно. В Кэмп-Дэвиде.

— Меня, полагаешь, впечатляет?

— Твое дело. А дочь моя, и только моя.

— Но не в том случае, когда ты уклоняешься от своих обязанностей, Кэ. Ей требуется куда больше, нежели заглядывание Джорджа в историю болезни. Ей нужны любовь, ласка, внимание и понимание. Господи, она ребенок, Кэ. Ее избили, изнасиловали. До тебя хоть доходит, что это означает?

— Вполне. Но что я ни делай теперь, ничего не изменишь. И два дня никакого значения не имеют. Ей всю жизнь переживать это.

— И какую долю этого времени намерена ты посвятить ей?

— Не хрена тебе в это соваться.

— У меня созрело другое решение. — Стальным был его взгляд.

— Как это прикажешь понимать?

— Я ее увезу с собой. Сказали, в пятницу ей можно будет уехать.

— Черта лысого. — Кэ Вилард сверкнула глазами. — Попробуй хоть куда-то забрать ребенка, и я упеку тебя в тюрьму за умыкание моей дочери.

— Змея ты. — Его глаза сузились и сверлили ее. — Надо заметить, уважаемая, что если ты пока не полностью готова ответить по обвинению в дурном обращении с ребенком, то на твоем месте я бы ничего подобного не затевал. Умыкание, ишь ты.

— Что значит дурное обращение?

— То самое преступное неисполнение обязанностей.

— И ты вправду надеешься провернуть этакое? Мой муж — один из выдающихся хирургов Нью-Йорка, крупный филантроп, так-то, уважаемый Алекс.

— Отлично. Докажи это суду. Тебе это по вкусу, не так ли? Газетам достанется сенсация.

— Сукин ты сын, — наконец-то начала она осознавать его замысел. — Так что у тебя на уме?

— Никаких сложностей. Аманда едет со мной в Калифорнию. Надолго. И если тебе придется дать разъяснения твоим избирателям, то скажешь, что с нею произошел тяжкий несчастный случай и что она нуждается в основательном отдыхе в теплом климате. Вот и весь фокус.

— А что я скажу Джорджу?

— Это твои проблемы.

Она взглянула на него, разочарованная:

— Ты это всерьез?

— Да.

— Отчего?

— Потому что люблю ее.

— А я, по-твоему, нет? — Вид у нее был скорее раздраженный, чем уязвленный.

Алекс тихо вздохнул:

— По-моему, у тебя нет времени любить кого-либо, Кэ. Кроме, пожалуй, избирателей. Тебя заботит, проголосуют ли они за тебя. Не знаю, откуда в тебе этот зуд, и знать не желаю, честно сказать. Но мне ясно, что для девочки это вредно, и я не допущу... не разрешу тебе.

— Собрался спасти ее? Как трогательно. А не кажется ли тебе, что полезней употребить твою неприкаянную эмоциональную энергию на взрослую женщину, а не на семнадцатилетнюю девушку? Все это слегка болезненная затея, а? — Но искренней взволнованности в ней не было, и он отдавал себе в том отчет. Просто Кэ дьявольски взбесилась, что выхода у нее нет.

— Не можешь, что ли, держать при себе свои паршивенькие инсинуации вместе с расчетами насчет моей экс-супруги.

— Это тут ни при чем. — Она явно врала. — Мудак ты, Алекс. Играешься, ровно Аманда.

— Изнасилование что, тоже была игра?

— Возможно. Я пока не разобралась в подробностях. Возможно, ей самой того хотелось. Чтоб пришло спасение в лице ее могучего обаятельного дядюшки. Возможно, в том состоял весь замысел.

— Ты, похоже, тронулась.

— Да? Ну, Алекс, меня твои словечки не проймут. Ладно, позволю тебе немного поиграться. Может, ей это пойдет на пользу. Но я намерена забрать ее назад через месяц-другой. Так что если надеешься удерживать ее дольше, то это у тебя крыша поехала.

— У меня? Значит, ты готова явиться по обвинению, которое я упомянул?

— Ты этого не сделаешь.

— Не искушай меня. — Они стояли друг против друга, одинаково поглощенные своим антагонизмом. На этот раз победа была за Алексом. — Если здесь обстановка не изменится в корне, Аманда останется у меня.

— Ты растолковал ей, что задумал спасти ее от меня?

— Еще нет. До сегодняшнего утра ее трясло в истерике.

Кэ ничего на это не сказала и, ядовито зыркнув напоследок, собралась уходить. Чуть задержалась, чтобы пронзить брата презрительным взором.

— Не думай, Алекс, что тебе удастся вечно играть роль героя. Ладно, подержи пока ее у себя, но когда она понадобится мне, то отправится домой. Ясно?

— Боюсь, ты не поняла мою позицию.

— А ты, боюсь, мою. Штука опасная. То, что ты делаешь, может повредить моему положению в политике, а такого я не потерплю даже от собственного брата.

— Так что давай, миледи, выше голову и не встревай. Предупреждаю.

Ей хотелось осмеять его, да не вышло. Впервые в жизни она боялась своего младшего брата.

— Не пойму, зачем тебе делать это.

— И не поймешь. В отличие от меня. И, думаю, от Аманды.

— Помни, что я сказала, Алекс. Стоит ей понадобиться мне, она вернется домой.

— Зачем? Растрогать избирателей, какая ты образцовая мать? Чушь собачья. — Стоило произнести это, она шагнула к нему, вроде как намереваясь дать ему пощечину. Он предусмотрительно схватил ее запястье, взгляд стал леденящим. — Не делай этого, Кэ.

— Тогда не суйся в мою жизнь.

— С удовольствием. — Победно сверкнули его глаза, а она резко повернулась и поспешила удалиться, быстро скрылась за поворотом, нырнула в лифт, а через считанные секунды — в автомобиль, дожидавшийся ее у ворот.

Когда Алекс вернулся в палату Аманды, она спала, он нежно погладил ее волосы, растрепавшиеся по подушке, взял свое пальто и удалился. Но ровным шагом пересекая вестибюль, решил, что не утерпит с телефонным звонком до прихода в квартиру матери. Звонить Рафаэлле было рискованно, но он не мог сдержать себя. Необходимо поделиться с кем-то, а ему хотелось делиться только с нею. Деловитым тоном он попросил соединить его с миссис Филипс. Через какую-то секунду она подошла к телефону.

— Рафаэлла?

— Да. — У нее зашлось дыхание, когда она узнала, кто звонит. — Ой, неужели... — Она перепугалась, едва подумав, не значит ли это, что Аманда умерла.

— Нет, нет, все отлично. Но я должен известить вас, что вместе с племянницей прилечу в Сан-Франциско к концу недели, а ваш отец просил передать вам привет, как только я попаду в Штаты. — Если кто подслушивал, то сочтет этот телефонный разговор абсолютно невинным. А суть Рафаэлла вполне уяснила себе. И расплылась в улыбке.

— А ваша племянница долго пробудет с вами?

— Я... полагаю, что так. Да, — ухмыльнулся он, — именно так.

— Ой... — От возбуждения она чуть не назвала его по имени. — Я так рада! — Потом вспомнила про комнату, которую обещала обставить. — И позабочусь как можно скорее устроить ее со всеми удобствами.

— Чудесно. Буду весьма благодарен. И конечно, компенсирую вам все затраты, как только окажусь в Сан-Франциско.

— Ох, оставьте, — улыбнулась она в трубку, а через несколько минут разговор был закончен. До пятницы, сказал он ей на прощанье, или до субботы. Выходит, времени ей отведено совсем немного.

Глава 15

Следующие два дня получились у Рафаэллы просто безумные. С утра она мирно читала Джону Генри и не выпускала его руки, пока тот не отойдет ко сну, затем устремлялась в город за покупками, говорила шоферу, чтоб не ждал ее, лучше она вернется на такси. Если ее поведение и казалось Тому несколько эксцентричным, он был достаточно вышколенным, чтобы об этом умолчать, пока она убегает в ближайший магазин. К концу дня она бывала нагружена массой свертков, а самые большие вещи заказывала доставить прямо по адресу. Она покупала образчики паркета, пустячки в забавных мелочных лавках, как, например, старинный умывальник, а то и цельный гарнитур викторианской плетеной мебели с рыночной распродажи, которую заметила на одной из улиц, когда мчалась к дому на такси. К исходу второго дня она сотворила вселенский хаос и едва не закричала от облегчения, когда Алекс извиняющимся тоном сказал ей по телефону, что вернется не раньше воскресного вечера, зато есть очень хорошие новости. Утром он встречался с Джорджем, все прошло вполне гладко. Джордж согласился, что Аманде будет полезен отъезд. Продолжительность ее отсутствия они не обсуждали, но раз уж она будет в Калифорнии, его легко продлить. Мельком он упомянул «несколько месяцев», а Джордж не перечил. Алекс позвонил в лучшую частную школу Сан-Франциско, объяснил тяжесть «несчастного случая», зачитал список ее отметок, упомянул, кто такие ее мать и бабушка, так что не составило трудностей зачислить ее в эту школу. На занятия она придет сразу после Нового года. До той поры посидит дома, погуляет, восстановит здоровье, отвлечется чем-то, чтобы преодолеть шок от случившейся беды. То есть у нее будет месяц, чтобы постепенно прийти в себя, а затем уж явиться в школу. Когда же Рафаэлла спросила, как восприняла это Кэ, Алекс стал уклончив:

— Ее это порадовало меньше, чем Джорджа.

— А именно, Алекс?

— А было именно так, что выбора я ей не оставил.

— Она очень рассердилась?

— Более или менее. — И быстро сменил тему, а когда Рафаэлла закончила разговор, мысли ее были отданы той девочке, догадкам, какова она и подружатся ли они с нею.

Рафаэлла словно обрела вдруг не только нового мужчину, но и новую семью. Еще и Кэ надо иметь в виду. Алекс обмолвился, что его сестра будет наведываться в Сан-Франциско вроде как для надзора над Амандой. И Рафаэлла надеялась, что все они найдут общий язык. Как-никак цивилизованные люди. Кэ, вне сомнений, женщина интеллигентная, и жалко, что они с Алексом в таких отношениях. Дай Бог, постепенно удастся успокоить это бурление. Меж тем Рафаэлла после телефонного разговора стала хлопотать, обустраивая третий этаж дома Алекса. Она предупредила, что он найдет ее здесь, поскольку она усердно готовит комнаты для Аманды. Завершив же любовно исполненную работу, села на кровать и улыбнулась широко и счастливо. За пару дней она совершила маленькое чудо и была очень горда.

Она превратила спальню в развеселый уголок, комнату наполнили розовые занавески в цветочках, викторианская плетеная мебель, огромный ковер, тоже в цветочках, купленный прямо с пола, антикварный умывальник с белым мраморным верхом. Она поместила большую розовую азалию в старинный таз, повесила на стены изящные гравюры, изображающие цветы и заключенные в золотые рамки. Кровать была с высокими углами, с белым балдахином, украшенным розовой каймой; это все доставили только нынче утром. На кровати лежало большое розовое атласное стеганое покрывало, меховой коврик свисал с поставленного рядом стула. Занавески в цветочках и плетеная мебель были и в соседней комнатке, предназначенной для занятий. Рафаэлла даже отыскала миленькую парту и поставила ее под окном, а ванную комнату наполнила всяческими женскими усладами. Сам факт, что она смогла проделать это за столь короткий срок, был из разряда удивительных, а то, что она оказалась способна подкупом и лестью заставить всех и каждого быстро все доставлять и расставлять, прямо-таки позабавило ее.

Все она приобретала, имея при себе внушительную пачку наличных, взятых в банке утром в среду, ей не хотелось отражать в своих чеках эти покупки. Все ее счета проходили через старую контору Джона Генри, там попробуй объясни происхождение этих чеков. А так она лишь сняла эту сумму и сошлется на то, что брала ее для дорогих покупок, секретарша с ходом времени и не сообразит, было это до или после ее поездки в Нью-Йорк.

И принимать во внимание ей осталось одного Алекса и нервничать слегка, что он скажет. По правде-то она не очень и потратилась, но он просил только поискать кровать. Совершила она, что и говорить, куда большее в верхней спальне, но, если разобраться, было это достаточно простым. И сделано было со стилем и немалым вкусом. Изобильное вторжение цветов, белые занавески, которые она сама сшивала и окаймляла розовыми лентами, пуфики, разбросанные там и сям, мебель, освеженная ею разбрызгиванием политуры. Таковы были перемены. Дополнительные штрихи, смотревшиеся дорогостоящими, практически такими не были. И она надеялась, что Алекс не осерчает на избыток украшений, просто оказалось, что она не в силах остановиться, пока не преобразит помещение в уютную комнату для пострадавшей девочки. После всего того ужаса Рафаэлла стремилась помочь, окружив ее чем-то особенным, такой обстановкой, в которую та сможет окунуться с долгим счастливым вздохом, где она будет любима и получит возможность разрядиться. Рафаэлла тихо прикрыла дверь и пошла вниз, в спальню Алекса, оглядела там все вокруг, поправила покрывало на постели, подхватила свое пальто, спустилась по лестнице, захлопнула за собой парадную дверь.

Со вздохом отпирала Рафаэлла дверь особняка Джона Генри, медленно поднималась в задумчивости по лестнице. На глаза попадались бархатные портьеры, средневековые гобелены, канделябры, концертный рояль в передней зале, и заново пожалела она, что здесь ее дом. А не в том уютном здании на Вальехо, не там, где она проводит уже неделю, украшая, как безумная, комнату девочки, которая тоже ей чужая.

— Миссис Филипс?

— А-а? — Рафаэлла, вздрогнув, обернулась, намереваясь идти в свои комнаты. Подошло время ужина, а еще надо было переодеться. — Да?

Ей улыбалась сиделка второй смены.

— Мистер Филипс спрашивает вас в течение последнего часа. Не пожелаете ли вы заглянуть к нему, прежде чем одеваться к ужину?

Рафаэлла невозмутимо кивнула, пробормотав:

— Да-да. — Медленно подошла к его двери, стукнула раз, повернула ручку и вступила в комнату, не дожидаясь разрешения войти. Этот стук был простой формальностью, как и многое прочее в их быте. Он лежал укутанный в постели, накрытый одеялом, закрыв глаза, освещение было совсем слабое. Эта комната некогда служила им обоим спальней, а годами раньше он делил ее с первой своей женой. Сперва это обстоятельство задевало Рафаэллу, но Джон Генри был традиционалист и оттого привел ее сюда же. И призраки прошлого каким-то образом сникли, пока приводилось ей здесь возлежать. Только теперь вновь она вспомнила о них. Теперь, когда и он почти уже казался одним из них. — Джон Генри, — прошептала она его имя, и он приоткрыл глаза, увидев ее, раскрыл их шире, со своей скошенной улыбкой похлопал по постели, указывая на место рядом с собой.

— Добрый вечер, малышка. Я не так давно звал тебя, но сказали, что ты ушла. Куда ты ходила? — Это не было дознание, всего лишь дружеский вопрос, но тем не менее что-то ее покоробило.

— Я уходила... за покупками... — улыбнулась она ему, — к Рождеству. — Он не знал, что посылки в Париж и в Испанию были ею отправлены месяцем раньше.

— Приобрела что-нибудь удачное? — Она кивнула. А как же, приобрела. Прелестные вещи купила... Аманде, племяннице своего любовника. Сознание содеянного вновь пронзило ее.

— Что-нибудь удачное для себя купила?

Еле повела она головою, прикрыв глаза.

— Времени не хватило.

— Тогда, пожалуйста, отправляйся по магазинам завтра, поищи что-нибудь себе.

Она посмотрела на длинную угловатую фигуру того, кто был ее мужем, и вновь ее стало снедать чувство собственной вины.

— Лучше я проведу день здесь. Я... в последние дни я мало тебе времени уделяла... — словно извиняясь, произнесла она, в ответ же Джон Генри замотал головой и махнул вялой рукой.

— Я не побуждаю тебя сидеть тут надо мною, Рафаэлла. — Еще раз покачав головой, он смежил глаза и опять открыл их. В них было некое глубокомыслие. — Никогда не заставлял тебя сидеть около меня в ожидании... никогда, маленькая моя... и очень сожалею, что так долго она не приходит. — Она было заподозрила, что сознание его помутилось, взглянула на него с обостренной заботой. Но он лишь усмехнулся: — Смерть, дорогая... смерть, то есть... затянулось выжидание заключительного момента. И ты оказалась храброй девушкой. Никогда не прощу себе того, что я натворил.

— Как ты можешь говорить такое? — ужаснулась она. — Я тебя люблю. И никуда отсюда не рвусь. — Но правда ли это? Не предпочла бы она быть с Алексом? Думая об этом, она взяла руку Джона Генри и осторожно сжала в своей. —

Никогда я ни о чем не жалела, дорогой, кроме... — Комок подступил к горлу при взгляде на мужа, — кроме того, что выдалось тебе.

— Мне бы помереть от первого удара. Так бы и вышло, будь жизнь чуточку справедливей, а ты с дурачком доктором позволила бы этому свершиться.

— Ты заговариваешься.

— Нет же, и тебе это известно. Жизнь не жизнь для обоих, ни для меня, ни для тебя. Держу тебя год за годом словно в тюрьме, а ты все еще почти девочка, и я гублю твои лучшие годы. Мои давно отлетели. Дурно... — Он прикрыл ненадолго глаза вроде бы от боли, и тревога, отпечатавшаяся на лице Рафаэллы, усугубилась. Он не замедлил открыть глаза и вновь обратить их к ней: — Дурно я поступил, женившись на тебе, Рафаэлла. Я был слишком стар для этого.

— Перестань, Джон Генри. — Ее пугали такие его высказывания, пусть и нечастые, но, надо подозревать, мысли его постоянно бывали сосредоточены на этой теме. Она ласково поцеловала его, заглянула ему в глаза, когда он подался навстречу ей. Смертельно бледный, вот он лежит в своей широкой двуспальной кровати.

— Тебя вывозили на этой неделе в сад подышать воздухом, дорогой? Или на веранду?

Он покачал головой, на лице появилась искривленная улыбка.

— Нет, мисс Найтингейл, не вывозили. А я и не хотел этого. Мне приятней здесь, у себя в кровати.

— Не глупи. На воздухе тебе лучше, и ты любишь бывать в саду. — Она говорила со сдержанной горечью, имея в виду, что если б не проводила столько времени в отсутствии, то смогла бы проследить, что с ним делают сиделки. Им положено выкатывать его на воздух. Это важно — перемещать его, поддерживая, сколько возможно, в нем интерес и оживленность. Иначе он заведомо потеряет активность, рано или поздно сдастся напрочь. Сколько уж лет назад врач предупреждал об этом, а теперь ей стало ясно, что муж подошел к очень опасной черте. — Я с тобой погуляю завтра.

— Я тебя не просил. — Вид его был жалок. — Говорю же, мне хочется побыть в постели.

— Ну нельзя же. Зачем ты так?

— Неугомонное дитя. — Не сводя с нее глаз, он ухватился за ее пальцы и провел ими по своим губам. — Я по-прежнему люблю тебя. Настолько сильнее, чем могу это выразить... Сильнее, чем ты можешь понять. — Вид у него был полуобморочный, взгляд затуманился. — Помнишь ли те первые дни в Париже, — он улыбнулся от души, и она следила за ним, — когда я сделал тебе предложение, Рафаэлла? — Взор его прояснился. — Господи, ты была совсем дитя. — С нежностью встретили они взгляд друг друга, она еще раз наклонилась, поцеловала его в щеку.

— Да я уж теперь старая, дорогой мой, мне повезло, что ты по-прежнему любишь меня. — И встала, с веселой миной добавив: — Пойду-ка лучше переоденусь к ужину, а не то бросишь ты меня и найдешь себе новую молоденькую девицу. — Он хихикнул в ответ и, когда она, поцеловав его и помахав рукой, удалилась, почувствовал себя заметно лучше. Рафаэлла, пока шла в свои комнаты, ругала себя за ужасающее невнимание к нему в последние дни. Что это было за занятие — носиться по магазинам за мебелью, портьерами, гардинами да за коврами битую неделю? Но, закрывшись в спальне, она осмыслила свое занятие. Подумала об Алексе, о его племяннице и об убранстве спальни для нее, о той другой жизни, которой так хотелось самой. Долго рассматривая себя в зеркале, казнясь за небрежение супругом в течение почти декады, она усомнилась, имела ли право на то, что произошло у них с Алексом. Джон Генри — вот ее судьба. И нет у нее права требовать большего. Но как откажешься? После этих двух месяцев Рафаэлла отнюдь не была уверена, что в силах так поступить.

С горьким вздохом распахнула она свой шифоньер, извлекла серое шелковое платье, которое они с матерью купили в Мадриде. Черные лодочки, редкостные бусы из серого жемчуга, принадлежавшие некогда матери Джона Генри, серьги в ансамбль им, изящную серую комбинацию. Все это она кинула на кровать и ушла в ванную, погруженная в раздумье, что же она вытворяет: чуть совсем не забыла про мужа, совсем не может забыть о другом мужчине, а ведь они оба нуждаются в ней. Конечно, больше Джон Генри, нежели Алекс, но все-таки оба, и к тому же, понимала она, она нуждается в обоих.

Получасом позже она стояла перед зеркалом, образчик грации и элегантности, в бледно-сером шелковом платье, со слегка взбитой прической, жемчуга в ушах подсвечивали лицо. Смотрела она в зеркало и тщетно искала решения. Не видела выхода из сложившейся ситуации. И надеяться могла лишь на то, что ни один из них не пострадает. Но, покидая свою спальню, она заметила, что от страха ее пронимает дрожь. И поняла, что она питает почти несбыточные надежды.

Глава 16

Воскресным вечером сиделка уложила Джона Генри спать в половине девятого, и Рафаэлла удалилась к себе, погруженная в размышления. Весь вечер думала она про Алекса и Аманду, отмечая в уме, что вот они выехали из Нью-Йорка, вот садятся в самолет. А теперь им осталось всего два часа лету до Сан-Франциско, однако вдруг стало казаться, что они в другом мире. День она провела с Джоном Генри, с утра вывезла его в сад, заботливо укутав одеялом, надев ему теплый шарф и шляпу, а также черное кашемировое пальто поверх шелкового халата. После полудня выкатила его кресло на веранду, а к вечеру отметила себе, что выглядеть он стал лучше, развеявшись и устав к тому моменту, когда надо было вернуть его в постель. Вот что ей полагается делать, вот ее обязанность, это ведь ее муж. «Хочешь не хочешь». Но вновь и вновь мысли ее улетали к Алексу и Аманде. И чем дольше сидела она в этом кирпичном дворце, тем сильнее ощущала себя погребенной в склепе. Она устыдилась подобных впечатлений, ее стало одолевать сознание, что то, что она делает, — грех.

В десять она сидела, печалясь и зная, что их самолет только что совершил посадку, что теперь они будут получать багаж, искать такси. В четверть одиннадцатого она отметила, что они уже на пути в город, и всем своим существом хотела оказаться сейчас вместе с ними. Но сразу же ей показалось нетерпимым то, что она влюбилась в Алекса, и подступил страх, что за эту затянувшуюся историю расплачиваться придется Джону Генри, который лишается ее внимания, ее присутствия, некоего чувства, которое, по ее понятию, и сберегает Джона Генри в живых. Но нельзя же совместить и то и другое? — безмолвно вопрошала она себя. И не была уверена, что такое ей удастся. Когда она оказывалась с Алексом, в мире ничего больше словно и не существовало, единственным желанием было не разлучаться с ним и позабыть всех прочих. Но забыть о Джоне Генри она не могла себе позволить. Забыть о нем — все равно что поднести револьвер к его виску.

Так и сидела она, поглядывая в окно, потом рассеянно выпрямилась и выключила свет. Она так и не сняла платье, в котором была за ужином, поданным на подносе в его комнате, там они ели и толковали, а он, пожевывая, задремал. Перебрал свежего воздуха. А теперь она сидит в оцепенении, словно следит, наблюдает за кем-то, за чем-то, будто Алекс вдруг появится перед ее глазами. В одиннадцать часов она услышала звонок телефона, быстро подняла трубку, зная, что все слуги спят, за исключением сиделки при Джоне Генри. Кто бы это мог звонить? Услышав, что это Алекс, она задрожала от звука его голоса.

— Рафаэлла? — Она боялась говорить с ним отсюда и отчаянно хотела оказаться рядом с ним. После двухмесячной разлуки по возвращении из Нью-Йорка, после его отъезда из-за Аманды, в этот миг ей до боли хотелось быть с ним опять.

— Жилье у Аманды просто невероятное, — мирно проговорил он, а ей стало боязно, как бы кто не услыхал их, но в голосе его такая была радость, перед которой не устоишь.

— Ей нравится?

— Она на седьмом небе. Я ее такою век не видывал.

— Вот и хорошо. — Рафаэлла с удовольствием вообразила себе, как девочка обследует бело-розовую комнату. — С ней все хорошо?

Он ответил со вздохом:

— Не знаю, Рафаэлла. Надеюсь, да. Но каково ей после пережитого? Мать закатила жуткую сцену перед нашим отъездом. Пыталась внушить ей, что она виновата, раз уезжает. И прибавила, естественно, что тревожится, как посмотрят ее избиратели на то, что ее дочь живет у дяди, а не вместе с матерью.

— Если будет правильно себя вести, то все легко объяснится ее занятостью.

— Я ей то же самое втолковывал. Однако ж вышло нехорошо, а Мэнди так измучилась, что весь полет спала. А увидев красивую комнату, которую ты для нее обустроила, обрадовалась как ничему другому за целый день.

— И я рада. — Однако сказав это, Рафаэлла почувствовала себя невыносимо одиноко. Вот бы увидеть лицо Аманды, только входящей в свою комнату. Вот бы встретить их в аэропорту, вместе добираться в такси до дому, вместе входить в этот дом, все переживать вместе с ними, видеть их улыбки, помогать Аманде ощутить себя желанной в тех стенах, куда Рафаэлла двадцать раз заглядывала в течение минувшей недели. Да, почувствовала себя брошенной и, даже слыша Алекса по телефону, терзалась одиночеством. Оно налегало подавляющим бременем, и вспомнился тот вечер, когда плакала она от подобной одинокости, сидя на ступенях близ дома... тот вечер, когда впервые увидела Алекса... И казалось теперь, что было это сотню лет тому назад.

— Ты что-то совсем притихла. Какие-нибудь неприятности? — Голос его был глубок и спокоен. Рафаэлла, зажмурясь, покачала головой.

— Я просто чуть-чуть задумалась... прости...

— О чем задумалась?

После секундного колебания она ответила:

— О том вечере на ступенях... когда я в первый раз увидела тебя.

Тогда он усмехнулся:

— Не ты первая меня увидела, а я тебя. — А как стали они вспоминать свою первую встречу, Рафаэлла начала нервничать по поводу телефона. А если кто-нибудь из слуг проснулся, взял в какой-то момент трубку, нельзя не беспокоиться, что он мог услышать или подумать.

— Давай поговорим об этом завтра.

Он понял ее:

— Значит, увидимся?

— Я с удовольствием. — В предвидении этого стало тепло на душе, одиночество ненадолго отступило.

— Какое время вас устроит?

Она рассмеялась, ведь теперь, когда все для Аманды сделано, занять себя нечем. Это было единственным, что она сделала за многие годы.

— Назначайте мне время. Я приду. А не лучше ли будет... — Вдруг она задумалась об Аманде. Не слишком ли рано знакомиться с девочкой. Как бы ту не отвратила встреча с любовницей Алекса, когда, возможно, Аманда хочет, чтобы любимый дядя был с нею безраздельно.

— Не глупи, Рафаэлла. Если бы я мог тебя уговорить, ничего милее не было бы, чем твой немедленный приход сюда. — Но оба понимали, что время слишком позднее и Аманда утомилась. — Отчего бы тебе не позавтракать у нас? Сможешь появиться так рано?

Рафаэлла заулыбалась.

— Например, в шесть? В четверть шестого? В полпятого?

— Отличная идея. — Он, зажмурясь, расхохотался. Ему представилось ее лицо. До боли захотелось вновь видеть ее, ощущать, обнимать, и чтобы тела их срослись, словно изначально составляли единое. — В сущности, из-за разницы во времени я, наверно, поднимусь в шесть. Так что планируй свой визит сразу по пробуждении. Предупреждать по телефону не надо. Завтра утром я в контору идти не собираюсь. Хочу удостовериться, что та женщина, которая придет ухаживать за Амандой, подходящая для этого. — С переломами обеих рук девочка практически беспомощна, и он заранее поручил своей секретарше подыскать кого-то, способного совмещать функции экономки и санитарки. Далее он продолжал: — Буду ждать тебя.

— Приду пораньше. — А потом, не помня своего беспокойства, не прослушивает ли кто телефон, созналась: — Я соскучилась по тебе, Алекс.

— Ой, детка. — Голос был красноречив. — Знала бы ты, как я по тебе соскучился.

Вскоре разговор завершился, но Рафаэлла долго еще сидела у телефона, вся сияя. Глянув на часы, принялась раздеваться. Уже миновала полночь, так что через шесть или семь часов можно снова увидеться с ним. От одной этой мысли ее взор засверкал и зашлось сердце.

Глава 17

Будильник Рафаэлла поставила на полседьмого, а часом позже тихонько выскользнула из парадной двери. Она успела переговорить с одной из сиделок Джона Генри и объяснить, что собралась к ранней мессе, а потом на долгую прогулку. Вроде бы исчерпывающая мотивировка отсутствия, которое предположительно продлится несколько часов. Во всяком случае, на это она и рассчитывала, торопливо шагая по улице в декабрьском тумане, в утреннем холодке, кутаясь в манто, а жемчужно-серый свет омывал все вокруг. В два счета добралась она до уютного домика на Вальехо и удовлетворенно отметила, что многие окна в нем уже освещены. Значит, Алекс уже встал, и она, бросив взгляд на большой медный дверной молоток, засомневалась, стучать ли, звонить ли, или же воспользоваться своим ключом. Наконец она предпочла дать отрывистый звонок и стояла там, дыша часто и возбужденно, в ожидании, с улыбкой на лице. И вот открылась дверь. Без единого слова Алекс быстро втянул ее в дом, затворил дверь, стиснул руками. Так и не успев что-либо произнести, губы его отыскали ее губы и слились с ними, как показалось, очень надолго. Он и дальше не выпустил ее из рук, она впитывала тепло его тела, а он гладил ее по блестящим черным волосам. И поглядывал на нее словно бы в удивлении, будто по-прежнему восхищаясь, что они вообще знакомы.

— Здравствуй, Алекс. — Глаза ее заморгали от радости.

— Здравствуй. — И чуть отступив: — Выглядишь ты прелестно.

— В такую рань — едва ли. — Но это было так. Она словно бы пронизана светом. Ее большие глаза сверкали словно ониксы, лицо разрумянилось от быстрой ходьбы. На ней была бледно-персиковая шелковая блузка и бежевые брюки, не считая манто из рыси. Из-под брюк виднелись рыжеватые замшевые туфли от Гуччи. — Как Аманда? — Рафаэлла показала взглядом наверх, и Алекс не замедлил улыбнуться.

— Еще спит. — И думал он не об Аманде. В это утро он мог думать только об этой невероятно красивой женщине, что стояла перед ним в прихожей, и не решался выбрать, глядя на нее, как быть: то ли проводить вниз в кухню и угостить кофе, то ли увлечь наверх с куда менее скромными намерениями.

Наблюдая в нем внутреннюю борьбу в поисках решения, она усмехнулась:

— У тебя, Алекс, нынче с утра вид явного злоумышленника. — Слегка раздразненная сама, она сняла тяжелое рысье манто и бросила на перила лестницы.

— Ну уж? — Он изобразил невинность. — С чего бы это?

— И я теряюсь в догадках. Могу я приготовить тебе кофе?

— Я как раз хотел этим заняться. — Но выглядел он расстроенным, чем развеселил ее.

— Разве?

— Ничего-ничего... не обращай внимания. — Он провел ее было вниз, но не успели они одолеть первую ступеньку, как он принялся целовать Рафаэллу, сжав в объятиях, и они надолго застряли там. Тут-то и обнаружила их Аманда, спросонок бредущая вниз по лестнице в спальном халате, голубом в цветочек, с ореолом светлых волос вокруг милого юного личика, со слегка рассосавшимися синяками на скулах.

— Ой, — всего-то и было произнесено в удивлении, но Рафаэлла сразу услышала и отпрянула от Алекса. Обернулась, немного покраснев, и прочла во взгляде Аманды кучу вопросов. Потом Аманда перевела глаза на Алекса, словно надеясь получить объяснения от него. При этом Рафаэлла подумала, что смотрится совсем как девчонка.

Рафаэлла шагнула навстречу Аманде, мягко улыбнулась и протянула руку, чтобы лишь коснуться пальцев, выглядывающих из-под края гипсовой повязки.

— Прошу простить меня за столь раннее вторжение, с самого утра. Я... я хотела глянуть, как ты тут. — Сперва оробев, когда ее застали целующейся на лестнице, она вдруг ощутила прежние страхи, касавшиеся встречи с Амандой, но девочка выглядела такой хрупкой и бесхитростной, что было невозможно считать ее хоть сколько-нибудь опасной. Рафаэлла подумала об угрозе со своей стороны, побаиваясь, что могла смутить девочку.

Но тут Аманда улыбнулась, легкий румянец набежал на щеки.

— Все нормально. Извините, я не хотела помешать вам с дядей Алексом. — Ей понравилось смотреть, как они целуются. В собственном доме она никогда не наблюдала никаких нежностей. — Не думала, что тут кто-то есть.

— Обычно я не хожу в гости так рано, однако...

Алекс вмешался в разговор, желая растолковать Аманде, кто такая Рафаэлла и сколь много значит для него. Чтоб понять это, Аманда достаточно взрослая.

— Это твоя волшебница крестная, которая украсила тебе комнату, Мэнди. — Взгляд был нежен, когда он смотрел на них обеих, а все трое переминались у лестницы.

— Это вы? Это вы сделали?

Рафаэллу посмешила восторженность девочки.

— В основном, да. Не скажу, что я дизайнер, но с наслаждением обставляла жилье для тебя.

— Как же вы справились так быстро? Алекс говорил, что там ничегошеньки не было, когда он уезжал.

— Я все это наворовала. — Все расхохотались. — Тебе нравится?

— Вы шутите? Это облом! — На сей раз Рафаэлла усмехнулась над ее восхищением и жаргоном.

— Я очень рада. — Хотелось обнять девочку, но Рафаэлла не решалась.

— Дозволят ли мне дамы предложить им завтрак? — с поклоном спросил Алекс.

— Я тебе помогу, — вызвалась Рафаэлла, следуя за ним вниз по лестнице.

— И я! — Аманда впервые проявила заинтересованность, кажется, со времени трагедии. И еще бодрее выглядела час спустя, когда они втроем пересмеивались, наевшись тостов и яичницы с ветчиной. Мэнди даже ухитрилась намазать себе тост маслом, невзирая на гипс, Рафаэлла приготовила кофе, а Алекс все остальное.

— Отличная бригада! — польстил он обеим, когда они поддразнивали его, что повар больно важничает. Рафаэлла принялась убирать со стола, и ей было очевидно прежде всего, что все трое чувствуют себя уютно вместе, и вроде как получила она бесценный подарок.

— Можно, я помогу тебе одеться, Мэнди?

— Конечно, — загорелись девичьи глаза. Через полчаса, при помощи Рафаэллы, она была одета. Но лишь когда новая экономка пришла к девяти часам, Алекс и Рафаэлла опять остались вдвоем.

— Какая же она замечательная девочка, Алекс.

Он просиял.

— Верно ведь? И... Боже, это поразительно, Рафаэлла, как быстро исцеляется она от того, что... что с ней было. Прошла всего-то неделя. — Вспомнив об этом, он посуровел.

Рафаэлла припомнила, медленно кивнув, прошедшую неделю.

— По-моему, ей станет совсем хорошо. Благодаря тебе.

— Наверное, благодаря нам обоим. — Ему запомнилась ласковая, обворожительная манера ее обращения с девочкой. Он был тронут тем, с какой теплотой держалась Рафаэлла и как нашла путь к сердцу Аманды, и понадеялся он, что хорошие времена ожидают всех их троих в ближайшие сроки. Теперь Аманда, как и Рафаэлла, — часть его жизни, и ему очень важно, чтобы между ними установилась душевная близость.

Глава 18

— Это почему тебе не приглянулся ангелочек? — Алекс посмотрел на нее, скривясь, сидя на верху стремянки в пустой гостиной. Рафаэлла и Мэнди находились внизу, и Мэнди только что сказала ему, что ангелочек глуповат.

— Смотри, как улыбается. Ну и глупый вид.

— А на мой взгляд, глупый вид у вас, подружки. — Они обе лежали на полу, развлекались игрушечной железной дорогой, которую Алекс притащил из подвала. Она раньше принадлежала его отцу, а потом досталась Алексу.

Алекс спустился на пол со стремянки и посмотрел на плоды своих трудов. Он уже развесил лампочки, а Мэнди с Рафаэллой в основном взяли на себя развешивание игрушек, пока он наладил дорогу и поезда. Был канун Рождества, его мать обещала навестить их через два дня. Пока они были втроем с Амандой и Рафаэллой, которая проводила с ними все время, которое ей удавалось выкроить при своих собственных заботах.

Она старалась устроить праздничную атмосферу вокруг Джона Генри, даже Алекс ходил с нею выбирать деревце. Неделю она занималась подготовкой торжества для слуг, заворачивая им подарки и раскладывая в забавные красные чулки с именами каждого. Слуг всегда поражала продуманность отбора, купленные ею подарки были и полезны и ценны, их было приятно получать и хранить о них память годами. Все делалось с очевидным благорасположением. Была красивая упаковка, тщателен подбор подарков; прелестно выглядел дом, весь в ярких листьях, шишках, сосенках, а над входной дверью повесили огромную витую гирлянду. Этим утром Рафаэлла провезла Джона Генри по всем этажам, потом, отлучась, вернулась с бутылкой шампанского. Но, похоже, он в этом году не высказывал особой радости, будто бы находился в отдалении от рождественских торжеств.

— Слишком я стар для всего этого, Рафаэлла. Больше не радует. — Он еле-еле говорил.

— Не глупи. Ты просто утомлен. И не знаешь пока, что я тебе купила. — А купила она шелковый халат с его монограммой. Хоть знала, что и это не поднимет в нем дух. Он становился все сонливей, месяц за месяцем его одолевало безразличие.

Зато с Алексом она обретала рождественский настрой, а в Аманде находила ту детскую восторженность, которую так любила в своих испанских кузиночках. Ради Аманды завелись бусы из красных ягод, букеты остролиста, нитки попкорна, которые они повесят на дереве, для нее же пеклись, вырезались, раскрашивались пряники и прочие украшения. Были подарки самодельные и покупные. Недели заняла напряженная подготовка, а теперь настала ее кульминация — взялись наряжать рождественскую елку. Окончили это занятие незадолго до полуночи, подарки разложили грудами на полу. В пустой гостиной дерево казалось гигантским, а вокруг носился игрушечный поезд.

— Ты счастлива? — Алекс лениво улыбнулся ей, когда они прилегли в его спальне перед камином, в котором пылал огонь.

— Очень. Как ты думаешь, Мэнди понравятся подарки?

— Непременно, а не то отошлю ее Кэ. — Он купил племяннице пиджак из телячьей кожи, как у Рафаэллы, и пообещал ей уроки вождения, как только снимут гипс. А снять намечалось недели через две. Рафаэлла подготовила ей лыжные ботинки, о которых Аманда просила Алекса, ярко-голубой тонкошерстяной свитер и целую кипу книг.

— Знаешь... — Улыбка Рафаэллы была радостна. — Это не то что делать покупки для моих родственников. Кажется, — она замялась, удивляясь себе, — будто у меня появилась дочь, впервые в жизни.

Он ухмыльнулся смущенно:

— И мне так кажется. Прелесть, правда? Теперь я сообразил, насколько пуст был дом. И вот все переменилось. — И будто в доказательство любопытствующее личико просунулось в дверь. Синяки сошли, и тень ужаса постепенно гасла во взгляде. В течение месяца, проведенного в Сан-Франциско, она отдыхала, много бывала на прогулках, почти ежедневно беседовала с психиатром, который помогал ей сжиться с фактом изнасилования.

— Привет, друзья! Вы тут о чем?

— Ни о чем особенно. — Дядя посмотрел на нее весело. — Как получилось, что ты до сих пор не в кроватке?

— Я очень волнуюсь. — С этими словами вошла она в комнату, держа за спиной два больших конверта. — Хочу вам обоим вручить вот что.

Рафаэлла и Алекс с радостным удивлением взглянули на нее и сели на полу, а она протянула им свои подарки. Волнение распирало ее, она присела на краешек кровати, откидывая с лица свои длинные светлые волосы.

— Нам сейчас надо открыть? — шутливо сказал Алекс. — Или следует подождать? Как, по-твоему, Рафаэлла? — Но та уже открывала доставшийся ей конверт, улыбаясь при этом, вытащила бумажный лист — и ахнула.

— Ой, Мэнди... — Девочка удивила ее. — Я не знала, что ты умеешь рисовать. — Да еще в гипсе. Поразительно! — Но Рафаэлла укрыла подарок от Александра, заподозрив, что подарок ему окажется парой к ее листу, что и подтвердилось секундой позже. — Ох, до чего удачно.

Спасибо, Мэнди! — С довольным выражением лица она обняла девочку, которую полюбила, а Алекс долго сидел, удивленно разглядывая свой подарок. Мэнди незаметно делала с них наброски, а после выполнила портреты акварелью. Рисунки получились поразительные по композиции и характерности. В довершение Аманда окантовала их и преподнесла — портрет Алекса Рафаэлле, а ее портрет — Алексу. Он уставился на точное изображение Рафаэллы. Точность была не только в мелочах и общих чертах, но и в индивидуальности. Аманда сумела передать грусть и любовь в черных глазах, нежность лица, кремовость кожи. Создавалось полное представление, как эта женщина думает, дышит, движется. Не хуже был исполнен и Алекс, его особенности были схвачены в набросках, о которых он не знал. С Рафаэллой дело шло потруднее, поскольку она оказывалась в поле зрения Мэнди не так часто, а навязывать свое общество не хотелось, старшим и так мало времени выпадает проводить с глазу на глаз. Но благодарные взоры показывали, что врученные ею подарки имеют огромный успех.

Алекс поднялся на ноги, чтобы поцеловать и крепко обнять Мэнди, затем они втроем сидели на полу перед камином и долго разговаривали. Обсудили людей, жизнь, мечты и огорчения. Аманда, не таясь, рассказывала, какую боль причиняли ей родители. Алекс соглашался, но старательно описывал, какова была Кэ в детстве. Обсудили и Шарлотту — что значит иметь такую мать, а Рафаэлла рассказала, какой у нее строгий отец и насколько ее не удовлетворяла обстановка, в которой ей довелось жить вместе с матерью в Испании. Под конец даже стала обсуждать с Алексом их взаимоотношения, откровенно сознаваясь Аманде, как благодарны они судьбе за каждую минуту, позволяющую им побыть наедине, за каждое мгновение. Она удивилась тому, что Аманда все поняла, девочку не смутило, что Рафаэлла замужем. Для Рафаэллы было сюрпризом, что Аманда считает ее некоторым образом героиней, потому что она не отходит от Джона Генри до самого конца.

— Но это мой долг. Он мой муж, даже если... если все теперь по-новому.

— Возможно, но не думаю, что большинство женщин способно на такое. Любая убежала бы с Алексом, он ведь молодой и обаятельный, как в него не влюбиться. Должно быть, тяжко так вот сидеть со своим мужем, день за днем. — Впервые они открыто обсуждали это, и в какой-то момент Рафаэлла подавила в себе искушение уйти от этой проблемы, не касаться ее обсуждения с теми, кого она любит.

— Тяжко, — тихо и грустно сказала, вспомнив исстрадавшееся лицо мужа. — Порой совсем тяжко. Он так утомляется. Вроде ради меня одной и находит в себе силы держаться. Иногда начинаю сомневаться, выдержу ли бремя при следующем шаге. Вдруг что-нибудь со мной произойдет, вдруг придется уехать, вдруг... — она молча посмотрела на Алекса, и он понял ее. Она повела головою. — Наверно, он тогда сразу умрет.

Аманда посмотрела ей в глаза, ожидая ответа, желая понять эту женщину, столь обожаемую и любимую.

— Ну, а если он вправду умрет, Рафаэлла? Может, ему уже неохота жить дальше. Стоит ли заставлять его?

Вопрос был из разряда неразрешимых.

— Не знаю, милая. Просто мне ясно, что я должна делать все возможное.

Аманда взглянула на нее с обожанием. Алекс с гордостью созерцал их.

— Но ты и для нас столько делаешь.

— Не говори глупости. — Рафаэлла явно смутилась. — Ничего я не делаю. Просто набегаю по вечерам, словно злая фея, заглядываю тебе за спину, проверяя, была ли стирка, — тут она усмехнулась, глядя на Алекса, — убрал ли ты у себя в комнате.

— Угу, народ, вот и все ее дела, — шутливо сказал Алекс, вступая в разговор. — Ничего-то она не делает, только поедает нашу пищу, слоняется по нашим спальням, украшает комнаты, иногда кормит нас, начищает все медяшки, читает документы, над которыми я потею, учит Аманду вязать, засевает сад, приносит нам цветы, покупает подарки. — Не сводя с нее взгляда, он был готов продолжать свою речь.

— По сути, это совсем немного. — Рафаэлла начала краснеть, он ухватил локон ее иссиня-черных волос.

— Ну, прекрасная дама, раз вы считаете, что это совсем немного, отныне я знать вас не желаю. — Тут они нежно поцеловались, и Аманда пошла на цыпочках к двери, улыбнулась им с порога.

— Доброй ночи вам обоим.

— Эй, погоди минутку. — Алекс жестом вернул ее назад. — А тебе не хочется получить сейчас подарки? — Она хихикнула, он встал и поднял на ноги Рафаэллу. — Рождество настало. — Он помнил, что на следующий день Рафаэллы с ними не будет до позднего часа.

Втроем они побежали вниз, со смехом и разговорами, с нескрываемым восторгом стали разворачивать подарки, каждый со своим именем. Алекс получил красивый ирландский свитер от матери, набор авторучек — от Аманды, в дополнение к портрету, врученному еще наверху, бутылку вина — от зятя, ничего — от сестры и портфель фирмы «Гуччи» — от Рафаэллы, а к нему галстук и красиво переплетенный в старую кожу томик стихов, о котором он упоминал месяцем раньше.

— Боже, подруга, ты с ума сошла! — Но его аханье прервали визги Аманды, распаковавшей предназначенные ей подарки. Но тут настала очередь Рафаэллы.

Она получила флакончик духов от Аманды, хорошенький шарфик — от Шарлотты Брэндон, чем была весьма тронута, а также плоскую коробочку, которую Алекс вручил ей с таинственной улыбкой и поцелуем. — Давай-ка открывай.

— Боюсь, — шепнула она, руки ее, заметил он, дрожали, когда она сняла обертку и увидела темно-зеленую бархатную коробочку. Внутри та была выстлана кремовым атласом, в котором угнездился гладкий круглый черный оникс, вместе со слоновой костью, обрамленный золотом. Она сразу поняла, что это браслет, дальше заметила пораженно, что к нему прилагаются, составляя ансамбль, серьги и красивый перстень из оникса и слоновой кости. Она надела весь набор и застыла перед зеркалом остолбенев. Все подошло отменно, включая черно-белый перстень.

— Алекс, это ты с ума сошел! Как ты решился? — Но вещи были очаровательные, как тут упрекнешь за дороговизну подарка. — Дорогой, я в них влюбилась. — Долгим и крепким был ее поцелуй в губы, Аманда же, улыбаясь, запустила игрушечный поезд.

— Ты внутрь перстня заглянула? — Она тихо покачала головой, и он снял перстень с ее правой руки. — Там кое-что сказано.

Рафаэлла быстро поднесла перстень к глазам и обнаружила в золотой окантовке выгравированные буквы. Прослезившись, посмотрела на Алекса. Внутри была надпись: «Когда-нибудь». И все. Его исполненный значительности взор смотрел на Рафаэллу. Когда-нибудь они соединятся навсегда, когда-нибудь она будет принадлежать ему, а он — ей.

Она пробыла здесь до трех часов утра, последний час — после того как Аманда наконец ушла спать. Чудный получился вечер, замечательное Рождество, и когда Алекс с Рафаэллой лежали рядышком в постели, поглядывая на пламя, он, наклонясь к ней, вновь прошептал:

— Когда-нибудь, Рафаэлла, когда-нибудь. — Эхо его слов звенело в ее памяти, когда она, пройдя последний квартал до своего дома, скрылась за садовой калиткой.

Глава 19

— Ну, ребятки, если не от старости помру, так уж от обжорства. Поела я, считай, за десятерых. — Шарлотта Брэндон окинула стол удовлетворенным взглядом, как и остальные. За ужином они поглотили целую гору крабов, теперь Рафаэлла разносила эспрессо в бело-золотых чашечках. Они были в числе того немногого, что забыла увезти с собой Рэчел, отбывая в Нью-Йорк.

Рафаэлла поставила чашку кофе перед матерью Алекса, женщины улыбнулись друг другу. Между ними установилось молчаливое взаимопонимание. Они очень любили Алекса, а теперь их сближало еще одно — то, что касалось Аманды.

— Мне не хочется спрашивать, но как, мама, дела у Кэ? — Не без усилия задал он этот вопрос. Но без всякой скрытности Шарлотта взглянула на него, а после — на свою единственную внучку.

— По-моему, она очень расстроена тем, что Аманда уехала сюда. И едва ли оставила надежду вернуть ее обратно. — Лица слушавших Шарлотту сразу напряглись, но она поспешила успокоить их: — Вряд ли она собирается предпринимать что-либо, однако, по-моему, осознала, что потеряла. — Аманда не имела вестей от матери весь месяц, прошедший со времени отъезда из Нью-Йорка.

— Да и, думаю, по-настоящему у нее нет времени этим заниматься. Подступила предвыборная кампания. — Она умолкла, Алекс согласно кивнул и бросил взгляд на Рафаэллу, сквозь улыбку которой проглядывала озабоченность.

— Не напрягайся, дамочка, — мягко сказал он ей. — Злая ведьма Востока не собирается нападать на тебя.

— Ох, Алекс. — Все четверо засмеялись, но Рафаэлле всегда было неспокойно при мысли о Кэ. Подступало предчувствие, что при необходимости та готова пойти на что угодно, лишь бы добиться своего. И если понадобится ей разлучить Алекса и Рафаэллу, то, пожалуй, она найдет способ. Оттого-то они старались, чтобы Кэ ничего о них не узнала, и вели совершенно скрытную жизнь. На людях никогда вместе не появлялись. Встречались только в доме. И никто не знал о них, кроме Шарлотты, да теперь еще Аманды.

— Мама, как ты думаешь, она победит на выборах? — заинтересованно спросил Алекс Шарлотту, закуривая сигару. Курил он редко, только когда удавалось добыть кубинские сигары, а доставлял эту прелесть, длинную, узкую, утонченно ароматную, один приятель, летавший за ними в Швейцарию и покупавший их там у своего давнего знакомого.

— Думаю, Алекс, что нет. Пожалуй, на сей раз Кэ это не по зубам. Нынешний куда сильнее, чем она. Конечно, она старается состязаться, усердно трудится, выступает с крепкими речами. Причем изыскивает поддержку у влиятельных политиков, кто бы ни подвернулся.

Алекс с любопытством взглянул на мать:

— Включая моего бывшего тестя?

— А как же.

— Господи. Она невероятна. Терпения у нее, как ни у кого другого. — Тут он обратился к Рафаэлле: — Мой экс-тесть — видный политический деятель, он-то и был одной из причин, отчего Кэ так кипятилась по поводу моего развода с Рэчел. Боялась, старик с горизонта сойдет. Так и вышло, — весело подмигнул он Рафаэлле. — Будь здоров как вышло. — Потом спросил у матери: — А с Рэчел она видится?

— Вероятно, — вздохнула Шарлотта. Дочь у нее такая, что ни перед чем не остановится ради своей цели.

Алекс опять же обратился к Рафаэлле, взяв ее за руку:

— Видишь, из какой интересной семейки я происхожу. А ты считаешь, твой отец какой-то особенный. Тебе бы познакомиться с моими дядями да кузенами. Бог ты мой, добрая их половина — чудаки.

Даже Шарлотта весело рассмеялась, Аманда же выскользнула из-за стола и ушла на кухню. Алекс вопросительно посмотрел на Рафаэллу:

— Что-нибудь не так?

Она тихо прошептала:

— Боюсь, ее расстроили разговоры о матери. Вызвали неприятные воспоминания.

Растревожилась и Шарлотта Брэндон, а потом сообщила им двоим вот какую новость:

— Сама не рада, детки, говорить вам об этом, но Кэ сказала, что постарается попасть сюда в конце этой недели. Хочет навестить Аманду в связи с Рождеством.

— Черт! — Алекс откинулся на стуле и простонал: — Почему теперь? Что ей надо?

Его мать объяснила:

— Дело в Аманде. А ты как думал? Кэ боится, как бы не повредило ее политической карьере то, что Аманда находится здесь. Боится, не заподозрят ли какую-то тайну, может, девочка беременна или же лечится от наркомании.

— Ой, ради Бога. — Пока он разговаривал с матерью, Рафаэлла ушла в кухню побеседовать с Мэнди за мытьем посуды. Она заметила, что ту расстроили эти обсуждения, поэтому обняла девочку за плечи и решила сообщить ей новость, чтобы дать возможность быть наготове.

— Аманда, сюда скоро приедет твоя мать.

— Что? — глаза ее расширились. — Зачем? Пусть не забирает меня с собой. Я не поеду... Я... пусть... — Глаза ее сразу наполнились слезами, она прижалась к Рафаэлле, та крепко ее обняла.

— Никуда тебе уезжать не надо, просто повидаешься с ней.

— Не хочу.

— Она тебе мать.

— Нет, не мать. — Холод блеснул во взгляде Аманды, и Рафаэллу это потрясло.

— Аманда!

— Я знаю, что говорю. Если женщина родит ребенка, это, Рафаэлла, еще не делает ее матерью. Любовь к нему, забота о нем, переживания за него, дни рядом с ним, когда он болен, старания принести ему счастье, стать его подругой — вот что делает тебя матерью. А не добывание голосов и победы на выборах. Ей-богу, ты мне больше мать, чем она до сих пор. — Рафаэлла была тронута, но не хотела стать причиной ссоры между ними. Она всегда была осмотрительна в этом отношении. Свои обстоятельства не позволяли ей быть больше, чем потаенной спутницей в их жизни, ни для Аманды, ни для Алекса.

— Ты несправедлива к ней, Аманда.

— Несправедлива? Да ты понятия не имеешь, как редко мы с ней виделись. Знаешь когда, Рафаэлла? Только если какой-то газете надо дать ее фото в домашней обстановке, или ей надо встретиться с молодежью, тут я нужна для поддержки, или же когда мое присутствие идет на пользу ее имиджу, тогда и встречались. В другое время я ее и не видела. — Последовал заключительный упрек: — А сюда она мне звонила?

Однако Рафаэлла повернула вопрос иначе:

— А тебе этого хотелось бы?

— Нет, не хотелось бы, — честно ответила Аманда.

— Может, она догадывалась об этом.

— Лишь бы не повредить собственным хлопотам. — Затем, тряхнув головой, она отвернулась, вдруг из толковой рассерженной девушки вновь преобразившись в дитя. — Тебе не понять.

— Почему же. — Понимала она больше, чем ей говорила Аманда. — Наверняка с нею нелегко, дорогая, но...

— Не в том суть. — Аманда повернулась к ней, вся в слезах. — Не в том, что с ней трудно. Просто ей плевать на меня. Так было всегда.

— Откуда тебе знать, — с благородством возразила Рафаэлла. — Никогда не догадаешься, что у нее в мыслях. Может, она переживает сильнее, чем тебе кажется.

— Я так не думаю. — Взгляд девочки был уныл, и Рафаэлла посочувствовала ее горю. Подошла к ней и обняла.

— Дорогая, я тебя люблю. И Алекс тоже. И бабушка твоя. Все мы с тобой.

Аманда закивала, стараясь не плакать.

— Вот бы она не приезжала.

— Отчего? Она тебя не обидит. Здесь ты в безопасности.

— Это не спасет. Я ее боюсь. Она попытается увезти меня.

— Только если ты сама этого захочешь. Ты достаточно взрослая, чтоб тебя куда-то тащили силком. Кроме того, Алекс не даст такому случиться.

Аманда закивала, а когда осталась одна у себя в спальне, то проплакала два часа. Перспектива увидеться с матерью наполняла ее отвращением. И когда наутро Алекс ушел в контору, Аманда уселась у окна, скорбно взирая на бухту сквозь пелену тумана. Это было словно предвестие чего-то омерзительного, и вдруг она догадалась, что следует предпринять раньше приезда матери.

На поиски телефона ушло полчаса, а когда Аманда дозвонилась, то мать заговорила очень резко:

— Чему я обязана такой честью, Аманда? Ты мне целый месяц не звонила.

Та не стала напоминать, что и мать не звонила и не писала.

— Бабушка сказала, что ты скоро приедешь сюда.

— Это правда.

— А зачем? — Голос Аманды дрожал. — То есть...

— Что то есть, Аманда? — Кэ говорила ледяным тоном. — По какой причине ты не желаешь, чтобы я к тебе приезжала?

— Тебе это и не нужно. Тут все и так отлично.

— Очень мило. Счастлива буду посмотреть.

— Зачем? Зачем тебе? — Сама того не ожидая, Аманда принялась плакать. — Не хочу, чтобы ты приезжала.

— До чего трогательно, Аманда. Всегда приятно знать, что ты неравнодушна.

— Не в том суть, просто...

— Что?

— Не знаю. — Аманда перешла почти на шепот. — Просто это мне напомнит про Нью-Йорк. — О ее одиночестве, о том, как мало времени уделяли ей родители, как пустынно всегда было в квартире, как осталась в День благодарения одна... и была тогда изнасилована.

— Не впадай в детство. Сюда я тебя не приглашаю. Лишь приеду навестить. Почему это напомнит тебе про Нью-Йорк?

— Не знаю. Но это так.

— Чушь. Я должна сама увидеть, как ты там. Твой дядя не желает отвлекаться, чтобы извещать меня.

— Он занят.

— Да ну? С каких это пор? — В голосе звучала неприязнь, которая покоробила Аманду.

— И прежде он всегда бывал занят.

— До той поры, как лишился Рэчел, а после Алекс стал не тот. Чем он может быть занят?

— Не собачься, мама.

— Прекрати, Аманда! Тебе непозволительно так разговаривать со мной. Видно, ты в ослеплении от своего дяди Алекса и оттого не замечаешь в нем недостатков. Ясное дело, почему охота ему иметь тебя при себе. Если разобраться, чем ему себя занять? Рэчел рассказывает, что он до того себя обожает, что и друзей у него не водится. А вот теперь он тебя заполучил.

— Противно слушать. — Как всегда при столкновении с матерью, в ней начал закипать гнев. — У него здоровенная юридическая нагрузка, он очень много работает, у него в жизни есть многое.

— А ты про это откуда знаешь, Аманда? — Был в этих словах злой намек, от которого у Аманды перехватило дыхание.

— Мама! — По молодости лет это ее сразило.

— Ну-ка! — Кэ давила с убойной силой. — Правда, да? А вернешься ты ко мне, опять он один останется. Не стоит удивляться, что он так за тебя цепляется.

— От тебя с ума сойдешь. Он поддерживает отношения с совершенно замечательной женщиной, она стоит десятка таких, как ты, и она мне больше мать, чем ты в прошлом или в будущем.

— Действительно? — Кэ была заметно заинтригована, и вдруг сердце у Мэнди заколотилось. Понимая, что не следовало рассказывать про это, она не выдержала намеков матери. — Кто же она?

— Не твое дело.

— Разве? Боюсь, дорогая, что не смогу с тобой согласиться. Она живет вместе с вами?

— Нет. — Аманда разнервничалась. — Нет, не с нами. — Господи, что же она наделала? Подсознательно чувствуя, что нет ничего ужасней, чем рассказать это матери, она сразу перепугалась за Рафаэллу и Алекса и не меньше — за себя. — Какая разница? Не надо ничего тебе рассказывать.

— Почему? Это тайна?

— Конечно же, нет. Ради Бога, мама, спроси у Алекса. Не вытягивай из меня.

— Спрошу. И, естественно, сама посмотрю, когда появлюсь. — Так она и поступила.

Следующим вечером, в половине десятого, безо всякого предупреждения раздался звонок в дверь, и Алекс поспешил в прихожую. Он терялся в догадках, кто бы это мог быть в столь поздний час, а Рафаэлла в кухне, за чаем и печеньем, болтала с Амандой и его матерью. Никто не готов был увидеть то, что явилось их взору через мгновение. Мать Аманды стояла в дверях кухни, разглядывая всех с нескрываемым интересом, рыжие волосы свежеуложены, на ней темно-серый мохеровый пиджак и такая же юбка. Самый подходящий наряд для политической особы. Смотрится солидно, как-то помогает выглядеть одновременно деловитой и женственной. Но вот Рафаэллу, вставшую, чтобы познакомиться, и грациозно протянувшую свою руку, больше заинтриговал ее взгляд.

— Добрый вечер, миссис Вилард. Как поживаете?

Кэ мимоходом поприветствовала мать, поцеловав ее в щеку, прежде чем ответно протянуть руку Рафаэлле. Кэ отвела взгляд от безупречно очерченного лица, словно сошедшего с камеи. Оно показалось ей знакомым, откуда-то она его помнила, хоть и не встречала. Виделись они прежде? Или в прессе фото попадалось? Вот что беспокоило Кэ, пока она приближалась к дочери. Аманда не двинулась ей навстречу. Все знали, что они не общались с той поры, как Аманда уехала из Нью-Йорка. Она не набралась смелости рассказать кому-нибудь, что накануне звонила матери и раскололась по поводу Рафаэллы.

— Аманда? — Кэ выжидающе посмотрела на нее. В глазах у Кэ был немой вопрос, намерена ли та поздороваться.

— Привет, мама. — Без всякой охоты она заставила себя подойти к матери и застыла рядом с видом неловким и угрюмым.

— Выглядишь ты прекрасно. — Кэ равнодушно поцеловала ее в лоб, глядя мимо. Ее интерес к Рафаэлле был явно сильнее, чем к кому-либо в комнате.

— Кофе будешь? — Алекс наполнил ей чашку, а Рафаэлла заставила себя не шевельнуться. Постепенно она так привыкла к роли хозяйки дома, что пришлось напомнить себе о необходимости сдерживаться и ничем себя не выдавать. Она мирно села у стола просто как гостья.

Беседа с полчаса бессодержательно тянулась, потом, обменявшись немногими словами с Алексом, Рафаэлла извинилась и ушла, сказав, что уже позднее время. Было начало одиннадцатого. И едва успела закрыться за нею дверь, Кэ уставилась на брата, напряженно улыбнувшись.

— Очень интересно, Алекс. Кто она?

— Знакомая. Я тебе представил ее. — Он намеренно говорил без определенности, не замечая, как покраснела Аманда.

— Не совсем. Назвал мне лишь имя. А фамилия? Известная?

— Ты хочешь добывать здесь средства на свою выборную кампанию? Она в этой стране не голосует, Кэ. Побереги свою энергию для других.

Шарлотту это развлекло, она кашлянула, сидя за своим кофе.

— Внутренний голос подсказывает мне, что здесь что-то нечисто.

Это задело Алекса. Он посмотрел на нее с раздражением. И было неловко оттого, что не проводил Рафаэллу до ее дома, хотя сам согласился, что лучше не устраивать показ их взаимоотношений перед его сестрой. Чем меньше Кэ будет знать, тем лучше для всех.

— Пустой разговор, Кэ.

— Да? — Господи, пробыла в доме всего час, а уже выводит его из себя. Он старался не выказывать это, но не получалось. — Тогда зачем из нее делать великую тайну? Как ее фамилия?

— Филипс. Ее бывший муж — американец.

— Она в разводе?

— Да, — солгал он. — Что еще тебе надо знать? Список ее преступлений, мест работы, научных достижений?

— У нее таковые имеются?

— При чем тут это?

Глядя друг на друга, они сознавали, что схватка продолжается. И Кэ нужно было знать отчего. Забылась цель ее приезда, демонстративный интерес к дочери, когда она начала охоту за сведениями об этой загадочной знакомой братца.

— Кэ, твоя ли это забота?

— Полагаю, да. Раз она крутится около моей дочери, мне следует знать, кто она и что собой представляет. — Отменное оправдание. Алекс ухмыльнулся:

— Ты никогда не изменишься, Кэ?

— Как и ты. — Это был не комплимент. — Она мне показалась пустышкой. — Алексу нелегко было сдержаться. — Она где-то работает?

— Нет. — И в тот же миг он обругал себя, что отвечает. Это не ее дело.

— Тебе это кажется очень женственным — не работать.

— Я тут ни за, ни против. Ее дело. Не мое. И не твое. — Он встал с чашкой в руке и посмотрел на сидящих за столом. — Кэ, ты ведь приехала навестить дочь. Оставлю вас наедине, хотя для Аманды это нежелательно. Мама, ты не хочешь со своей чашкой подняться наверх?

Шарлотта Брэндон невозмутимо кивнула, пристально поглядела на дочь и на внучку и следом за сыном покинула кухню. И лишь когда они оказались наверху, она заметила, что Алекс успокоился.

— Господи, с чего она затеяла такой допрос?

— Пусть это тебя не тревожит. Просто устроила проверку.

Шарлотта Брэндон была заметно расстроена.

— Надеюсь, она не очень будет давить на Мэнди. Девочка, по-моему, страшно растерялась, когда пришла Кэ.

— Как и все мы. — Алекс задумчиво глянул на огонь в камине. Он думал о Рафаэлле. После учиненного Кэ допроса оставалось порадоваться, что Рафаэлла уже ушла.

Миновал целый час, прежде чем Аманда постучала к дяде. Глаза ее были влажны, с измученным видом она опустилась на стул.

— Как все прошло, миленькая? — Он похлопал ее по руке, и она принялась плакать.

— Как всегда у меня с ней. Дерьмово. — И с новым вздохом отчаяния: — Она только что ушла. Сказала, придет завтра.

— Жду не дождусь. — Алекс сочувственно погладил племянницу по голове. — Не поддавайся ей, детка. Сама знаешь, какая она, но тут у нее никакие штучки с тобой не пройдут.

— Ой ли! — Аманда возмутилась. — Она сказала, что если я не вернусь домой к началу марта, то тогда она меня зашлет в какое-то заведение и докажет, что я не в своем уме и потому сбежала из дома.

— А что намечается в марте? — Алекс был озабочен, но не в такой степени, как ожидала его племянница.

— Она намерена начать вовлекать коллег в свою кампанию. И нужно, чтобы я была при ней. Мол, если узнают, что она в хороших отношениях с шестнадцатилетней девочкой, то поверят, что и с другими может быть в хороших отношениях. Если бы они знали! Господи, уж лучше пускай меня запрут в то заведение! — Она обернулась к нему, став словно на десять лет старше. — Ты веришь, что она так поступит, Алекс?

— Конечно, нет, — улыбнулся он. — Подумай, как это изобразят газеты? Черт возьми, кажется куда лучше оставить тебя здесь.

— Я про это не подумала.

— На это она и рассчитывала. Просто старалась запугать тебя.

— Ну, это получилось. — Аманда так и не решилась рассказать Алексу о своем разговоре с матерью. Девочка очень переживала, что рассказала Кэ про Рафаэллу.

Кэ проснулась в шесть утра в отеле «Фэрмон». По восточному времени было восемь. Она лежала, рассуждая об Аманде, о брате, о Рафаэлле... ее темных глазах... черных волосах... о ее лице. И вдруг будто кто-то поднес ей к глазам фотографию, она вспомнила, откуда ей была известна Рафаэлла.

— Боже мой! — вслух произнесла Кэ, вмиг села на постели, уставясь в стену напротив, снова улеглась, глаза ее сузились. Может быть... не может... но если может... Мужу Рафаэллы случалось выступать в одном специальном комитете конгресса. Было это давным-давно, он был уже совсем старик, но оставался одним из самых уважаемых финансистов в стране. Кэ вспомнила, что жил он в Сан-Франциско. Разговор у нее с ним был очень короток, и уж совсем мимолетно познакомилась она с его удивительно красивой молодой женой. Та была тогда новобрачная и еще совсем дитя, да и Кэ сама была молоденькая. Темноглазая юная красавица не произвела на нее особого впечатления, не в пример тому старику, притягательному своей властностью и динамизмом. Джон Генри Филипс... Филипс... Рафаэлла Филипс, как назвал ее Алекс... бывший муж, так было сказано. И если она развелась с Джоном Генри Филипсом, то сидит на миллионах. Или нет? А развелась ли? Кэ стали одолевать сомнения. Она ничего не слышала о разводе. Погадав час, позвонила своей секретарше в Вашингтон.

Добыть информацию не составит труда, решила Кэ. И оказалась права. Ответный звонок секретарши последовал через полчаса. Насколько известно — а она переговорила с несколькими осведомленными людьми, — Джон Генри Филипс по-прежнему жив и никогда не разводился. Несколько лет был вдовцом, а потом женился на француженке по имени Рафаэлла, дочери видного французского банкира Антуана де Морнэ-Малля. Ей около тридцати с небольшим. Супруги ведут затворнический образ жизни на Западном побережье. Сам Филипс уже несколько лет тяжело болен. Так-то, прокомментировала Кэ, повесив телефонную трубку в своем погруженном в темноту гостиничном номере в Сан-Франциско.

Глава 20

— Ты, дремучий осел, напрочь выжил из ума? — Кэ яростно ворвалась в его контору, едва он сам успел там появиться.

— Да, поутру ты сплошное очарование. — У него не было настроения общаться с сестрой, тем более наблюдать спектакль, который она разыгрывала. — Позволь спросить, что тебя занимает?

— Замужняя женщина, с которой ты, Алекс, связался. Вот кто меня занимает.

— По-моему, ты делаешь явно поспешные выводы.

— Это верно? Можешь ли ты утверждать, что не с миссис Джон Генри Филипс познакомилась я вчера? И что ты с ней не связан?

— Я не обязан ничего тебе доказывать. — Но он был поражен информированностью своей сестры.

— Не обязан? И ее мужу докладывать тоже не обязан?

— Ее муж, она, я — нечего тебе в это соваться, Кэ. Здесь к тебе имеет отношение твоя дочь, и больше никто. — Алекс понимал, что она сравняла счет. Лишилась дочери из-за него, может, навсегда, и он угрожал предать гласности ее личные недостатки. Так что теперь едва ли завоюешь ее благорасположение. Ну и плевать он хотел. Не нужна ему дружба с нею. Однако нужно бы узнать, что ей известно про Рафаэллу и откуда она взяла эти сведения. — Что же именно тебя занимает во всей этой истории?

— А то, что моя дочь сообщает о твоей связи с женщиной, которая, по ее словам, стоит десятка таких, как я, и я обнаруживаю, что это чужая жена. Я вправе знать, Алекс, кто окружает мою дочь. Я ей мать, что бы ты обо мне ни думал. И Джордж не намерен смириться с тем, что ты ее навсегда к себе взял, особенно когда у тебя разворачивается роман. Она и ему приходится дочерью.

— Мне странно слышать, что он вспомнил об этом.

— Да заткнись, ради Бога. Не лезь в наши семейные дела. Ты не воспитывал ее семнадцать лет, как я. Меня волнует, кому ты позволяешь находиться рядом с нею. Вот это я хотела узнать, приехав сюда.

— И нашла миссис Филипс неподходящей? — Он чуть не расхохотался в лицо сестре.

— Вопрос не в том. Ты, уважаемый, любовник жены одного из самых влиятельных в стране людей, и если это всплывет, мне в политическом плане конец. Не из-за каких-то моих действий, а по ассоциации, из-за тебя и твоих скандальных пакостей, и я не намерена позволить тебе выбрасывать меня из политики.

Ну уж то, что она наговорила, Алекс снести не мог. Не задумываясь, он перегнулся через стол и вцепился ей в руку.

— А теперь послушай-ка, политшлюха. Эта женщина стоит не десяти таких, как ты, а десяти тысяч таких. Она благородна, и мои с ней отношения тебя не касаются. У нее чудесные отношения с Амандой, и не найти кого-либо замечательнее для девочки. Что касается меня, то я буду поступать по собственному разумению. И не вздумай соваться. Полушки не дам за твою политическую карьеру, как и прежде. Ты предпочла бы, чтоб я продолжал быть мужем Рэчел и этим приносил тебе прок. Дерьмо ты и есть дерьмо, моя старшая сестра. Не стал я с ней жить дальше и возвращаться к ней не собираюсь. Женщина, с которой я связан сейчас, существо исключительное, а ей выпало оказаться замужем за прикованным к постели стариком, которому под восемьдесят. Не сегодня завтра он помрет, и тогда я женюсь на женщине, с которой ты вчера познакомилась, а если тебе это не нравится, то уходи.

— Алекс, ты мил и красноречив. — Она попыталась вырвать свою руку, но он не выпустил, а только сжал кулак еще крепче, взгляд его стал еще более жестким. — Но на деле, дорогой мой, старик пока не помер, и если кто-то узнает, что ты затеял, это будет скандал на всю страну.

— Сомневаюсь. И мне нисколько не страшно, Кэ, разве что за Рафаэллу.

— Тогда призадумайся. — В ее глазах сверкнула злоба. — Потому что я самостоятельно могу кое-что предпринять.

— И совершить политическое самоубийство? — Он язвительно рассмеялся и отпустил ее руку. — Меня это не встревожит.

— А может, тебе стоило бы встревожиться? Может, чтоб подстроить это тебе, достаточно будет, если я расскажу все старику?

— Тебя близко не подпустят.

— Зря надеешься. Надо будет, пробьюсь к нему. Или к ней. — Она стояла и изучала своего брата, а он боролся с собой, чтобы не отвесить ей пощечину.

— Вон отсюда.

— С удовольствием. — Она направилась к двери. — Но на твоем месте я бы лишний раз подумала над такой затеей. Ты затеял крупную игру, ставка высока, и тебе не выиграть, Алекс, если мне это выйдет боком. Я вся в гонке перед скорыми выборами и не могу разрешить тебе играться с динамитом около какой-то французской поблядушки.

— Вон отсюда! — На сей раз он кричал, и она дернулась, когда он вновь вцепился ей в руку, почти волоком дотащил ее к дверям и распахнул их. — И держись подальше. Держись, черт дери, подальше от всех нас! Гадина!

— До свидания, Алекс. — Нагло глянула она ему в глаза, стоя на пороге. — Запомни мои слова. Пробьюсь к нему, если надо будет. Запомни.

— Пошла вон. — На этот раз он понизил голос, она круто повернулась и вышла. Алекс, сев за стол, заметил, что его трясет. Впервые в жизни по-настоящему захотелось убить человека. Хотелось задушить ее за всю вылитую в словах грязь. Противно было вспоминать, что это его сестра. И, сидя так, он начал беспокоиться об Аманде, не попытается ли Кэ насильно заставить ее уехать вместе с нею в Нью-Йорк. После получаса основательных раздумий он сообщил секретарше, что весь день его не будет. А когда он выходил из конторы, у Рафаэллы в доме раздался телефонный звонок. Звонила Кэ.

— Нет, ничего страшного. Я подумала, не посидеть ли нам за кофе. Например, я могла бы заглянуть к вам на пути к Мэнди, прежде чем идти к ней...

Рафаэлла побледнела.

— Боюсь, не получится. У меня... — Она чуть не сказала, что у нее болен муж. — У меня сейчас в гостях мама, и она нездорова. — И как эта Кэ нашла номер? У Алекса? У Мэнди? У Шарлотты? Гримаса на лице Рафаэллы стала заметней.

— Понимаю. А не сможем ли мы увидеться где-то еще?

Рафаэлла назвала бар в «Фэрмоне» и встретилась там с Кэ незадолго до ленча, так что обе заказали себе вино. Но Кэ, не дожидаясь, пока выполнят заказ, приступила к объяснению, с какой целью предложила свидание. Она отнюдь не скрывала, зачем явилась.

— Мисис Филипс, я настаиваю, чтобы вы перестали общаться с моим братом.

Рафаэллу привела в оцепенение столь откровенная наглость.

— Почему, позвольте спросить?

— Неужели не ясно? Вы замужем, слава Богу, и ваш муж — лицо значительное. Если ваши отношения с Алексом станут известны, эта неприятность коснется всех нас, не правда ли? — Впервые Рафаэлла увидела такой злой женский взгляд. Впечатление было отталкивающее.

— Могу представить, для вас это будет заведомая неприятность. В этом все дело, так ведь? — проговорила она деликатно, с вежливой улыбкой.

Но, отвечая, улыбнулась и Кэ:

— Я бы предположила, что наибольшие неприятности поджидают вас. Трудно допустить, что вашего мужа или ваших близких в Европе чрезмерно обрадуют такие новости.

Стараясь успокоить дыхание, Рафаэлла сделала паузу, пока принесли их бокалы и официант снова отошел.

— Да, для меня это не было бы радостью, миссис Вилард. — Ее взгляд теперь искал глаза Кэ. — Мне все это далось нелегко. И ради его пользы, и ради собственной пользы я не хотела сближения с Алексом. Я так мало могу ему дать. Моя жизнь целиком принадлежит мужу, а он тяжело болен. — Печаль чувствовалась в ее голосе, и, пока она говорила, глаза ее наполнились слезами. — Но я полюбила вашего брата. Я его очень сильно люблю. Люблю и своего мужа, но... — Она вздохнула. — Не берусь объяснять, что произошло с Алексом и почему. Но произошло. И мы стараемся найти наилучший выход. Заверяю вас, миссис Вилард, мы крайне осмотрительны. Никто не узнает.

— Чушь. Моя мать про вас знает. Мэнди знает. Другие, следовательно, тоже знают или скоро выяснят. Вам не проконтролировать ситуацию. И вы не с огнем играете. Вы играете с атомной бомбой. По крайней мере, если учесть, как это скажется на мне.

— И вы ожидаете, что мы прекратим встречаться? — Рафаэлла посмотрела на нее устало и раздраженно. До чего же Кэ назойлива и эгоистична. Аманда права, эта женщина думает только о себе.

— Вот именно. И если у него на это мало сил, то совершите это вы. Но надо положить этому конец. Не только ради меня, но и ради вас. Нельзя же, чтоб все открылось, а если придется, я расскажу обо всем вашему мужу.

Рафаэлла неприязненно посмотрела на нее.

— Вы с ума сошли? Он парализован, прикован к постели, при нем всегда сиделка, а вы ему такое скажете? Вы убьете его! — Она разгневалась, что Кэ решилась на такую угрозу и что, судя по всему, способна эту угрозу осуществить.

— Значит вам следует призадуматься. Коли это убьет его, то он погибнет фактически от вашей руки. В вашей власти пресечь отношения сейчас, пока они никому не известны. Кроме того, подумайте, что вы устраиваете моему брату. Он хочет детей, ищет жену, он одинок. Что вы ему предлагаете? Часок-другой по временам? Кота в мешке? Ни черта, мадам, ваш муж может прожить еще добрых десять-пятнадцать лет. И это вы предлагаете Алексу? Нелегальную связь в течение десятилетия? И уверяете, что любите его? Если бы любили, то позволили уйти. Нет у вас права портить ему жизнь.

Сказанное глубоко пронзило Рафаэллу. Ей в голову не пришло, что в этот момент заботится Кэ Вилард не об Алексе, а о собственных интересах.

— Не знаю, что и сказать в ответ, миссис Вилард. Но в мои намерения никогда не входило причинить урон вашему брату.

— Вот и не надо. — Рафаэлла тупо кивнула, а Кэ взяла со столика чек, подписалась и, указав свой номер, поднялась. — Думается, нашу с вами проблему мы разрешили. Не так ли?

Рафаэлла еще раз кивнула и, не прибавив ни слова, удалилась, пробежала мимо швейцара, и слезы текли у нее из глаз.

В то же утро Кэ пошла навестить Мэнди. Алекс уже возвратился из конторы и мирно сидел вместе с племянницей в своем кабинете, когда явилась Кэ. Непохоже было, что та собиралась увезти дочь с собою. Интерес к Мэнди у нее сник. Она решила, что нужно возвращаться в Вашингтон. Лишь напомнила, что дочке надлежит не забывать о близящемся марте, сквозь зубы простилась с Алексом, а матери сказала, что зайдет к ней в Нью-Йорке. Шарлотта должна была уехать назавтра.

Очевидное чувство облегчения охватило всех в доме, когда отъехал автомобиль, взятый Кэ напрокат. И лишь после того, как Алекс сообразил, что за весь день Рафаэлла не позвонила, он стал нервничать. Затем он вдруг понял, что приключилось, и сам позвонил ей домой.

— Я... прости... была занята... Не могла позвонить... я...

По ее тону он утвердился в своих догадках.

— Мне нужно немедленно с тобой увидеться.

— Боюсь, что я... — Слезы струились по щекам, когда она порывалась говорить нормальным голосом.

— Извини, Рафаэлла, необходимо увидеться... это Мэнди...

— О Господи... что стряслось?

— Не смогу объяснить, пока не увидимся.

Она появилась в их доме через двадцать минут, и Алекс честно извинился за обман. Ему необходимо было увидеть Рафаэллу. Алекс боялся, что она вновь исчезнет из его жизни. Он откровенно рассказал ей, что у них было с сестрой, и заставил воспроизвести час, проведенный Рафаэллой наедине с Кэ в баре «Фэрмона».

— И ты ей поверила? Ты что, вправду считаешь, что обездолила меня? Разрази меня гром, дорогая, я не бывал так счастлив с незапамятных времен, да, по правде, никогда в жизни.

— Но, по-твоему, способна она пойти на это? — Ее по-прежнему тревожило то, что грозит Джону Генри.

— По-моему, нет. Она гадюка. Но не совсем же психопатка. Да и нет у нее пути добраться до него.

— Найдет, сам знаешь. Я, например, не контролирую его почту. Секретари приносят ее на дом и вручают прямо ему.

— Она и не станет излагать такое в письме, Бог с тобой. Ей своя шея дорога.

— Пожалуй, верно. — Рафаэлла протяжно вздохнула и оттаяла в его объятиях. — Господи, что она за женщина, просто невероятно.

— Нет уж, — ласково сказал Алекс, — невероятная женщина — это ты. — И заботливо посмотрел ей в глаза: — Так забудем, что случилось, забудем, что мы пережили в последние два дня?

— Хотелось бы, Алекс. Но надо ли? Стоит ли считать пустыми все ее угрозы?

— Стоит, ибо лишь одно заботит мою сестру — ее карьера. В конечном счете лишь это имеет для Кэ значение, а едва доберется она до нас, сразу подставит себя, значит, на такое не пойдет. Поверь мне, милая моя. Уверен, не пойдет.

Однако у Рафаэллы не было столь твердой уверенности. Она, Алекс и Аманда продолжали жить своей жизнью, но слова Кэ Вилард эхом отзывались в ушах Рафаэллы не один месяц. Одна была у нее надежда, что Алекс прав в своем убеждении, что Кэ не выполнит свои угрозы.

Глава 21

— Аманда? — голос Рафаэллы гулко отозвался в пустом доме. Было четыре часа, но она знала, что Аманда уже должна была вернуться из школы. С тех пор как Аманда поселилась у Алекса, Рафаэлла стала приезжать в середине дня, иногда еще до прихода Мэнди из школы, чтобы прибраться в доме, приготовить ей поесть и мирно погреться на солнышке в саду, ожидая прихода юной особы. Иногда они довольно долго болтали о пустяках, Мэнди рассказывала забавные истории про Алекса, а потом Рафаэлла показывала новые отрывки из книги для детей, над которой начала работать после Рождества. С тех пор прошло уже пять месяцев, и Рафаэлла намеревалась в скором времени закончить черновой вариант, чтобы в июле отправиться в Испанию.

Но сегодня она захватила с собой не рукопись, а номер «Тайм». С обложки смотрело лицо Кэ Вилард, а над ним — заголовок «Белый дом в 1992... 96... 2000?» Рафаэлла внимательно прочитала статью и решила взять ее с собой, когда отправлялась проведать Мэнди. Ее дневные визиты на Вальехо постепенно вошли в привычку, и теперь Мэнди ждала ее каждый день. Обычно Рафаэлла приезжала в часы дневного сна Джона

Генри. А в последнее время он стал спать все дольше и дольше, так что теперь его будили перед самым ужином, в шесть.

— Аманда? — Рафаэлла с минуту постояла молча. Ее темные волосы были подобраны под изящную соломенную шляпку, а кремовый льняной костюм украшали изысканные разрезы. — Мэнди! — Ей почудилось, что она услышала какой-то шорох.

Рафаэлла отыскала ее на третьем этаже, в спальне, где та сидела на плетеном кресле, обхватив руками колени и уставившись в пространство.

— Аманда!.. Дорогая! — Рафаэлла присела на кровать, держа в руках бежевую сумку из кожи ящерицы и журнал. — Что-нибудь случилось в школе?

Аманда медленно повернула к ней свое лицо, но глаза ее остановились на журнале в руках у Рафаэллы.

— Я вижу, что ты уже тоже прочитала.

— Что именно? Статью о твоей матери? — Шестнадцатилетняя девочка кивнула. — И поэтому ты так расстроилась? — Было очень непривычно видеть Мэнди такой задумчивой. Обычно только заслышав голос Рафаэллы, она со всех ног бросалась вниз, улыбаясь и сгорая от желания рассказать последние школьные новости. Но сейчас она только снова кивнула. — Но я не заметила в ней ничего, что могло бы огорчить тебя.

— Если не считать того, что это все вранье, от начала до конца. Черт! А как тебе понравился душещипательный кусок о том, как я попала этой зимой в ужасную катастрофу, а потом набиралась сил под солнышком Западного побережья, куда моя мамочка прилетела на всех парах, как только улучила минутку? — Она с горечью взглянула на Рафаэллу. — Дерьмо! Да я просто счастлива, что она и носа своего здесь не показывала с самого Рождества.

У нее, собственно, не было выбора. После ее последнего визита, когда она свалилась как снег на голову, Алекс твердо решил потребовать от нее, чтобы она больше не появлялась. Но Кэ и сама не собиралась этого делать. Последние несколько месяцев она не баловала их даже телефонными звонками.

— Боже мой, Рафаэлла! Она просто сука, я ее ненавижу!

— Это не так. Возможно, со временем вы поймете друг друга лучше. — Рафаэлла не знала, что еще она может сказать. Она выдержала паузу и нежно коснулась руки Аманды. — Не хочешь прогуляться?

— Неохота.

— Почему же?

Девочка пожала плечами; Рафаэлла видела, что она расстроена не на шутку. У Рафаэллы были свои собственные опасения на счет Кэ. Между ними никогда не возникало трений, но Рафаэлла не сомневалась, что могло случиться всякое. Последний разговор Кэ с Алексом был еще более омерзителен, чем обычно, но она все-таки согласилась оставить девочку в покое.

Через полчаса Рафаэлле все же удалось вытащить Аманду на майский солнцепек, и, держась за руки, они отправились вниз по Юнион-стрит, не оставляя без внимания ни одного магазина. Наконец они решились сделать остановку в кафе «Кантате», чтобы перехватить по порции каппучино со льдом, доверху завалив свободный стул кульками и свертками.

— Думаешь, Алекс одобрит плакат? — Аманда оторвалась от кофе со льдом, и обе они усмехнулись.

— Он будет на седьмом небе. Повесим плакат в кабинете, пока его не будет.

На плакате была изображена красотка, скользящая на серфинговой доске где-то на Гавайях, способная свести с ума от силы ученика последних классов. Но гораздо важнее было то, что прогулка по магазинам совершенно отвлекла Аманду от мыслей о матери, у Рафаэллы отлегло от сердца. Они расстались в половине шестого, и Рафаэлла опрометчиво пообещала, что, как обычно, заедет попозже вечером. Отправившись в недолгий путь по направлению к дому, Рафаэлла задумалась о том, как тесно переплелась ее жизнь с Мэнди и Алексом за последние полгода. Был прекрасный, цветущий вечер, солнце нещадно палило в окна, но небо уже наполнялось отблесками вечерней зари. Она была уже на полпути к дому, когда услышала за спиной сигнал автомобиля, обернулась, глядя на черный «порше», и вдруг заметила за рулем Алекса.

Она остановилась, их глаза встретились, и оба взглянули друг на друга, словно виделись в первый раз. Он медленно подъехал к ней и с улыбкой откинулся на спинку сиденья, обтянутого красной кожей.

— Не желаете прокатиться, мадам?

— Я не разговариваю с незнакомыми мужчинами.

Они молча улыбались друг другу. Затем он слегка приподнял бровь:

— Как Мэнди? — Можно подумать, что речь идет об их дочери. Она всегда незримо присутствовала рядом с ними. — Прочитала статью в «Тайм»?

Рафаэлла кивнула, и по ее лицу пробежала тень.

— Сегодня утром она ушла из школы, Алекс. Я не знаю, как с ней разговаривать об этом. С каждым днем она отзывается о матери все более грубо. — Он кивнул в ответ на ее слова, а она нахмурилась и взглянула на него с тревогой. — А что мы скажем ей о наших планах на июль?

— Пока ничего. Можно подождать.

— Как долго?

— До июня, — но было видно, что его это тоже тревожит.

— А если она не захочет поехать?

— Она должна. Хотя бы один раз в жизни. — Он вздохнул. — Надо продержаться еще год, пока Аманде не будет восемнадцать. Надо попробовать относиться к Кэ менее драматично, даже с юмором. Склока в суде доконает всех нас. Если Мэнди в состоянии вытерпеть визиты вроде последнего, то нам удастся сохранить мир. Учитывая тот факт, что это год выборов, а главную ставку она делает на Аманду, вообще удивительно, что она еще не украла ее и не посадила под замок. Я думаю, нам надо радоваться тому немногому, что мы имеем.

Рафаэлла с гордостью взглянула на него:

— Мэнди ни за что не осталась бы с матерью, если бы та даже и попыталась вынудить ее к этому.

— Возможно, поэтому она и не пытается. По-моему, в наших планах на лето нет ничего предосудительного. Она должна будет это сделать.

Рафаэлла только кивнула в ответ. Они приняли это решение около месяца назад. Аманда должна будет переехать к матери накануне Четвертого июля, поживет месяц в ее летнем доме на Лонг-Айленде, а потом отправится вместе с бабушкой в Европу до самого сентября, а в Сан-Франциско вернется только к началу учебного года.

Алекс считал своей настоящей победой, что Кэ согласилась оставить Аманду в Сан-Франциско, хотя отлично знал, что его племянница горы свернет, лишь бы только не вернуться домой. Он позвонил психиатру, который заявил, что девочка вполне сможет пережить конфронтацию с матерью, и что психологические последствия аварии сошли на нет. Ни для кого не было секретом, что Аманда содрогалась от мысли оставить Алекса и вернуться домой к Джорджу и Кэ. Рафаэлла собиралась вылететь на Восток вместе с Амандой и оставить ее в Нью-Йорке, и сама тоже хотела пожить недельку в «Карлейле», перед тем как отправиться затем в Париж, а потом — в Испанию. Она каждый год навещала родителей и непременно старалась заезжать в Санта-Эухению. Но в этом году поездка значила для нее больше, чем обычно. Рафаэлла намеревалась представить последнюю редакцию своей детской книжки на суд своих маленьких кузин и уже сейчас сгорала от любопытства. Она просто собиралась переводить сказки на испанский по ходу чтения. Она уже пробовала так делать, когда привозила новые книги из Штатов. Но на этот раз это будут ее собственные книги, а если детишкам они придутся по душе, она отправит их агентам Шарлотты и посмотрит, как они разойдутся.

Рафаэлла вдруг обнаружила, что Алекс смотрит на нее с улыбкой.

— Над чем ты смеешься, Александр?

— Над нами с тобой, — он улыбнулся ей уже с нежностью и теплотой. — Послушать нас, так можно подумать, что мы говорим о своей тринадцатилетней дочери. — Он немного поколебался и указал на соседнее сиденье. — Не присоединишься ко мне?

Она тоже заколебалась, бросила взгляд на часы и рассеянно оглянулась по сторонам, нет ли поблизости кого-нибудь из знакомых.

— Вообще-то мне бы надо домой... — Ей хотелось быть рядом с Джоном Генри ровно в шесть, когда ему вносят поднос с ужином.

— Ну что ж, как хочешь. — Но его глаза были так нежны, а он сам — так мил, и они так давно не оставались друг с другом наедине. Казалось, что Аманда всегда стояла между ними. И когда вечерами она уходила к себе наверх, у них оставалось совсем немного времени, чтобы побыть вдвоем.

И тогда она улыбнулась и кивнула:

— С удовольствием.

— У нас есть время, чтобы немного покататься?

Она снова кивнула, чувствуя себя озорной и капризной девчонкой, а он резко тронул машину с места и вклинился в плотный поток машин, ехавших по Лонбард-стрит по направлению к покрытому зеленью, пустынному кварталу Пресидио, и спустился вниз, к самой воде. Они остановились неподалеку от маленькой крепости возле моста «Золотые ворота». Над их головами по мосту неслись машины в Марин Каунти, по воде скользили яхты, паром, несколько катеров. Свежий ветерок взъерошил волосы Рафаэллы, как только она сняла соломенную шляпку.

— Хочешь выйти? — Он поцеловал ее, она кивнула, и они вышли из машины. Двое темноволосых, высоких, привлекательных людей стояли рука об руку, глядя на залив. На мгновение Рафаэлла почувствовала себя совсем молоденькой, стоя рядом с ним и думая о месяцах, которые они прожили вместе. Они стали совсем родными, провели вместе множество ночей — шепчась, болтая, сидя у камина, занимаясь любовью, выбегая на кухню посреди ночи, чтобы сделать омлет, бутерброд или молочный коктейль. У них было за плечами так много всего, и в то же время — так мало... так много планов, так мало времени... и огромные надежды на будущее. Они стояли плечом к плечу, глядя на яхты, освещенные заходящим солнцем, и Рафаэлла повернулась к Александру, стараясь представить, сколько времени еще предстоит им оставаться вместе. Несколько минут, час или несколько часов перед заходом солнца — украденные мгновения, не более того. Даже ребенка они как будто взяли напрокат — еще год-другой, и девочка заживет своей жизнью. Аманда уже начинала подумывать, в какой колледж поступать, а Рафаэлла с Алексом уже предчувствовали грядущую разлуку.

— О чем ты думаешь, Рафаэлла? — спросил он, заботливо откинув с ее лица прядь волос.

— Об Аманде, — ответила она и поцеловала руку, оказавшуюся так близко от ее губ. — Жаль, что она нам не принадлежит.

— Мне тоже.

Ему хотелось сказать, что когда-нибудь, через несколько лет, у них еще будут свои собственные дети. Но не сказал, зная, как она переживает оттого, что не имеет детей. Это была запретная тема. Она чувствовала себя виноватой, считая, что мешает ему жениться на ком-нибудь другом и иметь своих детей.

— Надеюсь, она хорошо отдохнет этим летом.

Они не спеша двинулись вдоль шоссе, их чуть было не окатила с ног до головы поливальная машина, но почему-то остановилась прямо перед ними.

Алекс повернулся к ней:

— Надеюсь, что и ты тоже. — Они не говорили об этом, но через шесть недель она уезжала в Испанию.

— Хотелось бы, — она взяла его за руку. — Мне будет ужасно тебя не хватать, Алекс.

— Мне тебя тоже. Боже мой... — Он прижал ее к себе и подумал: «Я не мыслю своей жизни без тебя». Он так привык видеть ее каждый вечер, что просто не мог представить, что ее не будет рядом.

— Я вернусь недели через три.

— Это будет для меня вечностью, особенно если и Аманда тоже уедет.

— Займись чем-нибудь для разнообразия.

Он мягко улыбнулся, и они застыли в поцелуе. По воде скользили лодки. Они побродили еще около получаса и с неохотой направились к машине. Они чудесно провели время, и, когда он остановил машину в двух кварталах от ее дома, она нежно коснулась пальцами его губ и послала ему воздушный поцелуй.

Рафаэлла посмотрела, как машина исчезла в направлении Вальехо, и два квартала, отделявшие ее от дома, шла, улыбаясь своим мыслям. Просто удивительно, как сильно изменилась ее жизнь после знакомства с Алексом, хотя стороннему глазу эта перемена могла бы показаться незначительной. Она была любовницей молодого, очаровательного юриста, «приемной дочерью», как говорила Шарлотта, писательницы, перед которой преклонялась; она стала приемной матерью юной девушки; и она чувствовала себя так, будто была хозяйкой домика на Вальехо с маленьким милым садиком и кирпичной кухонькой, заставленной глиняными горшками. Но в то же время она все еще оставалась миссис Джон Генри Филипс, женой преуспевающего финансиста, дочерью французского банкира Антуана де Морнэ-Малля. Она собиралась, как обычно, навестить свою мать в Санта-Эухении. Вообще, она продолжала делать все, как было заведено раньше. И все-таки жизнь ее стала неизмеримо богаче, насыщенней, стала более радостной. Она снова улыбнулась самой себе, заворачивая за угол своего дома. То, что я обрела в этой жизни, не приносит вреда Джону Генри, твердо заверила она себя и вставила ключ в замок. Ведь она по-прежнему проводила с ним утренние часы, присматривала за сиделками, следила, чтобы еда соответствовала его вкусам и привычкам, и читала ему вслух не меньше часа в день. Разница была лишь в том, что теперь она успевала сделать за день еще кучу дел.

После утренней беседы с Джоном Генри она теперь несколько часов работала над детской книгой, которую собиралась вынести на суд ребятишек в Испании. Каждый день в четыре часа дня, когда Джон Генри предавался полуденному сну, она неторопливо отправлялась вниз по Вальехо. Почти всегда она оказывалась дома раньше Аманды, так что девочку встречал любящий ее человек и ей не приходилось скучать в пустом доме. Очень часто Алекс возвращался незадолго перед тем, как ей надо было уходить. Они приветствовали друг друга почти супружеским поцелуем, если не брать во внимание то, что Рафаэлле следовало возвращаться к Джону Генри. Если тот был в настроении, они болтали час или два, она рассказывала ему последние сплетни или поворачивала его кресло к окну, чтобы он мог видеть яхты в заливе. Они ужинали вместе, Джон Генри оставался в постели, куда ему приносили поднос с едой. И вот однажды, убедившись, что он удобно устроился и сиделка на посту, а в доме все тихо и спокойно, она посидела в своей комнате минут тридцать и вышла из дома.

Она была почти уверена, что у слуг были свои подозрения относительно ее ночных отлучек. Однако никто не давал понять, что замечает ее отсутствие, и никто уже не обращал внимания на стук входной двери в четыре часа утра. Рафаэлла открыла для себя жизнь, которой, в сущности, хотела бы жить. После восьми лет невыносимого одиночества и боли она открыла мир, в котором никто не страдал, не мучился и не причинял ей боль. Джон Генри никогда ничего не узнает об Алексе, а между ними возникло нечто, что было необыкновенно важно для обоих. Единственное, что ее беспокоило, так это слова Кэ о том, что она не дает Алексу связать свою жизнь с кем-то, кто может дать ему гораздо больше. Но он уверял, что получил то, что хотел, а Рафаэлла знала, что любит его слишком сильно, чтобы отказаться от него.

Она вбежала наверх в свою спальню, обдумывая на ходу, что надеть. Она только что купила бирюзовое шелковое платье, которое выглядело просто ослепительно в сочетании с ее кремовой кожей, темными волосами и сережками с бриллиантами и бирюзой.

С опозданием всего на десять минут она открыла дверь к Джону Генри, чтобы взглянуть, как он возвышается над подушками с подносом на коленях. Он сидел на своем месте, его глубоко запавшие глаза сверкали на морщинистом лице, одна сторона которого безжизненно обвисла, а его длинные костлявые руки казались такими хрупкими и слабыми, что Рафаэлла застыла в дверях. Казалось, что она увидела его после долгой разлуки. Ей почудилось, что он все слабее держится за соломинку, которую не выпускал из рук последние восемь лет.

— Рафаэлла? — Он посмотрел на нее странным взглядом, произнеся это слово в своей обычной, неестественной манере, и Рафаэлла посмотрела на него почти с изумлением, вновь осознав, за кем она замужем, каковы ее обязанности и как бесконечно далека она от своего возможного нового замужества.

Она осторожно прикрыла за собой дверь, утирая слезы.

Глава 22

Рафаэлла простилась с Алексом в пять утра и заспешила домой. Накануне вечером она уже уложила вещи, и теперь ей оставалось только вернуться в дом, дать последние указания прислуге, переодеться, позавтракать и проститься с Джоном Генри. Прощание будет простым и сдержанным — поцелуй в щеку, последний взгляд, пожатие руки и привычное чувство вины, что она оставляет его одного. Но это уже стало ритуалом, который они выполняли последние пятнадцать лет. А вот прощание с Алексом было по-настоящему тяжелым, у нее щемило сердце от одной мысли, что она должна расстаться с ним. Когда сегодня на рассвете они лежали, прижавшись друг к другу, предстоящая разлука казалась им невыносимой, словно они расстаются навсегда. Рафаэлла прильнула к нему всем телом, не давая шелохнуться, пока они стояли на пороге. Она посмотрела на него глазами, полными печали и слез, и покачала головой с извиняющейся улыбкой:

— Не могу заставить себя уйти.

Он улыбнулся и прижал ее еще крепче:

— Это невозможно сделать, Рафаэлла. Ты всегда рядом, где бы ни была.

— Жаль, что мы не можем поехать в Испанию вместе.

— Может, когда-нибудь...

Когда-нибудь... но когда же? Она не любила об этом думать, потому что надо было представить, что Джона Генри уже нет в живых. Это было похоже на убийство, пусть даже мысленное, и она предпочитала жить настоящим.

— Может быть. Я напишу тебе.

— И я. Можно?

Она кивнула.

— Напомни Мэнди про чемодан и теннисную ракетку.

— Хорошо, мамочка, — засмеялся Алекс. — Напомню. В котором часу ее разбудить?

— В половине седьмого. Самолет вылетает в девять.

Он собирался проводить Мэнди до аэропорта, но ему уже не удастся увидеть там Рафаэллу. Как обычно, шофер подвезет ее прямо к самолету. Но они обе летели одним рейсом, и Рафаэлла должна была подбросить Мэнди до «Карлейля» на заказанном для нее лимузине. А там Мэнди встретит Шарлотта и проводит до квартиры Кэ. Аманда заявила, что не желает встречаться с матерью один на один. Они не виделись после скандала в рождественские дни, да и вообще она не горела желанием вернуться домой. Отец ее улетел на медицинскую конференцию в Атланту, так что некому было послужить буфером при встрече дочери с любящей матерью.

— Алекс, я люблю тебя.

— Я тоже, малыш. Все будет отлично.

Она молча кивнула, не понимая, почему уезжает с таким тяжелым сердцем. Всю ночь она пролежала рядом с ним не сомкнув глаз.

— Пора идти?

Она кивнула, и на этот раз он проводил ее почти до самого порога.

В аэропорту они так и не увиделись. На Рафаэллу повеяло чем-то родным и домашним, когда она увидела в салоне самолета Мэнди. На ней были соломенная шляпка, белое платье и босоножки, которые они покупали вместе. В руках она держала теннисную ракетку, из-за которой так переживала Рафаэлла.

— Приветик, мамочка, — улыбнулась Мэнди, и Рафаэлла улыбнулась в ответ. Будь Мэнди чуть повыше и чуть менее миниатюрной, то выглядела бы почти как взрослая женщина. Но все-таки она была еще девочкой.

— Рада тебя видеть. Мне уже стало ужасно одиноко.

— И Алексу тоже. Он превратил яичницу в угольки, у него убежал кофе, сгорели тосты, а всю дорогу до аэропорта он гнал, как сумасшедший. Похоже, он явно думал не о том, что делали его руки.

Они обменялись улыбками. Рафаэлле было приятно просто разговаривать об Алексе, словно от этого он становился ближе. Через пять часов они нырнули в зной, суматоху и духоту нью-йоркского лета. Сан-Франциско перестал для них существовать, казалось, что они никогда не найдут даже дороги назад. Рафаэлла и Мэнди в изнеможении смотрели друг на друга, не торопясь расставаться.

— Я всегда забываю, что здесь — настоящий ад.

— Я тоже. — Мэнди изумленно оглядывалась. — Боже, это просто ужас!

В эту минуту их нашел шофер, и скоро они уже расположились на заднем сиденье лимузина с кондиционером.

— Что ж, может, все не так уж и плохо. — Мэнди облегченно улыбнулась Рафаэлле, и та взяла ее за руку. Она отдала бы все на свете, лишь бы только поменять роскошный лимузин на «порше» Алекса. Долгие месяцы бесконечных хлопот по дому надоели ей до смерти — слуги, огромное хозяйство, заботы о муже. А ей так хотелось чего-нибудь простого, незатейливого, похожего на домик в Вальехо и их жизнь с Алексом и Амандой.

У «Карлейля» их ждала записка от Шарлотты. Она сообщила, что задерживается у издателя. Аманда и Рафаэлла поднялись в номер, скинули туфли и шляпки, уселись на диван и заказали по телефону лимонад.

— Представляешь, какая за окном жарища? — рассеянно бросила Аманда, и Рафаэлла улыбнулась. Девочка уже спешила придумать причину, чтобы ненавидеть Нью-Йорк.

— В Лонг-Айленде будет полегче. Ты будешь каждый день купаться. — Она как будто уговаривала ребенка поехать на лето в лагерь, но, когда раздался звонок в дверь, вид у Аманды был довольно строптивый. — Наверно, принесли лимонад.

Рафаэлла подошла к двери, держа в руке сумочку. Ярко-красный шелковый костюм лишь слегка помялся в самолете и выгодно оттенял ее светлую кожу и темные волосы. Аманда каждый раз поражалась ее красоте. Редко встретишь такие утонченные черты и такие огромные глаза. Алекс тоже никак не мог к этому привыкнуть, и каждый раз, когда Рафаэлла появлялась в дверях, вид у него был ошарашенный. И она была всегда такой собранной и неподражаемо элегантной. Рафаэлла открыла дверь с легкой, безличной улыбкой, ожидая увидеть официанта с двумя высокими запотевшими стаканами на подносе. В дверях стояла мать Аманды, помятая и вспотевшая, в грязно-зеленом льняном костюме и со странной самодовольной улыбкой на губах. Она стояла с видом победительницы. Аманда чуть не задрожала от страха, а Рафаэлла сохранила вежливое, но решительное выражение лица. Последний раз они виделись полгода назад в кафе, когда Кэ пригрозила, что расскажет Джону Генри об их связи с Алексом.

— Моя мать занята, и я решила забрать Мэнди сама. — Она слегка задержала взгляд на Рафаэлле и шагнула через порог.

Рафаэлла закрыла дверь и молча смотрела, как Кэ шла через комнату к своей единственной дочери, которая уставилась на мать, широко раскрыв глаза и даже не пытаясь заговорить или двинуться к ней навстречу.

— Привет, Мэнди! — Кэ первая нарушила молчание, но Аманда по-прежнему молчала. Рафаэлла заметила, что сейчас она больше, чем обычно, напоминала испуганного ребенка. Она стояла такая несчастная, и долговязая рыжая женщина подошла к ней почти вплотную.

— Ты прекрасно выглядишь. У тебя новая шляпка?

Аманда кивнула, Рафаэлла предложила Кэ сесть, и раздался звонок, оповещающий о прибытии лимонада. Она предложила лимонад Кэ, но та отказалась. Аманда молча взяла свой стакан, не сводя глаз с Рафаэллы, а затем опустила их вниз, потягивая воду. Чтобы загладить возникшую неловкость, Рафаэлла заговорила о том, как прошел полет. Они просидели так не меньше получаса, и Рафаэлла не могла дождаться, когда Кэ наконец соберется уходить.

— Вы сразу поедете на Лонг-Айленд? — спросила Рафаэлла, надеясь, что сможет помочь Аманде прийти в себя.

— Нет. Мы с Мэнди едем в небольшое путешествие.

Это сообщение вызвало интерес у ее дочери, и она враждебно посмотрела на мать:

— Правда? И куда же мы поедем?

— В Миннесоту.

— Это часть твоей предвыборной кампании, мама? — Первые слова, обращенные к матери, звучали как обвинительный акт, в котором угадывался страх.

— В какой-то степени. Вообще-то я еду по делам штата, но у меня есть там и кое-какие личные дела. Я думаю, ты получишь удовольствие. — Она разозлилась и не хотела показывать этого, но голос выдавал ее.

Рафаэлла посмотрела на Аманду — та была огорчена. Она мечтала только об одном — вернуться обратно к Алексу, и Рафаэлла вынуждена была признаться себе, что ей это тоже было больше по душе. Только правила хорошего тона удерживали ее от того, чтобы не нагрубить Кэ.

Аманда взяла свой единственный чемодан, ракетку и взглянула на Рафаэллу. Они немного постояли, и Рафаэлла поспешно обняла девочку. Ей хотелось сказать Аманде, что она не должна терять терпения, должна быть сдержанной и сильной и не позволять матери обижать себя; хотелось сказать ей тысячу нужных слов, но не было ни времени, ни возможности.

— Желаю приятного отдыха, дорогая. Я буду скучать, — добавила она вполголоса.

Но Аманда ответила громко, со слезами на глазах:

— Я тоже буду скучать по тебе. — Она молча плакала, идя к выходу.

Кэ задержалась в дверях, впившись глазами в лицо Рафаэллы:

— Спасибо, что подвезли Мэнди из аэропорта.

И ни слова не прибавила о том, что сделала Рафаэлла для девочки за эти шесть месяцев, ни слова благодарности за все тепло и материнскую ласку, с которой она помогала Алексу присматривать за его племянницей, полюбившейся им. Но Рафаэлла не нуждалась в благодарности этой женщины. Она хотела только одного — уверенности, что та не причинит боли девочке. Но этого было бесполезно требовать, бесполезно было даже пытаться увещевать ее быть доброй к собственной дочери.

— Надеюсь, это будет приятный месяц для вас обеих.

— Не сомневаюсь, — ответила Кэ со странной многозначительной улыбкой и бросила через плечо, уже уходя: — Желаю хорошо развлечься в Испании.

С этими словами Кэ вошла в лифт, а Рафаэлла почувствовала себя одинокой и брошенной, одновременно ломая голову, откуда Кэ известно, что она едет в Испанию.

Глава 23

На следующее утро, входя на борт самолета, следующего в Париж, Рафаэлла не радовалась даже предстоящей встрече с малышами. Ей хотелось домой. Она все дальше уезжала от мест, где оставила свое сердце, и чувствовала себя опустошенной и усталой. Она закрыла глаза и попробовала представить, что летит не во Францию, а обратно в Калифорнию.

Чтобы не умереть от скуки, она проспала почти половину пути над Атлантикой. Потом чуть-чуть почитала, проглотила ленч и обед и погрузилась в воспоминания о том, как они познакомились с Алексом. Сейчас ей казалось невероятным, что она заговорила с незнакомым мужчиной. Самолет заходил на посадку в Париж, а она все еще улыбалась своим мыслям. Уж теперь-то она была знакома с Алексом довольно неплохо. «Где вы познакомились?!» — Она так и видела лицо отца, задающего этот вопрос. «В самолете, папа. Он меня снял». — «Он тебя... что?..» Рафаэлла чуть не расхохоталась в голос, пристегивая ремни. Она все еще посмеивалась про себя, спускаясь по трапу и проходя таможню, но улыбка мигом сбежала с ее лица, когда она увидела отца. Он был строг, почти сердит и стоял, застыв, точно статуя, тогда как она приближалась к нему во всем великолепии. Ее элегантный вид мог растопить сердце любого мужчины. Рафаэлла была в черном костюме, белоснежной шелковой блузке и маленькой шляпке с вуалью. Увидев отца, она почувствовала, как у нее задрожали колени. У него явно были плохие новости для нее. Что-то случилось. Может, с мамой... или с Джоном Генри... или с кузинами... или...

— Bonjour, Papa!

Он слегка наклонился, чтобы она смогла его поцеловать, и его крепкая скула показалась ей тверже камня. Его лицо было изборождено морщинами, и глаза смотрели на нее холодно и строго, а она заглядывала ему в лицо с нескрываемым страхом.

— Что-нибудь случилось?

— Поговорим дома.

— О Боже... — что-то случилось с Джоном Генри. И он не хотел ничего сообщать ей прямо здесь. Неожиданно она совсем позабыла об Алексе. Мысленно она была рядом с беспомощным стариком, которого бросила в Сан-Франциско, и как всегда, принялась укорять себя за то, что оставила его одного.

— Папа... пожалуйста... — Они стояли в аэропорту, глядя друг другу в глаза. — Это...

Он отрицательно покачал головой. Они не виделись целый год, а ему было нечего ей сказать. Когда они садились в черный «ситроен», он по-прежнему напоминал скорее гранитную скалу, чем любящего отца. Он кивнул водителю, и они тронулись.

Всю дорогу до дома Рафаэлла дрожала как осиновый лист. Шофер распахнул дверцу. Его черная униформа странно гармонировала с мрачным лицом отца и настроением Рафаэллы. Со странным чувством она вошла в огромное фойе с зеркалами в позолоченных оправах и мраморными столами в стиле Людовика XV. Стены украшали прекрасные обюссонские гобелены. Окна выходили в сад, но от всей обстановки веяло арктическим холодом. Атмосфера стала еще более напряженной, когда отец осуждающе взглянул на нее и указал на мраморную лестницу, ведущую в его кабинет. Внезапно Рафаэлла ощутила себя ребенком, который, сам того не ведая, совершил серьезный проступок.

Она покорно поднималась вслед за отцом, держа в одной руке сумочку, а в другой — шляпку, ожидая объяснений, в чем причина его недовольства. Может быть, это все-таки имеет отношение к Джону Генри? Она ускорила шаги, теряясь в догадках, что могло произойти после ее отъезда из Нью-Йорка. Может, случился еще один удар? Однако не было похоже, что он собирался сообщить ей плохое известие. Скорее он был недоволен ее поведением. Ей еще с детства было знакомо это особое строгое выражение его лица.

Он твердым шагом вошел в кабинет, Рафаэлла — за ним. Это была комната с высокими потолками, отделанная деревом, стены сплошь покрыты книжными полками, а письменный стол достоин кабинета президента или короля. Это был отличный образец мебели времен Людовика XV, драпированный гобеленами, и смотрелся он впечатляюще. Отец выдвинул стул из-за стола:

— Alors... — Он посмотрел на нее и указал на кресло напротив. Пока они еще не произнесли ни одного теплого слова, они едва обнялись. И хотя отец никогда не отличался особой сердечностью, он все же был более строг и сдержан, чем обычно.

— В чем дело, папа? — Она слегка побледнела после долгого переезда, а сейчас побелела как полотно, ожидая объяснений.

— В чем дело? — Он сдвинул брови и смотрел на нее почти свирепо. — Будем в игрушки играть?

— Но, папа, я ничего не понимаю.

— В таком случае, — он бросал в дочь слова, словно камни, — ты совсем потеряла совесть. Или наивно полагаешь, что, живя на другом континенте, я остаюсь в неведении относительно твоих похождений. — Он подождал, пока она поймет его слова, а у Рафаэллы забилось сердце. — Теперь ты понимаешь, о чем я говорю? — Он понизил голос и многозначительно посмотрел на нее, но она покачала головой. — Нет?! Что ж, мне придется быть с тобой более честным, чем ты со мной и со своим несчастным мужем, прикованным к постели. — В его голосе звучали упрек и осуждение.

Вдруг, как ребенка, уличенного в непростительном проступке, ее охватил стыд. Ее бледные щеки залил румянец, и Антуан де Морнэ-Маль кивнул:

— Вижу, что ты наконец поняла меня.

— Нет, папа, — твердо сказала она.

— Значит, ты просто лгунья и потаскушка. — Его слова прозвучали, словно удары колокола, и он начал не спеша, будто обращался не к единственной дочери, а к парламенту, говорить: — Несколько недель назад я получил письмо. Его написала мадам Кэ Вилард, член американского конгресса. — Он взглянул Рафаэлле в глаза, и у нее упало сердце.

Рафаэлла ждала, затаив дыхание.

— Должен признаться, что мне было больно читать это письмо. Больно по многим причинам. Но больше всего потому, что я узнал о родной дочери такие вещи, которые никому другому не пожелал бы узнать о своем ребенке. Стоит ли мне продолжать?

Рафаэлла хотела сказать «нет», но у нее не хватило сил.

— Эта женщина не только сообщила мне о том, что ты, Рафаэлла, обманываешь своего мужа. Человека, смею напомнить, от которого с детства ты не видела ничего, кроме добра. Человека, который доверяет тебе, любит тебя, нуждается в твоей помощи каждую минуту, нуждается в твоей заботе, которая дает ему жизнь. И если ты лишишь его всего этого, то убьешь его, и я уверен, что ты прекрасно это осознаешь. Но ты не только готова разбить жизнь человека, который любит тебя и является моим старшим товарищем и лучшим другом. Ты разбиваешь судьбы других людей — женатого мужчины, которого ты разлучила с женой, и ребенка, к которому он сильно привязан. Я также узнал от мадам Вилард, что после серьезной катастрофы, когда девочка приехала выздоравливать к этому человеку, ты запретила матери навещать дочь. Вдобавок ко всему, если этот скандал откроется, он может отразиться на политической карьере мадам Вилард. Она призналась мне, что будет вынуждена подать в отставку, если ты и ее брат не остановитесь. Иначе ни она, ни ее престарелая мать, ни дочь не вынесут такого позора. Я уж не говорю о том, как все это может дискредитировать меня и Малль-банк, и не беру во внимание, как оценят твое поведение в Испании. Особенно, если все это попадет в газеты.

Рафаэлла чувствовала себя разбойником на кресте, и бремя случившегося — обвинений, подлого поступка Кэ, беспощадных слов — было для нее слишком тяжело. Как объяснить ему все, что с ней произошло? С чего начать? С рассказа о том, что Кэ — нечистоплотная политиканка, которая ни перед чем не остановится, чтобы добиться удачных выборов? Что они не «крали» Аманду, а просто любят ее всем сердцем? С того, что Алекс уже не был женат на Рэчел, когда они встретились, и что он не хотел ее возвращения? И что она, Рафаэлла, все так же заботится о Джоне Генри, но сердце ее принадлежит теперь Алексу? Но молчание отца было неумолимым, когда он смотрел на нее, и в глазах его было лишь осуждение и злость. Она почувствовала, что бессильна перед ним, и по ее щекам покатились слезы.

— Я должен добавить, — продолжал он, — что не в моих привычках доверяться словам незнакомых людей. Хоть это доставило мне некоторые неудобства и влетело в копеечку, я проверил информацию, полученную от этой женщины, и выяснил твой распорядок дня за последние десять дней. Каждую ночь ты являлась домой не раньше пяти утра. Если тебя не волнует судьба людей, которые тебя окружают, то ты могла бы подумать хотя бы о своей собственной репутации! Твои слуги, наверное, считают тебя потаскухой... шлюхой! Какая грязь!

Он уже просто кричал на нее, расхаживая по комнате из угла в угол. Рафаэлла же так и не произнесла ни единого слова в ответ.

— Как ты могла это сделать? Как могла поступить так низко, мерзко, нечистоплотно!

Он резко повернулся к ней, и она молча покачала головой, закрыв лицо руками. Через минуту она достала из сумочки носовой платок, высморкалась и взглянула на отца.

— Папа, эта женщина ненавидит меня... все, что она говорит...

— ...Все это правда. Человек, которого я нанял, подтвердил это.

— Нет, — она решительно замотала головой и поднялась. — Верно только то, что я люблю ее брата. Но он не женат, он развелся еще до нашего знакомства.

Антуан резко прервал ее:

— Ты еще не забыла, что ты — католичка? И к тому же — замужняя женщина? Или ты и об этом забыла? Да будь он хоть священник или африканец — мне наплевать! Суть в том, что ты замужем за Джоном Генри и не вольна выбирать в любовники кого тебе вздумается. После того что ты натворила, я никогда не смогу взглянуть ему прямо в глаза. Я не смогу этого сделать, потому что моя дочь — шлюха!

— Я не шлюха! — крикнула она, и в ее горле застрял комок. — А ты не отдавал ему меня, как какую-то вещь. Я вышла за него... потому что хотела этого... Я любила его... — Она не могла продолжать.

— Я не желаю слышать этой чепухи, Рафаэлла. Я хочу услышать только одно. Что ты расстанешься с этим человеком. — Он сердито посмотрел на нее и медленно приблизился. — И пока ты твердо мне этого не пообещаешь, ноги твоей в моем доме не будет. Собственно, — он взглянул на часы, — самолет в Мадрид вылетает через два часа. Поезжай туда и обо всем хорошенько подумай, а я приеду с тобой повидаться через несколько дней. Я хочу быть уверен, что ты напишешь ему письмо, в котором сообщишь, что между вами все кончено. А чтобы душа моя была абсолютно спокойна, я установлю за тобой наблюдение на неопределенный срок.

— Но ради всего святого, зачем?

— Затем, что ты потеряла стыд, Рафаэлла. И поэтому я именно так и поступлю. Ты не выполнила завета, который давала Джону Генри, выходя за него замуж. Ты опозорила себя и меня. А я не желаю, чтобы моя дочь превратилась в шлюху. Если же ты не принимаешь моих условий, то говорю тебе прямо: я обо всем сообщу Джону Генри.

— Боже мой, папа... пожалуйста... — Она была почти в истерике. — Это моя жизнь... ты убьешь его... папа... пожалуйста...

— Ты опозорила мое имя, Рафаэлла. — Он так и не приблизился к ней вплотную, а отвернулся и сел за стол.

Она смотрела на него, только сейчас начиная осознавать весь ужас случившегося, и впервые в жизни почувствовала ненависть к другому человеку. Войди сейчас в комнату Кэ, она задушила бы ее голыми руками. Но вместо этого она в отчаянии повернулась к отцу:

— Но, папа... почему ты должен так поступать? Я взрослая женщина... ты не имеешь права...

— Имею! Ты слишком долго жила в Америке, милая. И похоже, совсем отбилась от рук за время болезни мужа. Мадам Вилард сказала, что пыталась вас образумить, но напрасно. Она считает, что если бы не ты, то он вернулся бы к жене, остепенился и имел бы своих детей. — Он осуждающе, с упреком смотрел на нее. — Как ты можешь так поступать с людьми, которых якобы любишь?

Его слова резали ее без ножа, и некуда было скрыться от его пронзительного взгляда.

— Но меня волнует не тот человек, а твой муж. Именно ему ты должна была сохранять верность. Я не шучу, Рафаэлла, я все расскажу ему.

— Это убьет его, — сказала она почти спокойно, но в глазах ее еще стояли слезы.

— Да, — отрезал отец. — Это убьет его. Но виновата в этом будешь ты. Подумай об этом в Санта-Эухении. И я хочу, чтобы ты знала, почему уезжаешь сегодня же. — Он встал, и в его непроницаемом лице вдруг что-то дрогнуло. — Я не могу допустить, чтобы в моем доме оставалась гулящая девка, пусть даже на одну ночь.

Он подошел к двери, распахнул ее, поклонился и жестом попросил дочь удалиться. Он смотрел на нее долгим тяжелым взглядом, а она стояла перед ним, разбитая и униженная.

— Всего хорошего, — произнес он и захлопнул дверь за ее спиной, а ей едва хватило сил добраться до ближайшего кресла и рухнуть в него.

Рафаэлла была так разбита и потрясена, что никак не могла собраться с мыслями. И она просто оставалась сидеть в кресле, ошеломленная, растерянная, напуганная и сердитая. Как он мог с ней так поступить? Понимала ли Кэ, что делала? Представляла ли она, что ее письмо вызовет настоящую катастрофу? Рафаэлла просидела в оцепенении около получаса, взглянула на часы и вспомнила, что отец взял ей билет на другой рейс и пора ехать.

Она медленно подошла к лестнице, бросив взгляд на дверь кабинета. У нее не было желания прощаться с отцом еще раз. Он высказал ей все, что считал нужным, и Рафаэлла не сомневалась, что он непременно явится в Санта-Эухению. Она не собиралась обрушиваться на него с проклятиями за то, что он уже сделал или грозился сделать. Но отец не имел права вмешиваться в их отношения с Алексом. И хотя она не собиралась ругаться с ним, она не оставит Алекса. Она спустилась вниз, надела маленькую шляпку с вуалью и обнаружила, что ее чемоданы никто и не думал вынимать из багажника, а шофер поджидал ее у дверей. Собственный отец выставил ее за дверь, но она так разозлилась, что ей было на все наплевать. Всю жизнь он обращался с ней как с вещью, частью обстановки, или недвижимостью. Но теперь она не позволит ему распоряжаться ее жизнью.

Глава 24

А в Сан-Франциско как раз в то самое время, когда Рафаэлла ехала обратно в парижский аэропорт, в доме Алекса прозвучал странный телефонный звонок. Он разглядывал свои руки, лежащие на столе, и ломал голову, что этот звонок мог означать. Он определенно имел отношение к Рафаэлле, но больше Алекс ничего не мог к этому добавить. С тяжелым сердцем он ждал назначенного часа. В пять минут десятого ему позвонил секретарь Джона Генри и попросил зайти к нему сегодня утром, если он свободен. Секретарь сообщил только, что мистер Филипс желает обсудить с ним личный вопрос особой важности. Дальнейших объяснений не последовало, да Алекс и не спрашивал ни о чем. Как только их разъединили, он немедленно попытался связаться с конгрессменом Вилард. Но ее не оказалось на месте, и ответа искать было больше негде. Придется потерпеть пару часов до встречи с Джоном Генри. Старик, конечно, напуган сплетнями о нем и Рафаэлле и собирается потребовать, чтобы они прервали отношения. Не исключено, что он уже имел беседу с Рафаэллой, но она решила ничего не рассказывать Алексу. Возможно, он даже договорился с ее семьей, чтобы ее задержали в Испании. Алекс чувствовал, что надвигается что-то ужасное, и только благодаря преклонным годам Джона Генри и очевидной важности дела он не решился отказаться от встречи. Но он бы предпочел на нее не идти. Обо всем этом Алекс думал, паркуя машину на другой стороне улицы.

Он медленно перешел ее и остановился у тяжелой дубовой двери, которую видел издалека множество раз. Он позвонил, и через минуту перед ним появился дворецкий с непроницаемым лицом. На секунду Алексу показалось, что все слуги в доме осведомлены о том, какое преступление он совершил, и осуждают его. Он ждал наказания, точно мальчишка, наворовавший яблок в чужом саду, — но нет, все было гораздо серьезнее. Если бы не усилие воли, то у него задрожали бы руки. Но Алекс понимал, что надеяться ему не на что. Он был обязан предстать перед Джоном Генри Филипсом, чего бы этот старый человек не пожелал ему сказать или сделать.

Дворецкий привел Алекса в парадную залу, откуда слуга проводил его наверх. Через анфиладу комнат на половине Джона Генри навстречу Алексу вышел немолодой уже человек и поблагодарил за то, что тот сразу согласился прийти. Он представился как секретарь мистера Филипса, и Алекс узнал голос, который звучал сегодня утром в трубке.

— Спасибо, что согласились прийти вот так сразу. Вообще-то это не похоже на мистера Генри. Вот уже несколько лет он никого не приглашает к себе домой. Я догадываюсь, что это неотложное личное дело, и он очень надеется на вашу помощь.

Алекс снова почувствовал тревогу.

— Да-да, конечно, — он с ужасом осознал, что бормочет какие-то глупости, чтобы поддержать разговор, и был уже близок к обмороку, когда сиделка пригласила их войти. — Мистер Филипс серьезно болен?

Это был глупый вопрос, ведь Рафаэлла рассказывала ему об этом, но он совсем лишился присутствия духа, стоя под дверью в спальню Джона Генри, в «ее» доме. По этим комнатам она проходила каждый день. В этом доме она каждое утро завтракала, вернувшись из его спальни, где они любили друг друга.

— Мистер Гейл... — Сиделка отворила дверь, и секретарь вошел в спальню.

Алекс секунду поколебался и шагнул к двери, чувствуя себя преступником, добровольно идущим на казнь. Но он сумел взять себя в руки. Он не опозорит Рафаэллу, и раз уж не струсил и вошел в этот дом, то не ударит в грязь лицом. Дома он переоделся в темный костюм, который купил в Лондоне, надел белую рубашку и галстук от Диора. Но это не прибавило ему уверенности, когда он переступил порог и взглянул на тощую фигуру, лежащую на старинной массивной кровати.

— Мистер Филипс? — скорее прошептал, чем проговорил Алекс, почувствовав, что секретарь и сиделка исчезли где-то у него за спиной.

Они остались вдвоем, двое мужчин, которые любили Рафаэллу, — один старый и немощный, другой молодой и полный сил. Алекс стоял и смотрел на человека, с которым Рафаэлла прожила пятнадцать лет своей жизни.

— Проходите, пожалуйста. — У Джона Генри был странный голос, и трудно было разобрать слова, но Алексу казалось, что он без труда его понимает. Он чувствовал этого человека на расстоянии и поэтому согласился прийти, чтобы выслушать все обвинения и обиды, которые Джон Генри мог бы на него вылить. Но сейчас Алекс совсем растерялся, осознав, насколько слабым и болезненным был его соперник. Джон Генри слабо махнул рукой в сторону кресла, стоящего около кровати, но сила таилась в его проницательных голубых глазах, которые внимательно изучали лицо и фигуру Алекса. Тот осторожно опустился в кресло, мечтая, чтобы все происходящее каким-нибудь чудесным образом превратилось в сон.

— Я бы хотел... — Джону Генри было нелегко говорить, но даже сейчас в его голосе слышались командные нотки. В нем не чувствовалось превосходства над собеседником, а только спокойная сила, сохранившаяся, несмотря на болезнь; сразу чувствовалось, что перед вами — незаурядная личность. Можно было представить, что в свое время он много значил для Рафаэллы, и понять, почему она до сих пор относилась к мужу с такой нежностью. Это была не просто преданность, а нечто большее, и неожиданно Алекс устыдился того, что они совершили. — Я бы хотел... — Джон Генри продолжал борьбу с неподвижной половиной рта, — поблагодарить вас... за то, что вы пришли.

В эту минуту Алекс заметил, что глаза старика были не только проницательными, но и добрыми. Алекс кивнул, не зная, что сказать в ответ.

— Да, сэр, — эта реплика показалась ему наиболее подходящей. Он почти благоговел перед этим человеком. — Да. Ваш секретарь сказал, что это очень важное дело. — Они оба знали, что это мягко сказано. Джон Генри попробовал улыбнулся своими изуродованными губами.

— В самом деле, мистер Гейл... в самом деле... Я надеюсь... что не испугал вас... — казалось, ему не удастся закончить фразу, — ...своим приглашением... Это очень важно, — произнес он яснее, — ...для всех... нас... Вы понимаете меня?

— Я... — Должен ли он все отрицать, думал Алекс. Но ведь это не было обвинением. Это была правда. — Я понимаю.

— Хорошо. — Джон Генри, похоже, был доволен. — Я очень люблю мою жену, мистер Гейл... — Его глаза заблестели. — Так сильно, что мне невыносимо... больно... держать ее, словно в клетке, когда я... погребен в этом бесполезном, безжизненном теле... а она остается... прикованной ко мне... — Он печально посмотрел на Алекса. — Для молодой женщины... такая жизнь — сущий ад... а она... так заботится обо мне.

Алекс не смог промолчать и хрипло проговорил:

— Она вас бесконечно любит. — И почувствовал себя вором.

Они были любовниками. Он позарился на чужое. Он впервые осознал это. Она была женой этого человека, а не его. И она принадлежала ему, потому что их связывало глубокое чувство. Да и можно ли было поверить этим словам? Джон Генри был глубоким стариком и медленно, шаг за шагом, приближался к своему концу. Он сам прекрасно понимал, что ее жизнь невыносима. И теперь беспомощно смотрел на Алекса.

— А ведь это ей... дается... нелегко.

— Это не ваша вина.

По лицу старика скользнула тень улыбки.

— Нет... но... это случилось... и я все еще... жив... и мучаю ее.

— Это неправда.

Они сидели, словно старые друзья, примирившись с существованием друг друга и понимая важность разговора для Рафаэллы, для обоих это было довольно своеобразным ощущением.

— Она не сожалеет ни об одной минуте, прожитой с вами. — Алекс в который раз с трудом удержался, чтобы не добавить: «Сэр».

— Но она должна... сожалеть... и негодовать. — Джон Генри прикрыл глаза. — Я сожалею... за нее... и за себя... Но я позвал вас не затем, чтобы говорить... о своих печалях... Я хочу расспросить вас... о вас самом.

У Алекса замерло сердце, но он решил взять быка за рога:

— Могу я спросить, что именно вы бы хотели обо мне узнать?

А вдруг ему известно буквально все. За ней следили слуги?

— Я получил... письмо...

Алекс почувствовал, что начинает заводиться.

— Могу я спросить, от кого?

— Я... не знаю.

— Анонимное?

Джон Генри кивнул:

— В нем говорилось только... что вам... — ему явно не хотелось произносить ее имени в присутствии Алекса, достаточно было того, что они говорили друг другу правду. — Что вы и она... находитесь в связи... уже около года.

Он закашлялся, Алекс встревожился, но Джон Генри махнул рукой и через минуту успокоился.

— В письме был указан ваш адрес... и телефон... и ясно говорилось... что я буду достаточно мудр... чтобы остановить вас. — Он с любопытством взглянул на Алекса. — Почему бы это? Это письмо... от вашей жены?

Казалось, это его обеспокоило, но Алекс покачал головой.

— У меня нет жены. Я развелся несколько лет назад.

— Может... она... еще ревнует?

— Нет. Думаю, что письмо написала моя сестра. Она занимается политикой. Это злой, страшный человек. Больше всего она боится, чтобы наши отношения не выплыли наружу. Тогда с ее карьерой будет покончено.

— Возможно... она и права. Но неужели никто ничего не знает? — Джону Генри казалось это неправдоподобным. — Рафаэлле следовало быть крайне осторожной.

— Нет, — уверенно сказал Алекс. — Никто, кроме моей племянницы. А она обожает Рафаэллу и умеет хранить секреты.

— Она еще мала? — Похоже, что Джон Генри улыбался.

— Ей семнадцать лет, и ее мать — та самая сестра, которая написала вам. Последние месяцы Аманда, моя племянница, жила у меня. В День благодарения она попала в аварию, а ее матери было наплевать на нее, тогда как ваша... э-э... Рафаэлла, — Алекс все же решился продолжить, — была с ней так добра и заботлива.

Глаза Джона Генри потеплели при этих словах, и он улыбнулся снова:

— В таких случаях... она незаменима. Она... необыкновенный человек, — они оба так считали, но вдруг лицо старика потемнело. — Она... должна иметь... детей... Возможно... когда-нибудь... так и будет. — Алекс промолчал, и он продолжил: — Итак... вы считаете... что это сделала... ваша сестра.

— Она ничем не угрожала лично вам?

— Нет. Но, полагаясь на мой возраст... она просила... положить этому конец. — Неожиданно он развеселился, указав на свои неподвижные ноги под простынями. — Какое доверие... к пожилому человеку? — Глаза у него были живые, как у мальчика. — Расскажите мне... если можно... как это все началось?

— Мы познакомились в прошлом году, в самолете. Хотя нет. — Алекс прищурился, припоминая, что впервые увидел ее сидящей на ступеньках залива. — Однажды вечером... я увидел ее на ступеньках, она смотрела на залив... — Ему не хотелось рассказывать, что Рафаэлла плакала. — Она показалась мне необыкновенной красавицей, и только. Я не думал, что встречусь с ней еще когда-нибудь.

— Но все-таки встретились? — Джон Генри был почти заинтригован.

— Да, в самолете, как я говорил. Я заметил ее еще в аэропорту, но потом она куда-то исчезла.

Джон Генри снисходительно улыбнулся:

— Да вы романтик!

— Да, — Алекс смутился и порозовел.

— Она тоже, — Джон Генри проговорил это так, будто был ее отцом, и умолчал, что ему самому романтика не была чужда. — А что было потом?

— Мы разговорились. Я упомянул о матери. Она читала одну из ее книг.

— Ваша мать... пишет книги? — заинтересовался он.

— Ее зовут Шарлотта Брэндон.

— Очень... впечатляюще. Я читал ее ранние... романы. Я был бы рад знакомству с ней. — Алекс хотел было сказать, что это можно устроить, но оба отлично знали, что этого никогда не случится. — А ваша сестра... конгрессменша... Неплохая семейка, — он поощрительно улыбнулся, ожидая продолжения.

— Я пригласил ее на ленч к матери... — Алекс помолчал. — Но я тогда еще не знал, кто она такая. Мама рассказала мне об этом потом.

— Она знала?

— Она узнала Рафаэллу.

— Удивительно... Ее знали совсем немногие... Я всегда надежно ограждал ее... от прессы. — Алекс кивнул. — А сама она ничего вам о себе не рассказала?

— Нет. Когда мы встретились снова, она только сообщила, что замужем и между нами ничего не может быть. — Джон Генри удовлетворенно кивнул. — Она была непреклонна, я боюсь, что... оказал на нее давление.

— Почему? — строго спросил Джон Генри.

— Мне очень жаль. Но я ничего не мог поделать. Я... я ведь романтик. Вы сами заметили. Я полюбил ее.

— Так быстро? — скептически произнес старик, но Алекс не смутился.

— Да, — он глубоко вздохнул. Трудно было говорить об этом с Джоном Генри. Да и зачем? И почему он требует от него отчета?

— Мы снова встретились, и я понял, что она тоже влюблена в меня. — Он не собирался, однако, докладывать, что они оказались в постели уже в Нью-Йорке. У них двоих тоже было право на свою тайну. Она принадлежала не только мужу, но и Алексу. — Мы вылетели в Сан-Франциско одним самолетом, но увиделись там только мельком. Она сама подошла ко мне, чтобы сказать, что мы не должны видеться. Она не хотела предавать вас.

Джон Генри был тронут.

— Она — необыкновенная женщина. — И Алекс кивнул. — А потом? Вы снова стали настаивать? — Он не обвинял, только спрашивал.

— Нет. Я оставил ее в покое. Она сама позвонила мне пару месяцев спустя. В тот момент мы оба были одинаково несчастны.

— Тогда все и началось? — Алекс кивнул. — Понимаю. И это тянется уже долго?

— Почти восемь месяцев.

Джон Генри медленно кивнул:

— Я всегда хотел, чтобы она кого-нибудь... нашла. Она была... так одинока... А я ничем не мог... ей помочь. Но потом... я перестал об этом думать... Казалось, что она... привыкла... к такому образу жизни. — Он снова взглянул на Алекса без тени осуждения. — Должен ли я... потребовать... чтобы вы расстались? Она... несчастлива? — Алекс покачал головой. — А вы?

— Нет, — Алекс легонько вздохнул. — Я очень люблю ее. И очень сожалею, что вам обо всем сообщили. Мы не хотели вас огорчать. Она не допускала даже мысли об этом.

— Я знаю, — сказал Джон Генри мягко. — Я знаю... и вы... не причинили... мне боли. Ведь вы ничего у меня не отняли. Она осталась заботливой женой, как и прежде... насколько это возможно... сейчас... Она добра ко мне... и нежна... и любит меня. А если вы даете ей нечто большее... немного радости... доброты... любви... я не могу осуждать ее... за это. Было бы просто жестоко... с моей стороны... держать молодую красивую женщину... взаперти... Нет! — И его голос эхом отозвался в огромной комнате. — Нет... я не буду ей мешать... Она имеет право быть счастливой рядом с вами... точно так же, как она когда-то была счастлива рядом со мной. Жизнь — это постоянная смена декораций... меняются мечты... и мы должны меняться вместе с ними. Она не должна замыкаться на нашем прошлом, это губительный путь. А с моей стороны... было бы аморально требовать этого... от нее. Вот это уж будет настоящий скандал, — он улыбнулся Алексу, — не чета тому, который вы можете обеспечить сестре. Я благодарен вам... — он почти перешел на шепот, — если вы смогли... сделать ее счастливее... А я верю, что вы смогли. — Он надолго замолчал. — Однако что вы собираетесь делать дальше? Каковы ваши планы? — Он заботился о них, словно о собственных детях.

Алекс не знал, что и сказать.

— Мы редко говорим об этом.

— Но... задумываетесь?

— Да, я думал об этом, — ответил Алекс честно, у него не хватило бы духу солгать.

— Вы обещаете позаботиться о ней? — в глазах старика стояли слезы.

— Если она позволит.

Он покачал головой.

— Если позволят... они. Случись что-нибудь со мной, ее семья... потребует, чтобы она вернулась. — Он вздохнул. — А она так нуждается в вас... если вы будете к ней добры... то станете ей необходимы... как некогда... был необходим я.

Глаза Алекса увлажнились:

— Можете на меня положиться. Я позабочусь о ней. И никогда, никогда не отниму ее у вас. Ни сейчас, ни потом, ни пятьдесят лет спустя. Я хочу, чтобы вы это знали. — Он подошел ближе и взял его дряхлую руку. — Она ваша жена, и для меня это свято. Так было, и так будет.

— Настанет день, и она станет вашей женой.

— Если она захочет.

— Увидите... еще как захочет. — Джон Генри крепко стиснул руку Алекса и закрыл глаза почти в изнеможении. Затем открыл их с быстрой улыбкой: — Вы хороший человек, Алекс.

— Спасибо, сэр, — все-таки произнес он. И почувствовал облегчение, как будто разговаривал с отцом.

— Вы не побоялись прийти.

— Я должен был это сделать.

— А ваша сестра? — он взглянул на Алекса, но тот только передернул плечами.

— Она не может повлиять на наши отношения. Что еще она может сделать? Вам теперь все известно. Она не посмеет сделать это достоянием общественности, иначе провалится на выборах. — Он улыбнулся. — Так что она совершенно бессильна против нас.

Но Джон Генри был другого мнения:

— Но она может... причинить вред Рафаэлле... — почти шепотом, едва слышно, но он все-таки произнес это имя.

— Я не допущу этого, — Алекс так твердо и уверенно сказал это, что Джон Генри почти успокоился.

— Хорошо. Рядом с вами ей будет покойно.

— Да, я постараюсь.

Старик пристально посмотрел на Алекса и протянул ему руку:

— Я благословляю вас... Александр... скажите ей об этом... когда придет время...

Со слезами на глазах Александр коснулся губами его руки и через несколько минут вышел из комнаты.

Он покидал шикарный особняк со странным, неведомым ему чувством. Сама того не ожидая, сестра даровала ему настоящий подарок. Вместо того чтобы разлучить их с Рафаэллой, она вложила им в руки ключ к счастливому будущему. В чудной, старомодной манере благословения Джон Генри Филипс вручил Рафаэллу заботам Алекса Гейла. И это было для Алекса не тяжким бременем, а подарком, драгоценным сокровищем, которое Джон Генри любил и берег.

Глава 25

— Рафаэлла, девочка! — Не успев сойти с трапа самолета в Мадриде, она очутилась в объятиях матери. — Но что за чертовщина? Почему ты хотя бы не осталась в Париже на ночь? Когда твой отец сообщил, что ты прямиком едешь к нам, я решила, что он спятил.

Александра де Морнэ-Малль мягко пожурила дочь за синие круги под глазами, и Рафаэлла поняла по ее тону, что она не знает, по какой причине изменились ее планы. Было ясно, что отец ничего не сообщил маме ни о письме «мадам Вилард», ни об Алексе, ни о том, как она опозорила семью.

Рафаэлла устало улыбалась, тихо радуясь встрече с матерью, желая обрести под ее крылом убежище от отцовского гнева. Но вместо этого не ощущала ничего, кроме опустошенности, а в ушах все еще звучали слова отца: «Я не могу допустить, чтобы в моем доме оставалась шлюха, пусть даже на одну только ночь».

— Дорогая, у тебя усталый вид, ты хорошо себя чувствуешь?

Ослепительная красота Александры де Сантос-и-Квадраль, которой она славилась в юности, не померкла даже под натиском прошедших лет. Она все еще была яркой, интересной женщиной, вот только в зеленых глазах не видно было прежнего задорного огонька. Но она все еще была стройна, а черты лица не утратили своей прелести. Ее красота ничем не напоминала красоту Рафаэллы, чьи иссиня-черные волосы контрастировали с белоснежной кожей. В Александре не было ни глубины, ни утонченности, ни эмоциональности, которые были присущи Рафаэлле. Александра была элегантной женщиной с привлекательным лицом, добрым сердцем, хорошими манерами и происхождением, которое во многом облегчало ее жизнь.

— Все в порядке, мама. Я просто устала. И решила не задерживаться в Париже, потому что у меня мало времени.

— Мало времени? — Ее мать была разочарована. — Но почему, дорогая. Из-за Джона Генри?

Рафаэлла покачала головой, и они тронулись в сторону Мадрида.

— Я не люблю надолго оставлять его.

На следующий день они выехали в Санта-Эухению, и Александра снова обратила внимание на то, что с ее дочерью происходит что-то непонятное.

Накануне вечером Рафаэлла поспешила отправиться в постель, пообещав, что завтра-то уж будет в отличной форме. Но Александра почувствовала в ней какую-то внутреннюю решимость, почти протест, и это встревожило ее. А Рафаэлла не проронила ни слова за всю дорогу до Санта-Эухении. Александра не на шутку перепугалась и в тот же вечер позвонила мужу в Париж.

— В чем дело, Антуан? Девочка явно чем-то расстроена. Я ничего не могу понять, что-то с ней не так. Ты уверен, что с Джоном Генри ничего не случилось?

После восьми лет, что он провел в постели, было трудно предположить, что она так убивается из-за мужа. Александра с ужасом выслушала все, что рассказал ей Антуан, и тяжело вздохнула:

— Бедная девочка!

— Нет, Александра! Ее не за что жалеть. Она вела себя возмутительно, и очень скоро это выплывет наружу. Я уже так и вижу колонку скандальной хроники, а рядом — фотографию своей дочери, пляшущей на вечеринке с посторонним мужчиной! Как тебе это понравится?

Его слова показались Александре стариковским брюзжанием, и она тихо улыбнулась на своем конце провода.

— Все это так не похоже на Рафаэллу. Как ты думаешь, она действительно его любит?

— Сомневаюсь. Да это и неважно. Я изложил свою точку зрения предельно ясно. У нее нет выбора.

Александра автоматически кивнула и вдруг поежилась. Возможно, Антуан прав. Он вообще был прав почти всегда, как и ее родной брат.

Вечером она решилась заговорить об этом с Рафаэллой, которая часами бродила по фамильному парку. Парк был засажен пальмами, высокими темными кипарисами, в нем было множество цветов и фонтанов, скульптур и беседок в форме птиц, но Рафаэлла не замечала ничего вокруг, думая только об Алексе. У нее не выходили из головы мысли о письме Кэ Вилард и об угрозах и требованиях отца, которым она твердо решила не подчиняться. В конце концов она взрослая женщина. Она живет в Сан-Франциско, у нее есть муж, и ее жизнь никого не касается. Но снова и снова перебирая в уме слова отца, она не могла игнорировать тот факт, что семья всегда оказывала на нее огромное давление.

— Рафаэлла! — Она так и подпрыгнула, заслышав свое имя, и увидела рядом мать, одетую в белое платье и с длинной ниткой отборного жемчуга на шее.

— Прости, я испугала тебя! — Александра улыбнулась и взяла дочь за руку. У нее был богатый опыт по части наставления и вразумления других женщин, в Испании у нее была целая жизнь, чтобы этому научиться. — О чем задумалась?

— Так... — медленно выговорила Рафаэлла, — собственно, ни о чем особенном... о Сан-Франциско... — Она улыбалась, но глаза ее оставались грустными и потухшими.

— О своем друге? — Рафаэлла остановилась как вкопанная, и мать обняла ее за плечи. — Не сердись. Я вчера говорила с твоим отцом. Я так беспокоилась... у тебя был уж очень несчастный вид. — Она не осуждала Рафаэллу, в ее голосе слышались забота и печаль. Она мягко подтолкнула Рафаэллу, и они пошли по извилистой дорожке. — Мне жаль, что все это с тобой случилось.

Рафаэлла долго молчала и наконец кивнула:

— Мне тоже. — Но она говорила не о себе, ей было жаль Алекса. И так было с самого начала их отношений. — Он прекрасный человек. И заслуживает гораздо большего, чем я могу ему дать.

— Не думай об этом, Рафаэлла. Посоветуйся со своей совестью. Отец боится огласки, но мне кажется, что это не так уж важно. Подумай лучше о том, что ты можешь разрушить чью-то жизнь. Не так ли ты поступаешь с этим человеком? Ты знаешь, — она улыбнулась, — пару раз в своей жизни каждый из нас совершает неблагоразумные поступки. Но мы не должны причинять вреда другим людям своей неосторожностью. Близкие тебе люди иногда обладают здравым смыслом, например, твой кузен или даже женатый мужчина. Но играть с человеком, который свободен и вправе требовать от тебя большего, — это преступление, Рафаэлла. Это больше, чем простая безответственность. И если ты так поступаешь с ним, это не любовь.

Этими словами Александра только утяжелила и без того непомерный груз, лежавший на плечах Рафаэллы. Когда она немного успокоилась, ей стало ясно, что многие из обвинений отца не были лишены оснований. Мысль, что она обделяет Джона Генри, лишая его своего присутствия, участия, даже самой малой толики своих чувств, не давала ей покоя. А то, что их отношения с Алексом почти не имеют будущего, мучило ее с самого начала.

И теперь еще родная мать советует завести роман с двоюродным братом или женатым мужчиной, лишь бы только не с Алексом. Она заявила, что ее любовь к Алексу преступна. Рафаэлла вдруг поняла, что не может владеть собой. Она мотнула головой, стиснула матери руки и опрометью бросилась бежать по дорожке, к дому. Мать неторопливо пошла за ней. У нее выступили слезы, потому что она поняла, что ее дочь полна решимости.

Глава 26

Никогда еще, приезжая в Санта-Эухению, Рафаэлла не чувствовала себя такой несчастной, и каждый новый день ложился на ее плечи все более тяжким бременем. В этом году даже дети ее не волновали. Они все время галдели, шалили, донимали взрослых своими проделками и раздражали Рафаэллу. Правда, им очень понравились ее рассказы, но даже это почему-то ее не обрадовало. Она запрятала рукопись подальше в чемодан и наотрез отказалась читать им продолжение. Она написала два письма Алексу, но они вдруг показались ей нелепыми и высокопарными. Было невозможно умолчать о том, что здесь произошло, но Рафаэлле не хотелось этого делать, пока она не разобралась во всем сама. Она снова и снова пыталась написать ему, но только чувствовала себя все более виноватой, а слова, сказанные отцом и матерью, все сильнее ее угнетали.

Рафаэлла почти обрадовалась, когда через неделю прибыл отец. На официальном обеде присутствовали все жители Санта-Эухении, все тридцать четыре человека.

После обеда отец пригласил Рафаэллу в небольшой солярий около своей комнаты. У него был такой же непреклонный вид, как в Париже, и она автоматически села на бело-зеленое полосатое кресло, на которое садилась, когда была девочкой.

— Ну что, взяла себя в руки? — Он сразу перешел к делу, и она с трудом справилась с дрожью, услышав его голос. В ее годы было смешно так трепетать перед отцом, но она долгие годы беспрекословно подчинялась ему. — Да или нет?

— Я не совсем тебя понимаю, папа. Я не согласна с твоей точкой зрения. То, что я сделала, не принесло вреда Джону Генри, как бы ты меня ни осуждал.

— Ах вот как? А как насчет его здоровья? Мне казалось, что он не совсем здоров.

— Но ему не стало хуже, — Рафаэлла замолкла, прошлась по комнате и приблизилась, чтобы посмотреть отцу прямо в глаза. — Ему семьдесят семь лет, папа. Он прикован к постели вот уже восемь лет. Он перенес несколько ударов и совсем не в восторге от того образа жизни, который вынужден вести. И ты не можешь обвинять меня в этом!

— Да, у него почти не осталось интереса к жизни, но почему бы тебе не поддержать хотя бы этот слабый огонек? Ты испытываешь судьбу — если кто-нибудь расскажет ему о тебе, это будет для него последним ударом. Ты очень смелая женщина, Рафаэлла. На твоем месте я бы поостерегся. Потому что я вряд ли бы смог жить, зная, что убил человека. Или ты об этом не задумывалась?

— Задумывалась. И очень часто, — она вздохнула. — Но, папа, я... люблю этого человека.

— Не так сильно, чтобы поступать в его интересах. Это меня огорчает. Я думал, ты способна на большее.

— Но ведь я не железная, папа! Откуда мне взять столько сил? Ведь я держалась восемь лет... восемь... — Ее душили слезы, она умоляюще смотрела на него. — Это все, что у меня есть в жизни.

— Нет, — сказал он твердо. — У тебя есть Джон Генри. И ты не имеешь права требовать большего. Когда его не станет, ты сможешь рассмотреть другие возможности. Но пока эти двери для тебя закрыты. — Он строго смотрел на нее. — И я надеялся, дай Бог здоровья Джону Генри, что они откроются не скоро.

Рафаэлла опустила голову, потом взглянула на него и направилась к двери.

— Спасибо, папа, — сказала она мягко и вышла из комнаты.

На следующий день отец улетел в Париж. Ему, впрочем, как и матери, было ясно, что их труды не пропали даром. Ее враждебность улетучилась. После четырех напряженных дней и пяти бессонных ночей Рафаэлла поднялась в пять утра, села за стол и взялась за бумагу и карандаш. Она не устала бороться с родителями, у нее не было сил бороться с самой собой. Разве она могла поручиться, что не причиняет Джону Генри боль? И все, что они говорили об Алексе, тоже было верно. Он имел право требовать от нее большего, и кто знает, сколько лет пройдет, прежде чем она сможет принадлежать ему безраздельно.

Она сидела за столом и разглядывала чистый лист, уже зная, что должна написать. Она делала это не из страха перед отцом с матерью, не из-за письма Кэ Вилард, а ради Джона Генри и Алекса. Она писала письмо около двух часов. Когда она ставила подпись, слезы застилали ей глаза, как туман, но смысл написанных слов был ясен и чёток. Рафаэлла писала Алексу, что хочет с ним расстаться, что она все основательно обдумала здесь, в Испании, что бессмысленно поддерживать отношения, которые не имеют будущего. Она поняла, что они разные люди, что он ей не подходит. Она писала, что в кругу семьи ей хорошо и спокойно и что они никогда не смогут пожениться потому, что он разведен, а она — католичка. Рафаэлла использовала любую ложь, любое оправдание себе, даже шла на оскорбление, лишь бы не оставить Алексу ни единого шанса на возобновление отношений. Она хочет, чтобы он чувствовал себя абсолютно свободным и полюбил другую женщину. Она хотела подарить ему свободу, пусть даже ценой обидных, безжалостных слов. Но она делала это ради Алекса. Это был ее прощальный подарок.

Второе письмо было совсем короткое. Оно было адресовано Мэнди, Рафаэлла отправила его в Нью-Йорк на имя Шарлотты Брэндон. В нем говорилось, что между ней и Алексом все кончено, что они больше не будут видеться, но она всегда будет помнить о Мэнди и вспоминать о тех месяцах, которые они провели вместе.

К восьми часам утра, закончив писать, Рафаэлла чувствовала себя совершенно разбитой. Она накинула махровый халат, на цыпочках выбежала в холл и положила оба конверта на серебряный поднос. Потом вышла из дома и добралась до пустынного уголка на берегу, который открыла для себя еще в детстве. Рафаэлла сбросила халат, ночную рубашку, скинула сандалии и бросилась в воду, готовая уплыть на край света. Она только что отказалась от того, что составляло смысл ее жизни, так что теперь жить было незачем. Она продлила Джону Генри существование года на два или даже больше, предоставила Алексу возможность иметь семью и детей. Теперь у нее не было ничего, кроме пустоты, которая сопутствовала ей все эти восемь одиноких лет.

Она плыла изо всех сил, и когда приплыла обратно, у нее болел каждый мускул. Рафаэлла медленно добралась до халата и растянулась на песке. Ее длинные стройные ноги белели под утренним солнцем, плечи вздрагивали от рыданий. Так она пролежала около часа, и когда вернулась домой, то заметила, как слуга взял ее письма и поехал в город на почту. Дело было сделано.

Глава 27

После возвращения из Испании для Рафаэллы потянулись в Сан-Франциско бесконечные будни. Она часами сидела у постели Джона Генри, читала, думала, иногда болтала с ним. Она читала вслух газеты, книги, которые он когда-то любил, гуляла вместе с ним в саду, даже показывала свои рассказы, но он все чаще засыпал под ее чтение. Каждый час, каждый день, каждая минута, словно свинцовые гири, связывали ее по рукам и ногам. Каждое утро ей казалось, что она не протянет до вечера. И каждый вечер она падала в изнеможении — так невыносимо тяжело было сидеть рядом с Джоном Генри, почти без движения, слыша только звуки собственного голоса да его храп.

Жизнь Рафаэллы скорее напоминала медленную пытку, на которую она была обречена. И сейчас ей было гораздо труднее выносить ее, чем до встречи с Алексом. Тогда она еще не знала тихой радости заботы о Мэнди, готовки тостов, работы в саду, терпеливого ожидания возвращения домой любимого. Тогда она еще не взбегала вверх в комнату Мэнди, заливаясь смехом, и не любовалась заходом солнца, когда рядом был Алекс. Теперь ей не оставалось ничего, кроме бесконечных, нудных солнечных дней, которые она коротала в саду, глядя на плывущие облака, или у себя в комнате, прислушиваясь к сигналам маяка в заливе.

Изредка Рафаэлла вспоминала о том, как жила в Санта-Эухении до замужества, о том, как они уезжали куда-нибудь на лето вместе с Джоном Генри. Смех, купание, беготня на побережье навстречу морскому ветру — все это кануло в небытие. Теперь в ее жизни остался только он один, только Джон Генри, и он тоже был уже не тот, что прежде. Он был таким измученным, усталым, потерявшим интерес ко всему, что выходило за пределы его постели. Его больше не интересовали ни политика, ни нашумевшие нефтяные дела в арабских странах, ни сообщения о надвигавшихся катастрофах, которые прежде неизменно вызывали у него интерес. Его совершенно не волновали дела собственной фирмы и партнеров. Да и вообще, его уже мало что удерживало в этой жизни. Зато теперь Джон Генри начинал брюзжать по самым незначительным поводам, обижаясь на все и вся, ненавидя весь мир за свое жалкое существование, которое влачил вот уже восемь лет. Эта бесконечная агония утомляла его, и однажды он заявил Рафаэлле:

— Все равно придется рано или поздно умирать, так что надо поторапливаться!

Теперь он только об этом и говорил, не скрывая ненависти к сиделкам и не желая даже пересаживаться из кровати в кресло. Джон Генри без конца твердил, что ни для кого не хочет быть обузой, и только с Рафаэллой он находил силы быть кротким, ибо не хотел, чтобы она страдала из-за него. Было совершенно очевидно, что он безнадежно несчастен, и это напоминало Рафаэлле слова отца. Возможно, он был прав, говоря, что Джон Генри нуждался в постоянном присутствии Рафаэллы. Если раньше это было не так, то сейчас она действительно была ему необходима. А может, ей просто стало нечем себя занять, а он только притворялся, что она ему нужна? Но Рафаэлла считала, что ее долг — сидеть около него, находиться рядом, смотреть, как он спит. Словно она стояла на посту, добровольно отрекаясь от земных радостей. А Джон Генри, похоже, решил покончить свои счеты с жизнью. И от этого Рафаэлле было еще тяжелее. Если он устал жить, что она должна сделать, чтобы возродить в нем интерес к жизни? Вдохновить его своей молодостью, жизнелюбием и энергией? Но ее жизнь была не многим веселее, чем у Джона Генри. После разрыва с Алексом Рафаэлле нечем было оправдать свое существование, разве только тем, что она была живительным эликсиром для Джона Генри. Бывали дни, когда она боялась сломаться.

Рафаэлла почти не выходила из дома, а если приходилось, то брала шофера, так что у нее не было возможности прогуляться одной. Она боялась даже пройтись по улице, даже вечером, опасаясь, что где-нибудь случайно может столкнуться с Алексом. Он получил ее письмо за день до ее отъезда из Санта-Эухении, и она замерла на месте, когда дворецкий сообщил, что ей звонят из Америки, одновременно боясь и желая, чтобы это был Алекс. Но это могло касаться Джона Генри, и она подошла к телефону.

У Рафаэллы колотилось сердце и задрожали руки, когда она услышала его голос и закрыла глаза, стараясь не разреветься. Ровным голосом она сообщила, что здесь, в Санта-Эухении, к ней вернулся рассудок и что ей нечего добавить к тому, что он прочитал в ее письме. Алекс называл ее сумасшедшей, говорил, что ее кто-то вынудил так поступить, спрашивал, не наговорила ли ей глупостей Кэ, когда она была в Нью-Йорке. Она отмела все его доводы, заверив, что сама приняла решение. После того как Рафаэлла положила трубку на рычаг, она проплакала несколько часов. Разрыв с Алексом был самым трудным шагом в ее жизни, но она не могла допустить, чтобы ее половинчатая преданность стала причиной смерти Джона Генри. И она не имела права лишать Алекса возможности попытать счастья с кем-нибудь еще. В конечном итоге победа осталась за ее отцом и Кэ. Рафаэлле же оставалось нести свой крест. К концу лета годы, ожидавшие ее впереди, виделись ей вереницей пустых унылых комнат.

В сентябре Джон Генри стал спать несколько часов по утрам, и, чтобы скоротать время, Рафаэлла снова взялась за рукопись. Она выбрала рассказы, которые ей нравились больше всех, с грехом пополам составила сборник, отпечатала текст на машинке и отправила издателю детских книг в Нью-Йорк. Это была идея Шарлотты Брэндон, и конечно, было глупо на что-то надеяться, но ведь она ничего не теряла.

Закончив книгу, Рафаэлла снова стала возвращаться мыслями к прошедшему лету. Временами она почти ненавидела своего отца и боялась, что никогда не сможет простить ему его слов. Правда, он слегка смягчился, когда она позвонила ему из Санта-Эухении и сообщила, что постарается все уладить дома, в Сан-Франциско. Отец заявил, что хвалить ее не за что, она только исполняет свой долг, и что она причинила ему боль тем, что так упорно противилась его воле, ведь ей следовало самой обуздать свои страсти. Он подчеркнул, что она разочаровала его, и не один раз, и даже более мягкие увещевания матери не освободили ее от чувства полного поражения.

Это чувство преследовало Рафаэллу до самой осени, так что она даже отказалась провести с матерью несколько дней в Нью-Йорке, где та должна была остановиться проездом в Бразилию. Рафаэлла не считала, что обязана ехать в Нью-Йорк, чтобы повидаться с матерью. Она должна быть около Джона Генри и отныне не покинет его до последней минуты. Как знать, не стала ли его кончина ближе, пока она металась между двумя домами? И было бы пустой затеей уверять ее, что, если бы смерть его можно было ускорить, Джон Генри радовался бы этому больше всех. Теперь Рафаэлла не оставляла мужа почти ни на минуту.

Мать немного обиделась на Рафаэллу за отказ приехать в Нью-Йорк и поинтересовалась, не держит ли она зла на отца за то, что произошло между ними в июле. Но в ответном письме Рафаэллы не слышалось обиды, однако оно было сухим и уклончивым. Александра дала себе слово непременно позвонить дочери из Нью-Йорка, но в суматохе встреч с сестрами, кузинами, племянницами, из-за беготни по магазинам и разницы во времени ей так и не удалось созвониться с Рафаэллой.

Но для той это не имело значения. Она не желала разговаривать ни с отцом, ни с матерью и решила про себя, что не поедет в Европу, пока будет жив Джон Генри. А его жизнь протекала, как в замедленном кино; целыми днями он спал, отказывался от еды и прямо на глазах становился все слабее. Врач сказал, что все это вполне естественно для человека его лет, перенесшего несколько ударов. Было даже удивительно, что его голова работала так же хорошо, как раньше. С горькой иронией Рафаэлла думала, что именно сейчас, когда она целиком посвятила себя мужу, его состояние стало ухудшаться. Но врач заверял, что ему может стать лучше и после нескольких месяцев ухудшения он еще может снова ожить. Рафаэлла, как могла, старалась развлечь старика и даже начала готовить своими руками изысканные блюда в надежде соблазнить его хотя бы попробовать. Такая жизнь кому угодно показалась бы кошмаром, но не Рафаэлле. Отказавшись от единственного дела, которое ее интересовало, и расставшись с двумя любимыми людьми, ей стало безразлично, на что уходит ее жизнь.

Ноябрь ничем не отличался от предыдущих месяцев, а в декабре она получила письмо от нью-йоркского издательства. Там были в восторге от ее книги. В письме выражалось удивление, что у нее нет своего агента, и предлагалось автору две тысячи долларов в качестве аванса за книгу, которую издательство обещало проиллюстрировать и издать следующим летом. В первую минуту Рафаэлла остолбенела, а потом, впервые за долгое время, расплылась в улыбке. Легко, как школьница, она взбежала вверх по лестнице, чтобы показать письмо Джону Генри. Когда она вошла, он спал в кресле, подложив ладонь под щеку, и тихо посапывал. Она смотрела на него, чувствуя себя совершенно одинокой. Ей так хотелось ему обо всем рассказать, а ведь больше у нее никого не было. Рафаэллу кольнула знакомая боль при мысли об Алексе. Но она поспешила отогнать ее, говоря себе, что он уже давно нашел ей замену, что Мэнди счастлива, а Алекс, возможно, уже женат или помолвлен. А в следующем году у него родится ребенок. Она поступила правильно по отношению ко всем, чья судьба не была ей безразлична.

Рафаэлла спустилась вниз с письмом в руках. Она вдруг осознала, что Джон Генри и знать ничего не знает о ее книге, что он страшно удивится, услышав эту новость. Маме тоже не было до этого дела, и у нее не было желания сообщать об этом отцу. Итак, поделиться было не с кем. Она села и стала писать ответ издателю, поблагодарив за аванс, который приняла, и потом удивлялась сама на себя. Это был бестолковый, эгоистичный поступок, и она уже сожалела о том, что отправила шофера с письмом на почту. Она уже так привыкла во всем себе отказывать, что даже такая скромная радость казалась чем-то из ряда вон выходящим.

Сердясь на себя за собственную глупость, Рафаэлла попросила, чтобы ее отвезли на побережье, пока Джон Генри спал после обеда. Ей хотелось лишь глотнуть свежего воздуха, подставить лицо морскому ветру, посмотреть на гуляющих детей, собак, хоть ненадолго вырваться из душной атмосферы особняка. Она вспомнила, что Рождество было уже совсем на носу. Но в этом году это уже не имело значения. Джон Генри был слишком слаб, чтобы интересоваться, будут ли они его праздновать или нет. Она не успела заметить, как мыслями оказалась рядом с Алексом и Мэнди, утонув в воспоминаниях о прошлом Рождестве, но снова привычно отогнала эти мысли, не позволяя им овладеть собой.

Было уже четыре часа пополудни, когда водитель втиснул машину в плотный ряд микроавтобусов, пикапов и полуразвалившихся автомобилей, выстроившихся вдоль побережья. Рафаэлла улыбнулась, представив, как нелепо смотрится их лимузин на этом фоне, сунула ноги в шлепанцы, которые обычно надевала в Санта-Эухении, и вышла из машины навстречу морскому бризу. На ней был короткий шерстяной жакет, красный свитер с высоким воротом и серые слаксы. Она давно уже перестала подбирать себе изысканные наряды. Для того чтобы часами сидеть подле Джона Генри, пока он спит, или обедает в постели, или вполглаза смотрит новости по телевизору, не было необходимости наряжаться.

Том, ее шофер, увидел, как Рафаэлла скрылась из виду, спустившись вниз по ступенькам, и затем снова появилась уже у кромки воды. Вскоре ее трудно было различить среди других гуляющих, он вернулся к машине, включил радио и закурил сигарету. А Рафаэлла шла и шла все дальше, наблюдая за тремя лабрадорами, играющими в волнах прибоя, и прислушиваясь к бренчанию на гитаре нескольких молодых ребят в джинсах, которые пили вино.

Она шла все дальше, и их голоса еще долго слышались у нее за спиной. Наконец она села на большое бревно и всей грудью вдохнула соленый воздух. Было так хорошо укрыться здесь от всего мира и хотя бы издалека посмотреть на других людей, живущих полнокровной жизнью. Рафаэлла сидела и смотрела, как они прогуливались, держась за руки, целовались, разговаривали или смеялись. Они как будто шли по направлению к намеченной цели, и ей было интересно представить, куда они придут, когда зайдет солнце.

Думая об этом, она обнаружила, что наблюдает за бегущим человеком. Он бежал строго по прямой, бежал как заведенный, без остановки, и потом плавно, как в танце, замедлил ход, продолжая быстро шагать вдоль воды. Его движения были почти изящны, и она долго не могла отвести от него глаз. Ее отвлекла стайка ребятишек, и когда она снова взглянула в его сторону, то заметила, что на нем был красный пиджак, а сам он был очень высокого роста. Но лицо его было трудно различить, пока он не подошел ближе. Внезапно Рафаэлла узнала его. Она застыла на месте, не в силах даже отвернуться, чтобы он не увидел ее. Она просто сидела без движения, глядя, как Алекс подходит все ближе. Заметив ее, он остановился и долго смотрел на нее. Наконец медленно, неуверенно двинулся в ее сторону. Ей хотелось убежать, спрятаться, но она видела, как бежал он, и понимала, что это бессмысленно. К тому же, они были далеко от ее машины. И вот он стоял перед ней, неумолимый и грустный.

Они долго молчали, и Алекс заговорил первым, как будто не своим голосом:

— Привет. Как дела?

Было трудно представить, что они не виделись пять месяцев. Глядя на это лицо, которое она так часто видела мысленно, закрывая глаза, Рафаэлле показалось, что они расстались не далее, как вчера.

— Хорошо. Как ты?

Он вздохнул:

— У тебя в самом деле все в порядке, Рафаэлла?..

Она кивнула, не понимая, почему он не ответил на ее вопрос. Стал ли он счастливее? Встретил ли кого-нибудь? Разве не ради этого она отказалась от него? Ее жертва не должна быть напрасной.

— Я до сих пор не понимаю, зачем ты так поступила.

Алекс прямо смотрел ей в глаза и явно не собирался уходить. Он ждал целых пять месяцев, чтобы во всем разобраться. И не думал отступать, даже если бы его стали оттаскивать силой.

— Я уже говорила тебе. Мы разные люди.

— Разве? Из двух разных миров, не так ли? — сказал он с горечью. — И кто же тебя этому научил? Отец? Кто-нибудь еще? Может, один из твоих кузенов?

Ей хотелось сказать ему, что это его сестра устроила им эту ужасную жизнь. Его сестра и ее отец со своими идиотскими нравоучениями и угрозами обо всем сообщить Джону Генри, пусть даже это убьет его... и что это было бы на ее совести. Что она хочет, чтобы у него были дети, которых никогда не будет у нее...

— Меня никто ничему не учил. Я просто поняла, что так будет лучше.

— Вот оно что! А тебе не приходило в голову, что мы должны были это обсудить? Знаешь, как взрослые люди. Меня учили родители, что прежде чем предпринимать шаги, влияющие на чужую жизнь, следует объясниться.

Рафаэлла заставила себя посмотреть на него холодным взглядом:

— Все это начало сказываться на моем муже, Алекс.

— Да ну! Странно только, что ты обнаружила это, будучи в Испании, за шесть тысяч миль от дома.

Она умоляюще смотрела на него, и в ее глазах промелькнула боль, не покидавшая ее все эти месяцы. Алекс уже успел заметить, как она осунулась, что у нее под глазами круги, а руки стали совсем прозрачными.

— Зачем ты все это делаешь теперь, Алекс?

— Затем, что ты не дала мне возможности все выяснить в июле. — Он звонил ей, когда она вернулась в Сан-Франциско, но она отказывалась подходить к телефону. — Ты понимала, что означало это письмо для меня? Или ты об этом не подумала?

Внезапно, взглянув ему в лицо, Рафаэлла поняла, что он имел в виду. Сначала его бросила Рэчел, не оставив ему даже шанса сразиться с невидимым соперником — заработком в сто тысяч долларов в год. Рафаэлла поступила с ним не лучше, спрятавшись за спину Джона Генри и их «несоответствие» друг другу. Неожиданно она взглянула на все с другой стороны, и ей стало стыдно смотреть ему в глаза. Она опустила взгляд под пристальным взором Алекса и взяла горсть песку.

— Прости... ради Бога... прости... — Она подняла на него глаза, полные слез. И боль, которую он прочитал в ее глазах, толкнула его упасть на колени.

— Если бы ты знала, как я люблю тебя!

Рафаэлла отвернулась и прошептала:

— Алекс, не надо...

Но он взял ее за руку и повернул ее лицом к себе.

— Ты слышишь? Я люблю тебя. И тогда любил, и сейчас, и буду любить всегда. Возможно, я не совсем тебя понимаю, может, мы и правда слишком разные, но я постараюсь тебя понять, Рафаэлла. Я смогу, только дай мне шанс.

— Зачем? Почему ты должен довольствоваться половиной, если можешь получить от жизни все сполна?

— Так вот в чем дело?! — Иногда ему приходила в голову такая мысль, но он не мог понять, почему она оборвала их отношения так резко. Здесь должна была быть еще одна причина.

— Частично, — честно ответила она. — Я не хотела тебя ни в чем обделять.

— Мне нужна только ты, — произнес он нежно. — Мне не нужен никто, кроме тебя.

Рафаэлла покачала головой.

— Но это невозможно. Это было бы неправильно.

— Да почему, черт возьми? — В его глазах засветился недобрый огонек. — Почему? Потому, что у тебя есть муж? Как ты можешь отказываться от всего ради человека, одной ногой стоящего в могиле, ради человека, который, как ты сама говорила, всегда желал тебе счастья и, может быть, любит тебя так глубоко, что способен предоставить свободу?

Алекс уже знал, что Джон Генри предоставил полную свободу Рафаэлле. Но у него не хватило духу рассказать ей об их встрече. Он видел, что она на пределе своих душевных сил, и ему казалось немыслимым добавлять ей лишнее волнение.

Рафаэлла его не слушала:

— Это не имеет значения. Лучше ему или хуже... здоров он или болен... до той поры, пока смерть не разлучит нас. А не скука, не удары и не ты, Алекс... Я не могу отказаться от своих обязанностей ради этого.

— К черту твои обязанности! — взорвался он.

Рафаэлла вздрогнула и покачала головой.

— Если я не буду отдавать ему всю себя, без остатка, он умрет. Мне сказал об этом отец, и он был прав. Даст Бог, он еще поживет на этом свете.

— Но ведь от тебя уже давно ничего не зависит, черт побери! Или твой отец будет помыкать тобой всю жизнь? Или ты собираешься похоронить себя заживо под своими «обязанностями»? А как же ты, Рафаэлла? Чего хочешь? Ты хоть раз подумала о себе самой?

Дело было в том, что именно этого она старалась не делать. О себе-то она как раз и хотела забыть.

— Ты не понимаешь, Алекс, — ее едва было слышно. Он сел рядом с ней на бревно, так близко, что ее забила дрожь.

— Хочешь накинуть мой пиджак? — Она отказалась, а он продолжал: — Я ничего не понимаю. Этим летом ты совершила безумный поступок, пожертвовала слишком многим, чтобы искупить то, что считаешь страшным грехом.

Но она снова возразила:

— Я не могу так поступать с Джоном Генри.

Алекс никак не мог решиться рассказать ей, что главная проблема в ее жизни — отношения с мужем — уже разрешена.

— Как поступить, Боже мой? Проводить несколько часов в день вне дома? Ты решила приковать себя к его кровати?

— Можно сказать и так, по крайней мере сейчас. — И добавила, считая своим долгом рассказать ему: — Отец установил за мной наблюдение, Алекс. Он грозится обо всем рассказать Джону Генри. А это его убьет. У меня нет выбора.

— О Боже! — Он изумленно смотрел на нее. Единственное, о чем умолчала Рафаэлла, было то, что она всем этим обязана Кэ, его сестре. — Но почему он хочет это сделать?

— Сказать Джону Генри? Не думаю, что он это сделает. Но я не могу рисковать. Он так сказал, и мне ничего больше не остается.

— Но почему он следит за тобой?

— Мне все равно. Пусть следит, если хочет.

— И теперь ты сидишь и ждешь конца.

Она закрыла глаза:

— Не говори так. Я не жду этого. Я не жду его смерти. Я просто делаю то, что делала последние пятнадцать лет — остаюсь его женой.

— А тебе не кажется, что некоторые обстоятельства слегка меняют ситуацию, Рафаэлла?

Она покачала головой.

— Ладно, не буду на тебя давить. — Он представил, под каким давлением она оказалась дома в Испании. Трудно поверить, но родной отец установил за ней слежку, угрожая разоблачением.

Алекс с трудом справился с яростью, которую разбудил в нем отец Рафаэллы, и заглянул ей в глаза:

— Давай оставим вопрос открытым. Я люблю тебя. И я хочу тебя. Я буду ждать сколько нужно. До завтра или десять лет. Моя дверь всегда открыта для тебя. Ты понимаешь, Рафаэлла? Ты понимаешь, о чем я говорю?

— Да, но это просто сумасшествие. Ты должен жить своей жизнью.

— А ты?

— Я — другое дело, Алекс. Ты свободен, а я замужем.

Они посидели молча, радуясь близости друг друга. Рафаэлле очень хотелось, чтобы это мгновение длилось вечно, но уже смеркалось и начинал опускаться туман.

— Он продолжает за тобой следить?

— Не думаю. Для этого нет причин.

Она улыбнулась, и ей очень захотелось прикоснуться к его щеке. Но она не могла себе этого позволить. Никогда-никогда. А он совсем сошел с ума. Глупо сидеть и ждать ее всю оставшуюся жизнь.

— Пойдем. — Он поднялся и протянул ей руку. — Я провожу тебя до машины. Или этого лучше не делать?

— Лучше не надо, — с улыбкой ответила она, — но ты можешь проводить меня до полдороги.

Уже темнело, и ей не очень-то хотелось возвращаться одной в темноте. Она вопросительно взглянула на него, приподняв брови, ее глаза еще больше выделялись на осунувшемся лице:

— Как Аманда?

— Скучает по тебе... почти так же сильно, как я, — он мягко улыбнулся.

— Как она провела лето? — Рафаэлла не улыбнулась в ответ.

— Она прожила у Кэ почти пять дней. Моя драгоценная сестрица планировала, что целый месяц будет демонстрировать ее избирателям. Мэнди посмотрела на всю эту кухню и решила убраться подобру-поздорову.

— Она вернулась домой?

— Нет, мама взяла ее с собой в Европу. Кажется, они неплохо провели время.

— Разве она тебе ничего не рассказывала?

Он посмотрел на Рафаэллу долгим взглядом:

— До сегодняшнего дня я вообще плохо слышал, что мне говорили.

Она кивнула, и они пошли дальше. Наконец она остановилась.

— Дальше я пойду одна.

— Рафаэлла... — он помедлил и решился все же попросить ее: — Можно, мы будем иногда встречаться? Вместе пообедаем... выпьем что-нибудь...

— Я не могу на это согласиться.

— Но почему?

— Потому, что нам обоим хотелось бы большего, и ты это знаешь. Пусть все останется как есть, Алекс.

— Почему? Чтобы я тосковал по тебе, а ты доводила себя до изнеможения? И это ты находишь справедливым? Поэтому отец пригрозил тебе смертью Джона Генри? Чтобы заставить нас жить такой невыносимой жизнью? Неужели ты не ждешь от жизни ничего большего, Рафаэлла? — Не в силах совладать с собой, он приблизился и нежно обнял ее. — Неужели ты обо всем забыла?

Она чуть не заплакала, уткнувшись ему в плечо.

— Я все, все помню... но это все позади.

— Нет. Я ведь люблю тебя. И буду любить всегда.

— Но ты не должен, — она все-таки подняла голову. — Забудь обо всем. Ты должен это сделать.

Алекс покачал головой и спросил:

— Что ты делаешь на Рождество?

Рафаэлла удивленно взглянула на него, не понимая, что у него на уме.

— Ничего. А что?

— Аманда уезжает к маме, на Гавайи. Они улетают в пять вечера накануне Рождества. Почему бы тебе не прийти ко мне на чашку кофе? Я обещаю, что не буду докучать тебе и требовать невозможного. Я просто хочу тебя видеть. Это так важно для меня. Рафаэлла, пожалуйста...

Его голос задрожал, и тогда она, из последних сил стараясь быть твердой, оттолкнула его и покачала головой.

— Нет, — прошептала она чуть слышно. — Нет.

— Я не хочу тебя заставлять. Но я буду дома. Один. Всю Рождественскую ночь. Подумай об этом. Я буду ждать.

— Нет, Алекс... ради Бога...

— Не волнуйся. Если ты не придешь, я все пойму.

— Но я не хочу, чтобы ты ждал меня. И я не хочу приходить.

Он промолчал, но в глубине души у него затеплилась надежда.

— Я буду ждать, — он улыбался. — А теперь прощай. — Он поцеловал ее в лоб и потрепал по плечу своей большой рукой. — Береги себя.

Она ничего не ответила и медленно пошла прочь. Один раз она оглянулась. Он стоял на месте, и ветер теребил его темные волосы.

— Я не приду, Алекс.

— Ничего страшного. Я все-таки буду ждать. Вдруг ты надумаешь.

Она уже дошла до лестницы, ведущей наверх, к машине, когда он крикнул ей вслед:

— До Рождества!

Он смотрел, как она поднималась вверх, и думал о преданности Рафаэллы Джону Генри, о ее любви к нему самому, о ее обязанностях. Она была вольна в своих поступках.

И он не мог перестать ее любить.

Глава 28

Маленькая рождественская елочка мерцала на карточном столе, словно освещая Рафаэллу и Джона Генри. Они разделывались с индейкой, держа на коленях слишком надоевшие всем в этом доме подносы. Он был сегодня совсем тихим, и Рафаэлле подумалось, что праздник скорее угнетал его, напоминая о былых катаниях на лыжах в дни его юности, об их рождественских каникулах вместе с Рафаэллой или о тех годах, когда его сын был маленьким и фойе на первом этаже украшала огромная елка.

— Джон Генри... дорогой, ты хорошо себя чувствуешь? — Она наклонилась к нему, и он молча кивнул. Он думал об Алексе и их разговоре. Что-то было явно не так, но в последние месяцы ему так нездоровилось, что он почти не обращал внимания на состояние Рафаэллы. Ей всегда удавалось его одурачить: в своем стремлении поддержать его настроение она искусно прятала свои переживания. Он со вздохом откинулся на подушки.

— Я так от всего этого устал, Рафаэлла!

— От чего, от Рождества? — удивилась она. Комнату освещали только елочные гирлянды, но, возможно, его раздражало бы яркое освещение.

— Нет, от этого всего... от жизни... от обедов... от новостей, в которых нет ничего нового. Я устал дышать... разговаривать... спать... — он быстро взглянул на Рафаэллу, глаза его были грустны.

— А от меня ты еще не устал? — Она улыбнулась и наклонилась к нему, чтобы поцеловать, но он отвернулся.

— Не надо... — глухо произнес он, уткнувшись в подушку.

— Джон Генри, что случилось?

Рафаэлла была удивлена и обижена, и он медленно повернулся к ней.

— И ты еще спрашиваешь? Как ты можешь... так жить?.. Как ты можешь это выносить? Иногда... я думаю о стариках... которые умирали в Индии... а их молодые жены... должны были всходить на погребальный костер... Я ничем не лучше, чем они...

— Замолчи. Не говори глупостей... Я люблю тебя...

— Значит, ты ненормальная, — не на шутку рассердился он. — Но если ты и чокнутая, то я — нет. Почему ты никуда не уезжаешь? Отдохни... сделай что-нибудь, Бога ради... Но только не прожигай свою жизнь, сидя возле меня... Моя жизнь кончилась... — его голос стал совсем тихим. — Моя жизнь кончилась. И она была бесконечно долгой.

— Неправда, — она пыталась его утешить, но слезы застилали ей глаза. Один его вид раздирал ее сердце на части.

— Правда-правда... и ты должна... смириться с этим... Я умер... уже много лет назад... Но хуже всего то... что я убиваю тебя... Почему бы тебе не съездить развеяться в Париж?

Ему очень хотелось знать, что произошло между ней и Алексом, но он ни о чем не спрашивал. Он не хотел показывать, что обо всем осведомлен.

— Почему именно в Париж? — удивилась она.

Поехать к отцу после всего того, что произошло между ними летом? Даже мысль об этом ей невыносима.

— Я хочу... чтобы ты уехала... на некоторое время... — настаивал Джон Генри.

Она решительно покачала головой:

— Я не поеду.

— Нет, поедешь.

Они препирались точно дети, но это их совсем не развлекало.

— Не поеду.

— Черт, я хочу, чтобы ты куда-нибудь уехала!

— Хорошо, тогда я схожу прогуляться. Но это и мой дом, и ты не можешь меня просто так выгнать. — Она взяла у Джона Генри поднос и поставила его на пол. — Я просто тебе надоела. — Но он не обратил внимания на озорной огонек, мелькнувший в ее глазах, когда она пошутила: — Просто тебе нужна новая сиделка, более сексуальная.

Но он лежал, сердито сверкая глазами, в последние дни он стал ужасно несговорчивым брюзгой.

— Не болтай чепухи!

— А я и не болтаю, — мягко ответила она, наклоняясь к нему. — Я люблю тебя и не хочу никуда уезжать.

— Зато я хочу, чтобы ты уехала!

Она отодвинулась от него, он посмотрел на нее, помолчал и тихо проговорил:

— Мне хочется умереть. — Он продолжал с закрытыми глазами: — И это все, чего я хочу. И почему только... Господи, почему я все еще живу? — Он открыл глаза и посмотрел на нее. — Ответь мне. Где же справедливость? — Он как будто обвинял Рафаэллу. — Почему я не умираю?

— Потому, что ты нужен мне, — мягко сказала она, но Джон Генри покачал головой и снова отвернулся. Он долго не произносил ни слова, и когда она осторожно приблизилась, то увидела, что он крепко спит. Ей было больно оттого, что он несчастен. Это означало, что она что-то делала не так.

На цыпочках в комнату вошла сиделка, но Рафаэлла знаком остановила ее, и они осторожно удалились на короткое совещание. Они решили, что он скорее всего проспит до самого утра. У него был длинный, трудный день сегодня, и Рождество не принесло в его жизнь никакого разнообразия. Да и ничто уже не могло развлечь его. Ему все осточертело.

— Если я понадоблюсь, я у себя, — прошептала Рафаэлла и медленно спустилась в холл.

Бедный Джон Генри, он действительно влачил жалкое существование. Но Рафаэлла видела несправедливость не в том, что он все еще жил на этом свете, а в том, что он пережил несколько ударов. Не будь их, то даже в его возрасте он мог оставаться в хорошей форме. Конечно, не в той, в какой был лет в пятьдесят-шестьдесят, но все-таки он мог еще быть жизнерадостным, веселым и деятельным. Но получилось иначе, и он имел лишь то, что имел. Его жизнь угасала.

Она медленно вошла в свою комнату, думая о муже, и постепенно ее мысли переключились на другое. Она думала о своей семье, которая отмечала Рождество в Санта-Эухении, об отце и незаметно для себя стала вспоминать о прошлом Рождестве в доме у Александра. И в сотый раз за этот день она вспомнила слова Алекса, которые он сказал на побережье: «Я буду ждать... Я буду ждать...» Его голос так и звучал у нее в голове. И сидя одна-одинешенька в своей комнате, она гадала, на самом ли деле он был сейчас дома. Была половина восьмого, час, подходящий для официальных визитов, и она вполне могла пойти прогуляться. Вот только куда принесут ее ноги? А что, если пойти к нему? Глупо? Или нет? И стоит ли это делать вообще? Она знала, что не стоит, что ее место здесь, в огромном пустынном особняке Джона Генри. Время шло, и внезапно она почувствовала, что не может не пойти, пусть хоть на минутку, хоть на полчаса, только чтобы взглянуть на него. Она понимала, что это сумасшествие, но в половине девятого решила идти. Она была не в состоянии оставаться дома ни одной минутой дольше.

Рафаэлла быстро набросила красное шерстяное пальто на простое черное платье, надела высокие узкие черные сапоги, набросила на плечо черную кожаную сумку, наскоро расчесала волосы. Ее сердце колотилось от радостного ожидания, она осуждала сама себя за то, что идет к нему, и улыбалась, представляя его лицо, когда он откроет дверь. Она оставила записку, что вышла погулять и, возможно, зайдет к друзьям на огонек, на случай если ее хватятся. И как на крыльях полетела к маленькому домику, в котором не появлялась уже пять месяцев.

Увидев этот дом, Рафаэлла остановилась и долго стояла и смотрела на него. У нее было чувство, что она потерялась в чужом городе и теперь, через полгода, нашла дорогу домой. Даже не пытаясь сдержать улыбку, она перешла улицу и позвонила. За дверью послышались быстрые шаги. После небольшой паузы дверь открылась, и она увидела Алекса, боявшегося поверить своим глазам. Наконец он улыбнулся ей в ответ.

— С Рождеством! — сказали они хором и расхохотались. Он с поклоном пригласил ее войти:

— Добро пожаловать домой!

Она вошла, не сказав ни слова.

Теперь гостиная была обставлена по всем правилам. Алекс и Мэнди сами подбирали предметы обстановки, объездив множество аукционов, распродаж, универмагов, художественных галерей и антикварных лавок. То, что у них получилось, являло собой сочетание раннего американского стиля и стиля французской провинции. Стены были отделаны декоративным мехом, гостиную украшали репродукции французских импрессионистов, большое количество серебра и керамики, а также старинные книги. На каждом столе стояла огромная ваза с цветами, и в каждом углу росли комнатные растения, которые сверху донизу обвивали камин в смежной гостиной. Обивка была кремового цвета, маленькие декоративные подушки тоже были отделаны мехом. Несколько подушек Аманда связала своими руками специально для Алекса. После его разрыва с Рафаэллой она еще больше привязалась к дяде, чувствуя потребность заботиться о нем. Тем более что больше некому было это сделать. Она ворчала на него за то, что он плохо ест, ему не хватает витаминов, не высыпается, ездит слишком быстро и не следит за садом. В свою очередь Алекс подшучивал над ее мальчиками, говорил, что она не умеет готовить, не умеет краситься и одеваться и непостижимым образом помогал ей чувствовать себя самой симпатичной девчонкой на свете. Они вместе вели хозяйство, и, переступив порог, Рафаэлла сразу ощутила тепло и уют, которые исходили даже от стен этого дома.

— Как у вас уютно, Алекс!

— Правда? В основном всем этим занимается Мэнди после школы.

Он гордился своей племянницей, и хотя она была далеко, они чувствовали легкое облегчение, заговорив о ней. Словно они были не одни. А Рафаэлла немного побаивалась, что Алекс пригласит ее посидеть у камина в спальне, воспоминания о которой слишком волновали ее. Впрочем, ей не хотелось идти ни в кабинет, ни даже в кухню. Эта гостиная была такая уютная, и она ни о чем не напоминала.

Алекс предложил ей кофе и коньяк. Рафаэлла согласилась на первое, отказалась от второго и села на маленький диванчик, любуясь обстановкой. Через минуту он вернулся с кофе, и она заметила, что, когда он ставил чашку на стол, его руки дрожали не меньше, чем у нее.

— Я не была уверена, что застану тебя дома, — начала она неловко, — но решила все-таки заглянуть.

— Я же сказал, что буду дома. — Он серьезно смотрел на нее. — И сдержал слово, как видишь.

Она кивнула и отхлебнула горячего напитка.

— Как отпраздновал Рождество?

— Хорошо, — улыбнулся он, пожав плечами. — Для Мэнди это было настоящим событием, мама приехала за ней, чтобы забрать на Гавайи. Она обещала ей эту поездку уже целую вечность, кажется, они развлекутся на славу. Мама только что закончила новую книгу и нуждается в отдыхе. Как говорится, старость — не радость.

— Это ты о своей матери? — Он удивил и рассмешил Рафаэллу. — Она никогда не состарится. — И она рассказала ему новость, о которой не успела сообщить на берегу. — А у меня тоже выйдет книга. — Она покраснела и засмеялась: — Конечно, это не настоящий роман.

— Твоя книга для детей? — он искренне обрадовался за Рафаэллу.

— Мне сообщили об этом пару недель назад.

— У тебя уже есть свой агент?

— Нет. Это пробный шаг начинающего автора.

Они смотрели друг на друга и улыбались.

— Я рад, что ты пришла, Рафаэлла. Я давно хотел показать тебе эту комнату.

— А я — рассказать о своей книге.

Они болтали, точно старые друзья после долгой разлуки. А что же дальше? Прошедшего не вернешь. Рафаэлла знала это. Слишком много проблем могло возникнуть — с Кэ, с ее отцом, матерью, Джоном Генри. Жаль, что она не могла поделиться с ним кошмаром прошедшего лета.

— О чем ты думаешь?

Она задумчиво смотрела на огонь в камине, и вид у нее был подавленный.

— О прошедшем лете, — ответила она со вздохом. — Это было не лучшее время в моей жизни.

Алекс кивнул и грустно улыбнулся:

— Я так счастлив, что ты вернулась и мы можем поговорить. Тяжелее всего мне было пережить... что я не могу перемолвиться с тобой даже словечком... что не увижу тебя, когда вернусь вечером домой. Мэнди сказала, что для нее это тоже было самым трудным.

Его слова ранили Рафаэллу в сердце, и она отвернулась, чтобы он не заметил боли в ее глазах.

— Чем ты занимаешься сейчас, Рафаэлла?

Она задумчиво смотрела на огонь.

— Не отхожу от Джона Генри. В последние месяцы ему стало хуже.

— Наверно, для вас обоих это очень тяжело.

— Для него в особенности.

— А для тебя?

Он строго смотрел на нее, но она не отвечала. И тогда, не говоря больше ни слова, он наклонился и нежно поцеловал ее в губы. Она не остановила его, плохо сознавая, что они делают. Она просто целовала его, сначала нежно, а потом все с большей страстью, вкладывая в поцелуй всю свою печаль, одиночество и тоску по нему, которая накопилась в ней с этого лета. Ее словно подхватило волной, и она чувствовала, что он тоже борется с нахлынувшей страстью.

— Алекс, я не могу...

Она не могла начинать все сначала. Он кивнул.

— Я знаю. Все в порядке.

Они еще долго сидели у камина и говорили, говорили о себе, о них двоих, о том, что они пережили, что чувствовали. И неожиданно заговорили совсем о другом: о встречах с другими людьми, о забавных случаях, как будто целых шесть месяцев ждали момента, чтобы поделиться этим друг с другом. Они простились в три часа ночи, на углу ее улицы. Алекс настоял на том, чтобы проводить ее. Волнуясь как мальчишка, он решился спросить:

— Мы можем встретиться еще раз? Как сегодня?

Он не хотел пугать ее, понимая, что она живет под двойным давлением — своей семьи и своих обязательств перед мужем и собой. Она слегка задумалась и кивнула.

— Может, прогуляемся завтра по набережной?

— Завтра? — рассмеялась она. — Отлично.

— Я подъеду за тобой на машине. — Была суббота, и он был свободен. — В двенадцать — подойдет?

— Хорошо.

Чувствуя себя вновь легкомысленной девчонкой, она махнула ему рукой и ушла, улыбаясь всю дорогу до дома. Она забыла про Джона Генри, про отца, Кэ Вилард, — словом, обо всем на свете. Голова ее была занята Александром... Алексом... и их завтрашней встречей на берегу моря.

Глава 29

После этой встречи Алекс и Рафаэлла стали видеться каждый день. Они встречались на побережье или у него дома, сидели у камина, пили кофе и вели долгие разговоры о своей жизни. Она показала ему контракт, который ей прислали из Нью-Йорка, он делился новостями о своих текущих делах в суде. Они встречались в середине дня, когда Джон Генри отдыхал после обеда, и вечером, когда он отходил ко сну. Они проводили вместе только те часы, когда Джон Генри спал, и это спасало ее от чувства, что она крадет у мужа минуты, дающие ему последнюю радость в жизни. Рафаэлла проводила с Алексом только то время, когда полностью принадлежала себе самой, — полчаса здесь, около часа там, редкие свободные минуты, когда она позволяла себе дышать, думать, гулять и жить полноценной жизнью. И это были счастливейшие из тех часов, которые они когда-либо проводили вместе, часы, когда они заново открывали друг друга. Алекс и Рафаэлла познали себя самих лучше, чем за прошедший год. Хотя, возможно, за время одиночества каждый из них просто стал немного мудрее. Так или иначе, но потеря друг друга, пусть временная, не прошла для них бесследно, но отразилась на каждом по-своему. Их отношения оставались по-прежнему хрупкими и неустойчивыми, оба боялись их дальнейшего развития. Рафаэллу страшил возможный семейный катаклизм, подобный тому, что произошел летом между ней и отцом после письма Кэ, и ей, как и раньше, не давало покоя чувство, что она лишает Алекса возможности обрести новую семью. Алекс же больше всего боялся снова потерять Рафаэллу. В конце концов, он получил благословение от самого Джона Генри и не чувствовал себя ни в чем виноватым. Они медленно, шаг за шагом, приближались друг к другу. И вот однажды, первого января, она пришла к Алексу в два часа дня; Джон Генри объявил, что проспит весь день, и похоже, в самом деле собирался это сделать.

Рафаэлла поискала Алекса во дворе и позвонила в дверь, не будучи уверенной, что застанет его дома. Он открыл дверь и не смог скрыть радостного удивления.

— Вот это сюрприз! Как ты здесь очутилась?

— Зашла тебя навестить. Не помешаю? — она вдруг покраснела, подумав, что позволяет себе слишком многое, ведь у него могла быть в гостях другая женщина.

Он словно прочитал ее мысли и довольно хмыкнул.

— Нет, мадам. Вы мне абсолютно не помешаете! Хочешь кофе?

Она кивнула и последовала за ним на кухню.

— Откуда такая красотища? — Она кивнула в сторону глиняных горшков, украшавших стены.

— Сам сделал.

— Правда?

— Конечно, — улыбнулся он. — У меня еще куча талантов, о которых ты и не подозреваешь.

— Какие же, например?

Он протянул ей чашку и счастливыми глазами стал смотреть, как она отхлебывает горячий кофе.

— Не собираюсь раскрывать все свои секреты разом.

Они посидели немного в молчании, каждый наслаждался присутствием другого и, как всегда, заговорили о тысяче разных вещей. Когда они были вместе, время пролетало незаметно. Вдруг Алекс вспомнил, что у него есть рукопись последней книги матери.

— А можно мне почитать? — у Рафаэллы загорелись глаза.

— Конечно. Она лежит у меня на столе, наверху.

Они бросили недопитый кофе и почти побежали в его комнату. Она просмотрела несколько страниц и радостно взглянула на Алекса. Неожиданно она поняла, что впервые после их разрыва оказалась в его комнате. Она бросила осторожный взгляд на дверь его спальни, перевела взгляд на Алекса, и их глаза встретились. И тогда он поцеловал ее, медленно, искусно, страстно, и по ее спине прошла сладкая дрожь, когда он притянул ее к себе. Он ждал, что она остановит его, но она ничего не говорила, и его руки продолжали ласкать ее, пока наконец, будто по молчаливому согласию обоих, они медленно пошли в спальню.

Первый раз за свою взрослую жизнь он боялся того, что делает, боялся непредсказуемых последствий того неведомого чуда, что заново рождалось между ними. Он отчаянно боялся потерять ее, но Рафаэлла мягко прошептала:

— Все хорошо, Алекс. — И добавила, когда он стягивал с нее свитер: — Я так люблю тебя.

Они медленно, как будто во сне, сняли друг с друга одежду. Они не могли насытиться этой близостью, наслаждаясь каждым жестом, каждым движением, и провели в постели почти весь день. И когда, наконец, исполненные тихой радости и нежности, они насытились любовью, им показалось, что никогда раньше они не были так счастливы. Приподнявшись на локте, Алекс посмотрел на нее с улыбкой, которой она никогда раньше не видала.

— Ты и представить себе не можешь, как я счастлив, что ты со мной!

— Я так скучала по тебе, Алекс... — тихо улыбнулась она, — я так скучала.

Он кивнул и растянулся рядом, не переставая нежно ласкать ее, и вдруг снова почувствовал желание. Он не мог оторваться от нее, боясь, что она вдруг уйдет, оставив его навсегда. Он любил ее снова, и снова, и снова... И потом, уже вечером, они вместе забрались в теплую ванну, и Рафаэлла произнесла, прикрыв глаза:

— Милый, ты просто неотразим.

— Ужасно хочу спать.

Она открыла глаза и улыбнулась:

— А я должна встать и топать домой.

Было трудно представить, однако, что она в самом деле должна уходить, и странно было называть какое-то другое место домом. Ее настоящий дом был здесь, у Алекса, где жила их любовь, соединившая их души и тела. И Рафаэлле вдруг стало наплевать на угрозы отца. Она никогда не бросит Алекса. Пусть Кэ напишет о ней все, что ей вздумается. Пусть все они убираются к черту. Без этого человека ее жизнь теряла смысл.

Алекс снова поцеловал ее, пока они сидели в ванне, и она лениво заявила, что вызовет полицию, если он еще раз посмеет к ней прикоснуться. Впрочем, он устал не меньше, чем она, Алекс галантно довез ее до дома, зевнул, чмокнул на прощание и, как всегда, предоставил одной пройти оставшийся квартал.

Войдя в дом, Рафаэлла сразу почувствовала странное затишье, будто остановились все часы и замерли все звуки огромного дома. Но решив что ей это только почудилось, она с улыбкой, позевывая, стала подниматься по лестнице. Дойдя до первого пролета, она увидела двух слуг и двух сиделок, сгрудившихся у двери в спальню Джона Генри. У нее замерло сердце, она поднялась выше и остановилась.

— Что случилось?

— Ваш... — у сиделки были красные глаза, — ваш муж, миссис Филипс.

— Боже мой... — Глядя на их лица, ошибиться было невозможно. — Он... — Она боялась продолжить, и сиделка кивнула.

— Его больше нет. — И она разрыдалась, почти упав на руки другой сиделки.

— Как это произошло? — Рафаэлла медленно подошла к ним, держа спину прямо и широко раскрыв глаза. Джон Генри умер, пока она занималась любовью с Алексом. Осознание этого было похоже на пощечину, и она вспомнила отца, который назвал ее шлюхой. — С ним снова случился удар?

На мгновение все четверо смолкли, и потом сиделка, которая плакала, зарыдала еще громче, а двое слуг поспешно удалились. Тогда вторая сиделка странно посмотрела на Рафаэллу, и она поняла, что в ее отсутствие произошло что-то страшное.

— Миссис Филипс, с вами хочет поговорить доктор. Он ждет вас уже два часа. Мы не знали, где вы, но нашли вашу записку и думали, что вы скоро вернетесь.

Рафаэлла почувствовала, что ей становится дурно.

— Доктор все еще здесь?

— Он в комнате мистера Филипса, около тела. Но скоро его увезут. Доктор настаивает на вскрытии, на всякий случай.

Рафаэлла тупо посмотрела на нее и пошла в комнату Джона Генри. Она тихо постояла у постели, глядя, как он лежит. Он как будто спал, ей даже показалось, что он шевельнул рукой. Она не видела врача, стоявшего в двух шагах от нее. Она видела только Джона Генри, усталого, дряхлого и как будто спящего.

— Миссис Филипс?.. Рафаэлла!

Рафаэлла вздрогнула, услышав за спиной голос, и вздохнула, узнав того, кому он принадлежал.

— Здравствуй, Ральф. — Но ее взгляд как магнитом притягивало лицо человека, с которым она прожила пятнадцать лет. Она пока еще не поняла, что чувствует. Печаль, пустоту, сожаление, горе — что-то похожее на все это, но не больше. Она еще не могла по-настоящему осознать, что его нет. Несколько часов назад он еще говорил ей, что очень устал, и вот теперь лежит, словно в глубоком сне.

— Рафаэлла, выйдем в соседнюю комнату.

Она поплелась за ним в гардеробную, которой пользовались сиделки, и они остались там, точно заговорщики. Он грустно смотрел на Рафаэллу, и она понимала, что он хочет ей сообщить что-то важное.

— В чем дело?! Что от меня скрывают? Ведь это был не удар, правда?

Инстинктивно она почувствовала, что произошло на самом деле. И врач покачал головой, подтверждая ее худшие опасения:

— Нет, это был не удар. Это был ужасный несчастный случай. Страшная ошибка, почти непростительная, хотя и непреднамеренная. И никто не мог знать, как он себя чувствовал.

— Что вы хотите сказать? — она повысила голос, чувствуя, что почва уходит у нее из-под ног.

— Ваш муж... Джон Генри... сиделка давала ему снотворное и оставила бутылочку на ночном столике... — Он надолго замолчал, а Рафаэлла смотрела на него с нескрываемым ужасом. — Он выпил таблетки, Рафаэлла. Весь флакон. Он покончил с собой. Я не знаю, как еще это можно назвать. Но именно это он и сделал.

Он умолк, и Рафаэлла с трудом сдержалась, чтобы не закричать. Он покончил с собой... Джон Генри покончил с собой, пока она развлекалась с Алексом... Она убила его... убила почти собственными руками... Знал ли он о существовании Алекса? Или что-то чувствовал? Могла ли она предотвратить это, если бы была рядом с ним. Что, если... а вдруг он... Она широко раскрыла глаза, не поспевая за своими мыслями, не в силах вымолвить ни слова. Ей нечего было сказать. Ее отец был прав. Она убила его. Джон Генри покончил с собой. Наконец она заставила себя взглянуть на врача.

— Он не оставил мне какого-нибудь письма, записки?

Он покачал головой:

— Ничего.

— Боже мой! — сказала она, обращаясь скорее к себе самой, и упала без чувств.

Глава 30

Антуан де Морнэ-Малль прибыл из Парижа в шесть часов вечера и застал Рафаэллу глядящей на залив невидящими глазами. Она обернулась на его голос, и он заметил, что глаза у нее были словно остекленевшие. Она не ложилась со вчерашнего вечера и, несмотря на уговоры врача, отказалась принять успокоительное. Она стояла перед отцом такая усталая и еще более худая в черном шерстяном платье. Ее волосы были откинуты назад, огромные глаза на смертельно бледном лице совсем запали. Он заметил, что чулки на ней тоже черные, траурные, и ни одного украшения, кроме тяжелого золотого перстня, который она носила на левой руке вот уже пятнадцать лет.

— Папа...

Рафаэлла медленно приблизилась к нему, и его глаза внимательно изучали ее лицо. Отец сразу почувствовал, что случилось нечто страшное, нечто более ужасное, чем просто кончина мужа. Что-то такое, о чем она пока умалчивала.

— Мне очень жаль, Рафаэлла. — Он слегка ослабил ремень и опустился в кресло. — Все произошло быстро?

Она долго ничего не отвечала, глядя на залив и держа отца за руку.

— Я не знаю... Надеюсь, что да...

— Тебя не было рядом? — он с беспокойством заглянул ей в лицо. — Где ты была? — В его голосе слышалось подозрение, а она не смела поднять на него глаз.

— Меня не было дома.

Отец кивнул.

— Это был удар? Или просто остановилось сердце?

Как многие люди его возраста, он хотел знать все подробности о том, как приходит смерть, возможно, для того, чтобы быть во всеоружии, когда настанет последний час. Он снова обратил внимание на странное выражение лица своей дочери. Пока он был в пути, она твердо решила ничего ему не рассказывать, но сейчас понимала, что лгать бессмысленно. Она не сомневалась, что отец доберется до истины, будет расспрашивать слуг, сиделок, врача. Непреднамеренно или целенаправленно, но он выяснит, что произошло. Все в доме уже были осведомлены о самоубийстве. Они с врачом договорились никому не сообщать обстоятельства смерти Джона Генри, но сиделка рассказала все горничной, та дворецкому, а тот с изумленным и трагическим видом поделился новостью с шофером. Немного времени пройдет, прежде чем все подробности станут известны соседям и распространятся по городу. Джон Генри Филипс покончил с собой. Рано или поздно, но отец тоже обо всем узнает.

— Папа... — она медленно повернулась к нему и посмотрела ему в глаза. — Это был не удар. — Она на минуту зажмурилась, вцепилась в кресло, снова открыла глаза и продолжала: — Это было... он выпил таблетки, папа... — Она говорила чуть слышно, и он смотрел на нее, не понимая, в чем дело. — Я... он... он был очень подавлен в последнее время... он ненавидел свою болезнь... он был... — Она замолчала, потому что по щекам ее полились слезы, из груди вырвалось рыдание.

— Что ты хочешь сказать? — отец так и замер на месте.

— Я говорю тебе, — она набрала побольше воздуха, — что сиделка оставила на ночном столике снотворное... и он выпил его... все таблетки разом. — Наконец ей удалось выразиться достаточно ясно.

— Он покончил с собой? — ужаснулся отец, и она кивнула. — Боже, а где же была ты? Почему ты не велела сиделке убрать лекарство? Почему тебя не было рядом?

— Не знаю, папа... но ведь никто не знал, что он хочет умереть. То есть... я-то знала... он очень устал и в последнее время был очень расстроен. Но никому и в голову не могло прийти... Я не думала... я и представить не могла, что он...

— Боже мой, ты что, спятила? Как ты могла поступить так неосторожно? Как ты могла не уследить за сиделкой? Это была твоя обязанность... твой долг...

Он хотел продолжить, но Рафаэлла сползла с кресла на пол, лицо ее перекосилось от боли.

— Прекрати, папа! Прекрати! Я ничего не смогла сделать... И никто бы не смог! Никто в этом не виноват... это...

— Ты все хочешь свалить на сиделку, не так ли?

У отца был почти деловой вид, но Рафаэлла покачала головой, снова с болью взглянула на него.

— Конечно же, нет. Она ничего не могла предвидеть... это была случайность, папа.

— Случайность, которая убила твоего мужа.

Их глаза встретились, и он снова почувствовал, что она что-то от него скрывает. Он сузил глаза:

— А не кроется ли здесь еще что-нибудь, Рафаэлла? Что-то, о чем ты умалчиваешь?

Он выпрямился в кресле, глядя на дочь, как будто получил неопровержимые доказательства ее вины.

— Где ты была, Рафаэлла, когда он это сделал?

Она затравленно смотрела на отца, словно была не взрослой женщиной, а ребенком.

— Где ты была? — Он нажимал на каждое слово, и ей было нечего ему ответить.

— Я ушла из дома.

— К кому?

— Ни к кому.

Но все было бессмысленно. Он почувствовал, в чем дело, и она знала, что он все понял. На ее лице было написано раскаяние, которое говорило само за себя.

— Ты была с ним, ведь так, Рафаэлла? Ведь так?

Он угрожающе повысил голос, и, будучи не в силах сопротивляться его натиску, она просто кивнула.

— Боже мой, да ведь ты же сама убила его! Ты понимаешь это? Ты знаешь, почему он выпил эти таблетки?

Отец смотрел на нее с ненавистью, но Рафаэлла покачала головой.

— Он ничего об этом не знал, папа. Я уверена в этом.

— Да откуда у тебя такая уверенность? Слуги наверняка все знали, они все ему рассказали.

— Они бы этого не сделали, да я и не думаю, что им что-то было известно.

Она подошла к окну. Теперь ей было все равно. Самые страшные слова были им произнесены. Отец знал всю правду. И ему нечего было больше добавить. Все теперь вышло наружу — ее измена, ее предательство, ее падение, из-за которых Джон Генри оборвал свою жизнь, пошел против воли Господа.

— Так, значит, ты лгала, что не виделась с ним?

— Нет, я говорила правду. — Она снова повернулась к нему. — Мы встретились пару недель назад, случайно.

— И ты тут же прыгнула к нему в постель.

— Папа... пожалуйста...

— Разве не так? Разве не это убило твоего мужа? Подумай об этом. И ты сможешь с этим жить?

Ее глаза наполнились слезами:

— Нет, не могу.

— Ты — убийца, Рафаэлла! — Каждое слово отца жалило ее, точно змея. — Убийца и шлюха. — И поднявшись перед ней во весь рост, он продолжал: — Ты опозорила меня, и в моем сердце тебе больше нет места. Но ради спокойствия матери и моего я не позволю тебе опозорить нас еще раз. Я не знаю, какие у тебя намерения по отношению к твоему любовнику. Не сомневаюсь, что ты удрала бы к нему через минуту после того, как положишь Джона Генри в могилу. Но этому не бывать, моя милая! И не надейся! То, что ты собираешься делать потом, не мое дело. Ты уже справедливо замечала, что давно стала взрослой женщиной. Аморальной, низкой, но несомненно взрослой. Через год, по истечении траура, можешь снова предаваться грязному разврату. Но этот год ты будешь вести себя прилично! Ради меня, ради матери, в память о человеке, которого я искренне любил. После похорон ты с матерью вылетишь в Испанию. И проживешь там этот год. Я беру на себя все заботы о твоем имуществе, в любом случае это займет много времени. Через год ты сможешь вернуться и делать все, что тебе вздумается. Но один год, всего лишь один, ты обязана посвятить памяти человека, которого отправила на тот свет. Если бы тебя посадили за это в тюрьму, ты бы провела там остаток жизни. Но то, что ты совершила, и так будет преследовать тебя всю твою жизнь. — Он неторопливо дошел до двери и обернулся. — Будь готова вылететь в день похорон. Я не желаю к этому больше возвращаться. Год траура по человеку, которого ты толкнула на самоубийство, не такая уж большая цена за содеянное.

Рафаэлла смотрела, как он уходил, и по ее щекам катились слезы.

На следующий день утром ей позвонил Алекс. Они скрывали новости от газетчиков, но на третий день уже все газеты сообщили о случившемся. Джон Генри Филипс умер. После нескольких ударов. Он был прикован к постели и целых восемь лет был совершенно беспомощен. В статьях вскользь упоминалось о Рафаэлле, его второй жене, единственном близком человеке, который бессменно был рядом с ним все эти годы. Затем говорилось о корпорации, которую он создал, о фортуне, которая неизменно ему сопутствовала, о важных международных проблемах, которые он разрешил. Но все это не представляло интереса для Алекса. Он ошеломленно уставился в газету, которую купил на улице по дороге на работу.

Он остановился, несколько минут изучая статьи, и бегом вернулся домой, чтобы позвонить Рафаэлле. Он не мог понять, почему она не пришла к нему прошлой ночью, и боялся подумать, что она решила снова прервать их отношения, чувствуя вину за то, что они сделали. Но теперь его интересовало только одно — что она почувствовала, узнав, что Джон Генри умер, когда они занимались любовью. Это говорило ему гораздо больше, чем обширная газетная статья. В ней указывалось точное время смерти, и Алекс вычислил, что это произошло либо когда Рафаэллы не было дома, либо вскоре после ее возвращения. Он представил картину, которая открылась ей сразу после возвращения из его спальни, и внутренне содрогнулся, набирая номер. Она подошла к телефону лишь через несколько минут после того, как ему ответил дворецкий. Ее голос звучал тихо и безжизненно. Но когда она услышала Алекса, Рафаэллу так и затрясло. Он был живым напоминанием о том, чем она занималась, когда ее муж глотал снотворное.

— Рафаэлла, — мягко произнес он, — я только что прочитал обо всем в газете. Мне очень жаль... — последовала пауза. — У тебя все хорошо?

— Да, — медленно произнесла она. — Прости... я была занята, когда ты позвонил.

Они выбирали костюм для Джона Генри, и с лица ее отца не сходило выражение осуждения и скорби по ушедшему из жизни другу.

— Похороны завтра, — произнесла она холодно и мрачно, и Алекс с телефоном в руках сел прямо на ступеньки и закрыл глаза.

Все ясно. Она считала себя виноватой в смерти мужа. Алекс должен был с ней увидеться. Чтобы все обсудить. И взглянуть ей в глаза.

— Я увижу тебя после похорон, Рафаэлла? Хоть на минутку? Я только хочу знать, что у тебя все в порядке.

— Спасибо, Алекс. У меня все хорошо.

Она отвечала как автомат, и Алексу вдруг стало страшно. Похоже, она была не в себе, словно впала в какой-то транс.

— Так мы увидимся с тобой?

— Завтра я уезжаю в Испанию.

— Завтра? Но почему?

— Возвращаюсь к родителям. Отец считает, что я должна на время траура переселиться к ним.

Господи! Алекс помотал головой. Что случилось? Что они с ней сделали? Что они ей наговорили?

— И как долго продлится траур?

— Один год, — ответила она бесстрастным голосом.

Алекс остолбенел. Так она уезжает на целый год? Он снова теряет ее. Алекс знал это и понимал, что на этот раз, возможно, это к лучшему. Если она связывает смерть Джона Генри с их воссоединением, их отношения навсегда будут омрачены ее воспоминаниями. Он знал только, что ему необходимо с ней увидеться. Пусть на минуту, пусть на несколько секунд, но он должен был вернуть ее к реальности, напомнить, что он любит ее, что они не сделали ничего плохого и что не их любовь стала причиной смерти Джона Генри.

— Рафаэлла, мы должны увидеться.

— Я не думаю, что смогу.

Она через плечо посмотрела на отца, находившегося в соседней комнате.

— Но ты должна. — Алексу пришла в голову идея. — Встретимся на лестнице, где я впервые тебя увидел. Спустись вниз, я буду ждать тебя. Всего на пять минут, Рафаэлла... всего лишь, пожалуйста!

Он так умолял, что ей стало его жаль. Но она знала, что чувства в ней умерли. Она ничего не чувствовала ни по отношению к Алексу, ни к Джону Генри, ни даже к себе самой. Она стала убийцей. Исчадием ада. Но Алекс-то не был виноват в смерти Джона Генри. Его было не за что наказывать.

— Зачем ты хочешь меня видеть?

— Чтобы поговорить.

— А если кто-нибудь нас увидит?

Впрочем, даже если и так, что с того? Самый тяжкий грех в своей жизни она уже совершила. Отец все знал о ее связи с Алексом, и она была вместе с ним, когда Джон Генри покончил с собой. Почему бы им и не встретиться, если Алексу это принесет облегчение? Завтра она уезжает в Испанию.

— Никто нас не увидит. И я не задержусь дольше, чем на несколько минут. Ты придешь?

— Да.

— Через десять минут я буду там.

Она повесила трубку. Через десять минут Алекс уже нервно прохаживался около нижней ступеньки, где впервые увидел ее в свете фонаря, закутанную в рысье манто. Но сейчас Рафаэлла ничем не напоминала ту прекрасную незнакомку, залитую светом. Она спустилась вниз, одетая в черное, углубленная в себя. Черное платье, ни грамма косметики, черные чулки, черные туфли и взгляд, который ужаснул его своей отрешенностью. Алекс не смел приблизиться к ней. Он стоял и ждал, пока она спустится и остановится прямо перед ним.

— Привет, Алекс.

Можно было подумать, что она тоже покончила с жизнью. Или кто-то другой убил ее, что, собственно, и сделал ее отец.

— Рафаэлла... девочка... — он хотел подойти ближе, но не смел и просто с мукой смотрел на нее. — Давай сядем.

Он опустился на ступеньку и жестом предложил ей сделать то же самое. Она села рядом на холодную ступеньку, как маленький робот, и положила щеку на поджатые колени.

— Я хочу, чтобы ты рассказала мне о своих чувствах. У тебя такой потерянный вид, что мне становится страшно. Я боюсь, что ты коришь себя за то, в чем не виноват никто. Джон Генри был старик, Рафаэлла, он был болен и слаб. Ты ведь сама мне об этом не раз говорила. Он устал жить, он хотел умереть. Это был лишь вопрос времени.

Рафаэлла холодно улыбнулась, качая головой, точно сожалея, что он так наивен.

— Это не случилось само собой, Алекс. Я убила его. Он не умер во сне, как сообщили газеты. Вернее, конечно, умер, но не естественной смертью. Он выпил целую упаковку снотворного. — Она помолчала, чтобы до него лучше дошел смысл ее слов. — Он покончил с собой.

— Господи! — Алекс отшатнулся, словно его ударили, и в ту же минуту понял, что именно в ее голосе так испугало его и что теперь он читал в ее лице. — Но ты уверена, Рафаэлла? Он оставил записку?

— Нет, в этом не было нужды. Он просто это сделал. Отец уверен, что он все про нас знал и таким образом я убила его. Так говорит отец, и он прав.

Алексу захотелось прикончить ее отца, если бы это было возможно, но он промолчал.

— Но откуда он мог узнать?

— У него больше не было причин так поступать.

— Он сделал это, потому что чертовски устал жить такой жизнью, Рафаэлла. Сколько раз он сам говорил тебе об этом?

Но она качала головой, не желая ничего слушать. Алекс хотел доказать, что они невиновны, но она слишком хорошо знала, в чем ее вина.

— Ты мне не веришь?

— Нет. Я считаю, что отец прав. Кто-то рассказал ему о нас, возможно, кто-то из слуг или соседи, которые видели нас вдвоем.

— Нет, Рафаэлла, ты ошибаешься, — он с нежностью смотрел на нее. — Слуги тут ни при чем. Это сделала моя сестра, когда ты уехала в Европу.

— Боже мой! — Рафаэлла была на грани обморока, и Алекс взял ее за руку.

— Все было по-другому. Кэ хотела нас разлучить, но вышло иначе. Секретарь Джона Генри позвонил мне как-то раз и попросил прийти к вам в дом.

— И ты пошел? — Она была ошеломлена.

— Пошел. Он был прекрасный человек, Рафаэлла. — У него на глазах заблестели слезы.

— Что между вами произошло?

— Мы долго разговаривали. О тебе. Обо мне, кажется, тоже. Он благословил нас, Рафаэлла. — Слезы текли из глаз Алекса. — Он велел мне заботиться о тебе, потом...

Алекс приблизился к ней, но она отпрянула. Благословение было теперь не в счет. Даже Алекс это понимал. Слишком поздно.

— Рафаэлла, дорогая, не позволяй им издеваться над тобой. Не позволяй им отбирать то, о чем мы мечтали, что уважал даже Джон Генри, то, что делает нас обоих правыми.

— Но мы не правы. Мы все, все делали неправильно.

— Неужели это возможно? — он взглянул ей прямо в лицо. — Ты правда так думаешь?

— Разве у меня есть выбор, Алекс? Как я могу думать иначе? То, что я сделала, убило его. Неужели ты и вправду считаешь, что я не сделала ничего предосудительного?

— Да, как считал бы любой другой, кто узнал бы обстоятельства, в которых ты очутилась. Тебе не в чем себя винить, Рафаэлла. Если бы Джон Генри был жив, он сказал бы тебе то же самое. Ты уверена, что он не оставил тебе записки?

Он заглянул ей в глаза. Было странно, что Джон Генри ничего ей не объяснил, он показался Алексу добрым человеком. Но она только снова покачала головой.

— Ничего. Когда это случилось, врач все кругом осмотрел, и сиделка тоже. Но они ничего не нашли.

— Ты уверена? — Она снова кивнула. — И что теперь? Едешь к мамочке в Испанию замаливать грехи? — Снова кивок. — А потом? Ты вернешься сюда? — Он боялся даже представить, каким бесконечно долгим будет этот год.

— Я не знаю. Мне придется вернуться, чтобы уладить кое-какие дела. Я выставлю дом на продажу. А потом... — она помолчала, — я думаю вернуться в Париж или в Испанию.

— Рафаэлла, это безумие. — Он крепко стиснул ее тонкие пальцы. — Я люблю тебя. Я хочу на тебе жениться. И нет причин, чтобы нам не сделать этого. Мы не сделали ничего плохого.

— Сделали, Алекс, — она медленно высвободила свои руки. — Сделали. Я не должна была так поступать.

— И ты собираешься нести это бремя до конца своих дней?

Но страшнее всего было то, что он всегда будет напоминать ей о случившемся, и Алекс понимал это. Он потерял ее. Так произошло по воле судьбы, из-за помешательства уставшего от жизни старика, из-за дьявольских интерпретаций происшедшего ее отцом. Он потерял ее. Словно зная, о чем он думает, Рафаэлла кивнула и поднялась. Она долго смотрела на него и потом тихо прошептала:

— Прощай.

Она не прикоснулась к нему, не поцеловала и не ждала ответа. Она просто повернулась и пошла наверх, и Алекс смотрел ей вслед, ошеломленный тем, что она сделала с ними обоими. Он терял ее в третий раз. И знал, что на этот раз навсегда. Она дошла до замаскированной двери в сад, толкнула ее и исчезла из глаз. Она не оглянулась, за дверью было тихо, как в могиле. Алекс простоял на месте, как ему показалось, целую вечность и медленно, чувствуя себя мертвецом, поднялся по ступенькам, сел в машину и уехал.

Глава 31

Похороны постарались сделать насколько возможно скромными. Тем не менее в маленькой церквушке собралась по крайней мере сотня человек. Рафаэлла вместе с отцом и матерью сидела на передней скамье. По щекам отца текли слезы, а мать, не стесняясь, рыдала по человеку, которого почти не знала. Сразу же за их спиной сидело с полдюжины родственников, сопровождающих мать Рафаэллы на протяжении всего пути из Испании. Среди них были брат Александры, две сестры, кузина с дочерью и сыном. Все эти люди прибыли сюда якобы для того, чтобы поддержать как Рафаэллу, так и Александру, однако Рафаэлла чувствовала, что они скорее играли роль тюремных надзирателей, призванных сопроводить ее до самой Испании. Так ни разу и не всплакнув, она отсидела всю похоронную церемонию, рассеянно смотря на гроб, покрытый покрывалом из белых роз. Ее мать позаботилась о цветах, отец — обо всем остальном. Рафаэлле больше ничего не оставалось, кроме как сидеть в своей комнате и размышлять о том, что она наделала. То и дело она думала об Алексе, вспоминала его лицо во время их последней встречи, слова, которые он ей говорил. Она твердо знала, что все, о чем он думал, было неправдой. Ее вина была слишком очевидной, что и подтверждал ее отец. Алекс же просто пытался смягчить ее вину. Было странно осознавать, что почти одновременно она потеряла их обоих. Джона Генри и Алекса. И теперь, сидя в оцепенении, она знала, что никого из них уже не вернуть. Медленно, одна за другой, на глаза наворачивались слезы, они неумолимо скатывались по ее щекам и падали на ее изящные худые руки. В течение всей церемонии Рафаэлла ни разу не шевельнулась. Она сидела, словно преступник на скамье подсудимых, которому нечего сказать в свою защиту. На какой-то миг ей захотелось вскочить и закричать, что она не хотела его убивать, что она невиновна, что это все — ошибка. Но она не была невиновной и напомнила себе самой об этом. Она была виновна. И теперь за это заплатит.

Когда служба закончилась, они в молчании отправились на кладбище. Джона Генри должны были похоронить рядом с могилой его первой жены и их сына. Глядя на могильную насыпь, под которой лежали их останки, Рафаэлла подумала, что ей никогда уже не суждено будет лежать рядом с ним. Похоже, ей не придется даже жить в Калифорнии. Через год она вернется сюда на несколько недель, чтобы собрать кое-какие вещи и продать дом. А затем пройдут годы, и однажды она тоже умрет, и похоронят ее где-нибудь в Европе. Во всяком случае ей это казалось более реальным. У нее не было никаких прав лежать рядом с ним. Она была женщиной, которая убила его, его убийцей. Было бы богохульством хоронить ее на его земле. Священник прочитал последнюю молитву у свежей могилы, и она встретила взгляд отца, который, показалось ей, думал о том же.

В молчании они все вернулись в дом, и Рафаэлла вошла в свою комнату. Она почти упаковала свои вещи. Ей нечего было делать и ни с кем не хотелось разговаривать. Вся семья знала, что здесь произошло. Ее тетки, дядьки, кузины, хотя и не были посвящены в детали всех событий, были осведомлены, что Джон Генри покончил жизнь самоубийством. И в их глазах Рафаэлла читала немой укор за то, что была в этом виновата. Ей было легче не видеть их, не видеть их глаз и лиц. Она сидела в своей комнате, словно заключенный, ожидая своей участи и завидуя мужеству Джона Генри. Будь у нее такая же бутылочка с таблетками, она бы их приняла. Ее жизнь потеряла смысл, и Рафаэлла была бы рада умереть. Но она знала, что должна понести наказание. Смерть — слишком легкое избавление. Ей оставалось жить, зная о том, что она сделала в Сан-Франциско, терпеливо перенося тяготы и косые взгляды членов семьи в Испании. Она знала, что, спустя сорок-пятьдесят лет, они будут рассказывать всю эту историю, подозревая, что осталось что-то такое, о чем они так и не узнали. И скорее всего история эта будет дополняться пересудами и намеками на существование Алекса. Люди будут судачить о Рафаэлле, которая обманывала своего мужа.. вы помните, он еще покончил с собой... не знаю, сколько ему было лет, может быть, тридцать... и вы знаете, это она убила его.

Нарисовав себе эту картину, она разрыдалась, спрятав лицо в ладони. Она плакала, думая о детях, которые никогда не узнают правды о том, что с ней здесь случилось; она плакала, думая об Алексе; о том, что произошло; о Мэнди, которую она уже никогда не увидит; и, наконец, о Джоне Генри. Рафаэлла вспоминала, что значил в ее жизни этот человек, который так долго любил ее; думала о том, как он сделал ей предложение, когда они гуляли по набережной Сены. Так она просидела одна, проплакав несколько часов подряд, потом тихо вошла в его спальню и в последний раз посмотрела на все, что здесь оставляла.

В девять к ней поднялась мать и сказала, что пора собираться, чтобы ехать в аэропорт. Она не закрывала рта весь долгий час до отлета. С половины одиннадцатого вечера до шести утра по нью-йоркскому времени, а в семь они должны были вылететь в Испанию. Самолет приземлится в Мадриде в восемь вечера по местному времени. Рафаэлле предстояли длинное путешествие и бесконечно длинный год. Дворецкий поднял ее огромные чемоданы и понес вниз, а она в последний раз огляделась и медленно последовала за ним, зная, что уже никогда больше не будет жить в этом доме. Ее дни в Сан-Франциско закончились. Закончилась их жизнь с Джоном Генри. Минуты радости с Алексом оборвались катастрофой. Жизнь потеряла смысл.

— Готова? — ласково спросила мать, а в глазах Рафаэллы была пустота, которая поразила Алекса сегодня утром. Рафаэлла кивнула, и они вышли из дома.

Глава 32

Весной из Сан-Франциско прислали копию макета книги для детей, которая должна была быть издана в конце июля. Рафаэлла равнодушно пролистала ее, словно не она была автором. Казалось, что она начала работу над книгой тысячу лет назад, и теперь та уже не представляла для нее никакого интереса. Она чувствовала полное безразличие ко всему, что ее окружало. Она не интересовалась ни судьбой детей, ни своих родителей, ни кузин, ни даже собственной участью. Ей было решительно на все наплевать. В течение пяти месяцев она как заведенная вставала по утрам, натягивала на себя черное платье, шла к завтраку, затем возвращалась в спальню, где отвечала на письма, которые по-прежнему пачками приходили к ней из Сан-Франциско, — соболезнования, на которые она отвечала с примерной последовательностью, холодно и формально. К обеду она снова выходила из спальни, а после вновь исчезала в своей комнате. Время от времени Рафаэлла выходила на прогулки перед ужином, но при этом тщательно избегала любого общества и отнекивалась всякий раз, когда кто-нибудь набивался ей в компанию.

По общему мнению, Рафаэлла слишком серьезно относилась к своему трауру, избегая любого общества. Сразу же после возвращения она поняла, что не хочет оставаться в Мадриде надолго. Для того чтобы остаться одной, она решила уехать в Санта-Эухению, и родители с этим согласились. В Испании ее матери и всем остальным членам семьи нужно было носить траур, все вдовы и дети усопших всегда носили черную одежду. Впрочем, даже для Парижа этот обряд не был чем-то из ряда вон выходящим. Однако рвение, с которым Рафаэлла предалась всем обычаям траура, странным образом шокировало всех остальных. Было похоже, что она сама наказывала себя во искупление неких тайных грехов. Три месяца спустя мать предложила ей поехать в Париж, однако это предложение было встречено решительным отказом. Она хотела тихо жить в Санта-Эухении и никуда оттуда не переезжать. Она сторонилась любого общества, даже компании матери. Насколько могли об этом судить окружающие, вдова ничем особенным себя не утруждала, лишь только уединялась в своей комнате, чтобы ответить на бесконечный поток писем с соболезнованиями, и время от времени выходила одна на прогулки.

Среди писем, присланных ей после приезда сюда, было и длинное сердечное послание от Шарлотты Брэндон. В довольно прямых, но мягких выражениях она сообщила, что Алекс объяснил ей обстоятельства гибели Джона Генри, и выражала надежду, что случившаяся болезнь Джона Генри привела его когда-то к душевному краху, что в свете контраста между тем, каким он был раньше и каким беспомощным стал потом, будучи еще безумно влюбленным в Рафаэллу, его жизнь фактически превратилась для него в тюрьму, из которой он мечтал убежать. И поэтому то, что он сделал, хотя это и трудно понять всем оставшимся в живых, стало для него истинным освобождением. «Несмотря на то, что его поступок был проявлением эгоизма, — писала Шарлотта Рафаэлле, — я надеюсь, ты поймешь и примешь его без укоров в свой адрес и самобичевания». Она уговаривала Рафаэллу принять случившееся как данность, оставаться благодарной Джону Генри в своей памяти, пощадить себя и жить дальше. Она умоляла Рафаэллу подумать о себе самой, как бы ни кощунственно казалось ей это делать.

Это было единственное письмо, на которое Рафаэлла ответила не сразу, а долго, в течение нескольких часов, раздумывала, сидя в своей башне, украшенной слоновой костью. Письмо Шарлотты несколько недель безответно лежало на ее столе. Рафаэлла попросту не знала, как на него отвечать. В конце концов она ответила просто, выразив свою благодарность за теплые слова и добрые советы и в конце добавила, что, если Шарлотте доведется быть в Европе, она будет рада видеть ее в Санта-Эухении, чтобы провести в ее обществе несколько дней. Как ни трудно было Рафаэлле примириться с родством Шарлотты и Алекса, она была благодарна этой женщине и была бы искренне рада с ней повидаться. Приглашая Шарлотту погостить, Рафаэлла не ожидала получить от нее вестей до конца июня. Шарлотта и Мэнди только что отправились в Лондон на презентацию новой книги Шарлотты. После должна была начаться работа над киносценарием — так что дел у Шарлотты было невпроворот. Но в программу входили поездки в Париж и Берлин. Будучи в Европе, Шарлотта ломала голову над тем, как бы ей слетать в Мадрид, повидаться там со своими друзьями. Шарлотта с Мэнди рвались увидеться с Рафаэллой, но не знали, смогут ли соблазнить ее приехать в Мадрид или им придется самим добираться до Санта-Эухении. Они все-таки решили поехать к ней, и Рафаэлла была глубоко этим тронута. Она не посмела им отказать, хотя и сделала попытку отговорить. Она объясняла, что ей неудобно оставлять Санта-Эухению, что ей нужно присматривать за детьми и принимать бесчисленных маминых гостей. Но все это были лишь отговорки. С тех пор как другие члены семьи стали съезжаться на лето, Рафаэлла уносила в свою комнату еду на подносе. Для большинства испанцев в таком поведении не было ничего необычного, но мать Рафаэллы была крайне обеспокоена состоянием дочери.

Письмо, которое Рафаэлла адресовала Шарлотте в Париж, лежало на специальном столике для почты, готовое к отправке. Но в тот день, когда Рафаэлла оставила его там, один из племянников сгреб всю почту в свой рюкзак, чтобы опустить в городе в почтовый ящик, но по дороге вместе со своими сестрами зашел в магазин купить леденцов и случайно где-то выронил письмо. Возможно, Рафаэлла придумала всю эту историю, чтобы оправдаться перед Шарлоттой, которая позвонила, чтобы узнать, почему не получила от нее ни строчки за последний месяц.

— Можно нам приехать к тебе в гости?

Рафаэлла выдержала паузу, чувствуя себя в ловушке.

— Ко мне? Но здесь такая жара, вы с ума сойдете! Вообще-то не думаю, что вам здесь понравится, и кроме того, мне не хочется вас затруднять.

— Тогда приезжай в Мадрид, — доброжелательно ответила Шарлотта.

— Я действительно не могу уехать отсюда, хотя мне бы очень этого хотелось, — все это было откровенной ложью.

— Похоже, что у нас нет выбора. Как насчет завтра? Мы можем взять напрокат автомобиль и приехать к тебе после завтрака. Что ты об этом думаешь?

— Три часа провести за рулем только ради того, чтобы увидеть меня? О, Шарлотта, мне ужасно неловко!

— Брось! Для нас это удовольствие, только бы у тебя все было в порядке. — На какой-то миг Шарлотта засомневалась, действительно ли Рафаэлла хочет с ними видеться. Она подумала, что слишком давит на Рафаэллу, которая, быть может, вовсе не желает с ними встречаться. Возможно, каждое лишнее напоминание об Алексе чересчур для нее болезненно. Однако по голосу Рафаэллы Шарлотта поняла, что она была бы искренне рада их увидеть.

— Было бы здорово повидаться с вами обеими!

— Я не могу дождаться встречи с тобой, Рафаэлла. Мэнди теперь не узнать! Ты не знаешь, она же осенью едет в Стэнфорд.

Рафаэлла неожиданно улыбнулась. Мэнди... ее Аманда... было так приятно думать, что она снова будет жить с Алексом. Он в ней очень нуждался, да и она в нем тоже.

— Я очень рада. — Но потом не удержалась и спросила: — А как Кэ?

— Она проиграла на выборах, ты, наверно, знаешь. Хотя ты об этом могла узнать еще до твоего отъезда. Это была ее последняя попытка.

Рафаэлла узнала обо всем из газет, но Алекс не захотел с ней обсуждать свою сестру в тот короткий период возобновления их отношений. Из-за Аманды его отношения с сестрой окончательно расстроились, а Рафаэлле было интересно, что бы он сказал, если бы знал о письме Кэ ее отцу. Он, наверное, убил бы ее. Но Рафаэлла никогда ему об этом не рассказывала. И теперь она была почти рада такому обстоятельству. Какое это имело значение? С их совместной жизнью было покончено, а Кэ, в конце концов, оставалась его сестрой.

— Дорогая, завтра мы к тебе приедем, тебе что-нибудь привезти из Мадрида?

— Ничего, кроме вас самих. — Рафаэлла с улыбкой повесила трубку.

Однако весь остаток дня она нервно шагала по комнате из угла в угол. Почему она позволила себя уговорить? Как ей себя вести, когда они приедут? Она не хотела видеть ни Шарлотту, ни Аманду, она не хотела ничего, что могло бы ей напомнить о ее прежней жизни. У нее теперь новая жизнь в Санта-Эухении. Это все, что она могла себе позволить. Зачем ворошить прошлое?

Когда Рафаэлла спустилась к ужину, ее мать заметила, что у нее дрожат руки. Она взяла себе на заметку и решила поговорить об этом с Антуаном. Она считала, что Рафаэлле следовало обратиться к врачу. Уже несколько месяцев на ней лица не было. Несмотря на превосходную солнечную погоду, Рафаэлла не выходила из своей комнаты и оставалась бледной как тень. Она потеряла по крайней мере пятнадцать-двадцать фунтов веса с тех пор, как они вернулись из Сан-Франциско, и по сравнению с другими домочадцами выглядела по-настоящему нездоровой, с ее огромными, печальными глазами на осунувшемся лице.

Рафаэлла сообщила матери, что завтра к ней приезжают две гостьи из Мадрида.

— Собственно, они из Штатов.

— Да? — Александра обрадовалась. Все-таки это было хоть какое-то разнообразие в жизни Рафаэллы. Ведь она даже не хотела общаться со своими старыми друзьями в Испании. Александра еще не видела, чтобы к трауру относились так серьезно. — Кто эти люди, дорогая?

— Шарлотта Брэндон и ее внучка.

— Писательница? — удивилась Александра. — Она читала несколько ее книг, переведенных на испанский, и знала, что Рафаэлла прочла все ее романы без исключения.

Рафаэлла с отсутствующим взором кивнула и направилась к себе в спальню.

Она не выходила до следующего утра, пока одна из служанок не постучалась к ней в комнату.

— Донна Рафаэлла... к вам гости.

Она стучала очень тихо, боясь потревожить госпожу. Однако дверь распахнулась, и Рафаэлла увидела испуганную пятнадцатилетнюю девушку в костюме горничной.

— Спасибо. — Рафаэлла улыбнулась и направилась к лестнице. Она так волновалась, что почувствовала, как ноги становятся ватными. Странно, но за это время она не встретилась ни с одним из своих друзей, и поэтому сейчас не знала, как начать разговор. Одетая в элегантное черное платье, купленное матерью в Мадриде, по-прежнему в черных чулках, бледная как полотно, она спускалась по лестнице.

Шарлотта ждала ее внизу и, когда увидела Рафаэллу, непроизвольно шагнула ей навстречу. Она впервые видела глубоко несчастную, измученную женщину, словно олицетворявшую саму печаль, одетую в черное платье и с глазами, полными скорби. Но Шарлотту она встретила с улыбкой, за которой было не спрятать глубокой тоски. Казалось, что с тех пор, как они виделись в последний раз, Рафаэлла переселилась в другой мир. Шарлотта с трудом сдержалась от того, чтобы не расплакаться. Кое-как она справилась с собой и прижала к себе внучку. Обнимая Аманду, она любовалась утонченной красотой Рафаэллы, которая в определенном смысле обострилась. Это была настоящая красота, такая, которую никогда нельзя понять до конца. Принимая гостей, Рафаэлла была грациозна и гостеприимна. Она очаровала их обеих, показывая им дом, сады, фамильную церковь, построенную ее великим дедом. Она познакомила их со всеми детьми, игравшими со своими няньками в парке, разбитом специально для них. Шарлотта поймала себя на мысли, что это неплохое местечко, где можно провести лето. Это был осколок иной жизни, иного мира, но никак не место для молодой женщины, желающей себя похоронить.

— Ты не хочешь вернуться в Сан-Франциско? — разочарованно посмотрела на нее Шарлотта.

Но Рафаэлла отрицательно покачала головой.

— Нет. В конце концов мне, конечно, придется вернуться, чтобы продать дом, но это можно сделать и не уезжая отсюда.

— И ты не поедешь ни в Париж, ни в Мадрид?

— Нет. — Она сказала это твердо, а затем улыбнулась Аманде. Но Аманда почти ничего не говорила. С момента приезда она не отрывая глаз смотрела на Рафаэллу, словно на призрак мертвеца. Это была не Рафаэлла. Все это было похоже на сон. И подобно Шарлотте, Мэнди едва сдерживалась, чтобы не расплакаться. Она могла думать только о том, когда они счастливо жили вместе с Алексом. Она могла их видеть вместе каждый раз, когда возвращалась из школы. Но теперь, когда она смотрела на Рафаэллу, та ей казалась незнакомкой, иностранкой, лишь смутно напоминавшей прежнюю Рафаэллу. Они почувствовали облегчение, когда Рафаэлла предложила пойти искупаться. И, как и прежде, Рафаэлла попыталась преодолеть свои чувства с помощью долговременного изнуряющего плавания, которое дало Шарлотте долгожданную возможность пообщаться с ней с глазу на глаз.

И теперь, когда они расположились рядом в удобных креслах в глухом уголке сада, Шарлотта нежно ей улыбнулась.

— Рафаэлла... могу я поговорить с тобой на правах старой подруги?

— Конечно. — И она вздрогнула, словно испуганная лань: ей не хотелось отвечать ни на какие вопросы и объяснять свои поступки. Теперь это было ее жизнью. И в нее она никого не хотела пускать.

— Мне кажется, ты слишком терзаешь себя. Я вижу это по твоему лицу, по выражению твоих глаз, по тому, как ты разговариваешь... Рафаэлла... что я могу тебе сказать? Что вообще можно было бы сказать тебе, чтобы освободить тебя? — Рафаэлла отвернулась так, чтобы не было видно, как наворачиваются слезы на ее глазах. Она делала вид, будто смотрит в сторону сада, но потом медленно и грустно ответила:

— Я больше никогда не стану свободной, Шарлотта.

— Но такой жизнью ты посадила себя в тюрьму. Ты приняла на себя вину за деяния, которых ты никогда не совершала. Я всегда буду думать, что твой муж устал от жизни, и, если ты себя перестанешь винить, ты тоже это поймешь.

— Я этого не понимаю. И никогда не пойму. Собственно, это не имеет никакого значения. У меня была полноценная жизнь. Пятнадцать лет я была замужем. Я больше ничего не хочу. Я теперь здесь. Я приехала домой.

— Если не учитывать того, что это больше не твой дом, Рафаэлла. Ты рассуждаешь как старая женщина.

Рафаэлла улыбнулась:

— Я такой себя чувствую.

— Это же дико, — и затем на какой-то миг она взглянула в глаза Рафаэлле, — почему бы тебе не поехать с нами в Париж?

— Сейчас? — Рафаэлла выглядела так, будто ее ударило током.

— Сегодня вечером мы возвращаемся в Мадрид, а завтра улетаем в Париж. Ну, как тебе идея?

— Довольно безумная, — Рафаэлла нежно улыбнулась.

Это ей было совершенно не по душе. Уже год она не была в Париже и не испытывала никакого желания ехать туда.

— Подумай об этом.

Но Рафаэлла грустно покачала головой:

— Нет, Шарлотта, я хочу остаться здесь.

— Но почему? Почему ты должна так поступать? Эта жизнь не для тебя.

Теперь наконец она решилась задать вопрос, о котором думала целый день:

— Как Алекс? У него теперь все в порядке?

Он уже дважды посылал ей письма, но она не ответила ни на одно из них. Он был ошеломлен тем, что случилось: ее отъездом, ее молчанием, ее упорным нежеланием с ним встречаться.

— Он справляется.

Но это ему давалось гораздо труднее, чем тогда с Рэчел. Она уже не была уверена, что он сможет быть таким, как прежде. Она не знала, стоит ли об этом говорить Рафаэлле. Она боялась, что Рафаэлла не выдержит, если ей придется принять на себя еще одну вину.

— Ты ведь ему ни разу не написала?

— Нет, — она посмотрела Шарлотте прямо в глаза, — я думала, что для него будет лучше, если я порву с ним раз и навсегда.

— Однажды ты так уже думала, не правда ли? И тогда ты тоже ошибалась.

— Тогда все было по-другому. — Рафаэлла посмотрела на собеседницу. Она вспомнила сцену, которая год назад произошла с ее отцом в Париже. Каким бы это все ни было значительным и важным, для нее это сейчас не играло никакой роли. Кэ проиграла свои столь важные для нее выборы. Рафаэлла потеряла Алекса, Джон Генри погиб... Рафаэлла посмотрела на Шарлотту. — Кэ написала письмо моему отцу, в котором рассказала о наших с Алексом отношениях. В письме она умоляла его остановить нас... что он и сделал.

Увидев, какое впечатление эта новость произвела на Шарлотту, она решила не рассказывать ей о письме Джону Генри. Это было еще большей жестокостью. Она улыбнулась матери Алекса.

— Он угрожал рассказать об этом моему мужу. Он считал меня эгоисткой, потому что я разрушила жизнь Алекса тем, что не могла выйти за него замуж и родить ему детей. В тот момент я думала, что у меня нет выбора.

— А теперь?

— Отец хотел, чтобы я приехала сюда на год. Он считал, что это для меня крайняя мера, — она перешла на полушепот, — после убийства Джона Генри.

— Ты не убивала его. — Наступила минутная пауза. — Что произойдет через год? Твоя семья будет несчастной, если ты уедешь отсюда?

— Не знаю. Все равно, Шарлотта. Я не уеду. Это часть меня. Я хочу здесь остаться.

— Что общего у тебя с этим местом?

— Я не хочу это обсуждать.

— Черт возьми, прекрати себя терзать! — Она встала и взяла Рафаэллу за руки. — Ты молода и хороша собой, ты умна, у тебя доброе сердце, ты заслуживаешь полноценной счастливой жизни, мужа, детей... с Алексом или еще с кем-нибудь, это твое дело. Но ты не можешь заживо погрести себя здесь, Рафаэлла.

Рафаэлла осторожно отняла руки.

— Нет, могу. Я не могу жить в другом месте после того, что я сделала. Кого бы я ни касалась, кого бы я ни любила, за кого бы я ни вышла замуж, я буду думать о Джоне Генри и об Алексе. Одного я убила, другому разрушила жизнь. Какое право я имею касаться еще чьей-нибудь жизни?

— Ты никого не убивала, и никому ты жизнь не разрушала. Боже, почему я не могу объяснить тебе! — Она знала, что все уговоры бессмысленны. Рафаэлла заперлась в своей собственной темнице и никого не слышала. — Значит, ты не поедешь в Париж?

— Нет, — она нежно улыбнулась, — спасибо вам за приглашение. А Мэнди выглядит просто замечательно.

Это было сигналом к тому, что Рафаэлла больше не желает разговаривать о себе, обсуждать свои решения. Вместо этого она предложила посмотреть розовый сад в дальнем конце их имения. К ним присоединилась Аманда, и через некоторое время им уже пора было уезжать. С сожалением она проводила их, а затем вернулась в свой большой особняк, прошла вдоль мраморного коридора и медленно поднялась по ступеням.

Как только взятая напрокат машина Шарлотты выехала из главных ворот, Аманда разревелась.

— Но почему бы ей не поехать в Париж?

Глаза Шарлотты тоже были полны слез.

— Потому что она хотела этого, Мэнди. Она хочет погрести себя заживо здесь.

— Ты не могла с ней поговорить? Боже мой, она так плохо выглядит, она выглядит так, будто это она умерла, а не он.

— В определенном смысле, так оно и есть, — слезы катились по щекам Шарлотты.

Они выехали на автостраду, ведущую в Мадрид.

Глава 33

В сентябре уже Александра стала уговаривать Рафаэллу уехать. Остальные члены семьи разъехались, кто в Барселону, кто в Мадрид, а Рафаэлла приняла решение провести зиму в Санта-Эухении. Она говорила, что ей надо работать над новой книгой для детей, но это было слабой отговоркой. Она потеряла всякий интерес к писательскому труду и вполне это осознавала. Но мать ее настаивала, чтобы Рафаэлла поехала с ними в Мадрид.

— Мама, я не хочу.

— Ерунда, тебе там будет лучше.

— На что мне это? Я все равно не могу ходить ни в театр, ни в оперу, ни в гости.

Ее мать задумчиво посмотрела на микроавтобус, на котором они должны были ехать в Мадрид.

— Рафаэлла, прошло уже девять месяцев. В конце концов, ты уже имеешь право выходить вместе со мной.

— Спасибо, — она уныло посмотрела на свою мать, — но я хочу остаться здесь.

Обсуждение продолжалось где-то около часа. Когда же разговор закончился, Рафаэлла скрылась в своей комнате, чтобы снова сесть у окна и смотреть на сад, думать, мечтать. Письма приходили ей гораздо реже. Книги она читать перестала. Теперь она просто сидела, иногда думая о Джоне

Генри, иногда об Алексе, о тех минутах, которые они разделяли вместе. Она, видимо, будет вечно вспоминать свою поездку в Париж, когда отец выгнал ее из дома, назвав шлюхой. Потом она вспомнила, как вернулась домой и увидела, что случилось с Джоном Генри, как приехал отец и назвал ее убийцей. Она просто будет сидеть в своей комнате, смотреть в окно, ничего там не замечая, бездельничать, мечтать и постепенно деградировать. Ее мать боялась теперь уехать из Санта-Эухении. В поведении Рафаэллы было много настораживающего. Она постоянно как будто отсутствовала, словно безумная, и ко всему оставалась безразличной. Никто не видел, как она ела. Она ни с кем не разговаривала, пока к ней не обращались с вопросами, она не шутила, ничего ни с кем не обсуждала и никогда не смеялась. Было ужасно видеть ее такой. Но в конце сентября ее мать наконец настояла:

— Мне все равно, что ты скажешь, Рафаэлла, но я беру тебя с собой в Мадрид. Ты не можешь запереться здесь.

Александра не собиралась проводить здесь остаток осени. Ей хотелось развлечений, и она не могла понять, как может вести такую жизнь тридцатичетырехлетняя женщина. Рафаэлла упаковала вещи и поехала с матерью в Мадрид, не проронив в дороге ни единого слова. Храня гробовое молчание, она поднялась по лестнице в комнату, которую всегда занимала в доме своей матери. Она так незаметно влилась в повседневное течение событий, что никто даже не обратил внимания на ее появление, ни братья, ни сестры, ни кузины, ни тетки и дядьки. Они просто смирились с ее стилем жизни.

Сезон ее мать начала с раунда вечеринок. Радость и смех, танцы — все это наполняло атмосферу дома каждый день. Она дала несколько приемов, пригласила целую армию друзей в оперу, устроила несколько больших и не очень больших обедов в свою честь. К концу декабря Рафаэлла уже больше не могла этого выносить. Ей казалось, что в какое бы время она ни спустилась вниз, в столовую, каждый раз там окажется по крайней мере человек сорок в вечерних платьях и черных смокингах. А ее мать просто категорически запретила ей приносить еду в комнату. Она считала, что это негигиенично и что, несмотря на ее траур, она должна по крайней мере питаться с матерью и с ее гостями. Помимо этого, считала мать, ей пойдет на пользу общение с гостями, с чем Рафаэлла не была согласна. На исходе первой недели декабря она решила уехать. Она зарезервировала себе билет на самолет до Парижа, объяснив это сильным желанием повидаться с отцом. Ей всегда было непонятно, как могли уживаться вместе ее мать, такая взбалмошная, капризная, общительная, и ее отец — такой серьезный и строгий. Ответ был один: отец ее жил в Париже, а мать — в Мадриде. Теперь он очень редко приезжал в Испанию. Он ощущал себя слишком старым для фривольных развлечений Александры, и теперь Рафаэлла вынуждена была признаться, что чувствует то же самое.

Она позвонила отцу, чтобы сообщить о своем приезде и сказать ему, что ее приезд его ни к чему не обяжет. В его доме у нее также была комната. Когда она набрала номер, его не было дома, трубку подняла новая служанка. Она решила сделать ему сюрприз и вспомнила, что не была у него уже год, с тех пор как поссорилась с ним из-за Алекса. Но теперь, за девять месяцев монашеской жизни в Испании, она уже успела искупить часть своих грехов. Она знала, что отец одобрял ее аскетическое поведение, и теперь, после столь жестоких обвинений против нее, он, может быть, отнесется к ней не так строго.

Самолет, летевший в Париж, был наполовину пуст. В аэропорту Орли она взяла такси, и, когда машина подъехала к дому, она с восхищением посмотрела на роскошный особняк отца. Каждый раз, когда она сюда возвращалась, она чувствовала себя довольно странно. В этом доме она жила ребенком и теперь ощущала себя не взрослой женщиной, а маленькой девочкой.

Этот дом ей также напоминал о Джоне Генри, его ранних поездках в Париж, их долгих прогулках по Люксембургскому саду, по набережным Сены.

Она позвонила в дверь, и ей открыла какая-то незнакомая девушка. Это была служанка в накрахмаленном платье, с кислым выражением лица, толстыми черными бровями. Она испытующе посмотрела на водителя такси, который заносил в комнату чемоданы.

— Я вас слушаю.

— Меня зовут Мадам Филипс, я дочь месье де Морнэ-Малля. — Юная служанка кивнула, не выражая ни удивления, ни интереса по поводу ее приезда. Рафаэлла улыбнулась. — Мой отец дома?

Служанка опять кивнула, глядя на нее странным взглядом.

— Он наверху.

Было уже восемь часов вечера, и Рафаэлла не была уверена, что застанет отца дома. Но она знала, что он будет или сидеть дома в одиночестве, или же уйдет вечером к кому-нибудь в гости. Было бы совершенно невероятным увидеть здесь многочисленных праздновеселящихся гостей, как в доме ее матери. Ее отец был в хорошем смысле менее компанейским человеком и предпочитал встречаться с людьми в ресторанах, а не дома.

— Я пойду встречусь с ним, — вежливо сказала Рафаэлла девушке, — не могли бы вы быть столь любезной и попросить кого-нибудь из слуг принести мой багаж в мою комнату. — И потом, сознавая, что, быть может, девушка не знает ее комнаты, добавила: — В большую голубую спальню на втором этаже.

— Ой, — вскрикнула служанка и вдруг осеклась, испугавшись сказать лишнее, — да, мадам. — Она кивнула и поспешила в кладовую. Рафаэлла же тем временем поднялась по лестнице. Никакой особой радости по поводу приезда сюда она не испытывала, но здесь было по крайней мере спокойно, и она могла укрыться от постоянной суеты, царившей в доме ее матери в Испании. После этого второго переезда она решила, что, как только продаст свой дом в Сан-Франциско, обязательно обзаведется своим уголком. Она подумывала о том, чтобы купить небольшой участок земли неподалеку от Санта-Эухении, построить там небольшой домик по соседству с основным имением. А пока он будет строиться, она сможет жить в Санта-Эухении. Это будет для нее великолепным поводом не жить в городе. Все это она также хотела обсудить с отцом. Он занимался управлением ее собственности с тех пор, как она уехала из Сан-Франциско. И теперь она хотела узнать, в каком состоянии находятся ее дела. Через несколько месяцев она собиралась вернуться в Калифорнию и закрыть дом навсегда.

На миг она в нерешительности застыла возле больших, искусно инкрустированных двойных дверей в кабинет ее отца, но затем решила сначала зайти в свою комнату, снять пальто, помыть руки и причесаться. Она не торопилась встретиться с отцом. Она предположила, что он сейчас читает в своей библиотеке или просматривает документы, покуривая сигару.

Ни на минуту не прекращая думать о том, что она делает, она повернула большую бронзовую шарообразную ручку двери и вошла в прихожую своей комнаты. Прежде чем войти, ей пришлось открыть две пары двойных дверей. Когда же она наконец вошла, ей сначала показалось, что она ошиблась комнатой. Перед ней была высокая крупная блондинка, которая сидела за ее туалетным столиком. В голубом кружевном пеньюаре с пушистым воротником. Она встала и пошла навстречу Рафаэлле, разглядывая ее с бесстыдным любопытством. Рафаэлла обратила внимание, что ее голубые сатиновые тапочки подобраны в тон к пеньюару. На какой-то бесконечный миг Рафаэлла застыла, не в состоянии понять, кто такая эта женщина.

— Я вас слушаю.

Она властно глядела на Рафаэллу. Рафаэлла же решила, что ее сейчас попросят выйти из собственной комнаты. И тут она сообразила, что у ее отца могут быть гости, а она приехала сюда без предупреждения. Но это казалось немного странным, ведь она могла спокойно переночевать в желтой или золотой гостиной на третьем этаже. Но ей даже не пришло в голову задаться вопросом, почему отец поселил своих странных гостей в ее покоях, а не в гостиной.

— Простите, я думала... — она не знала, что ей делать: то ли войти в комнату и представиться, то ли вообще исчезнуть без слов.

— Кто пустил вас сюда?

— Я не уверена... Похоже, что новая служанка. — Рафаэлла любезно улыбнулась ей, но женщина лишь злобно спросила у нее, так, что Рафаэлле почудилось, будто этот дом принадлежит этой крупной женщине.

— Кто вы?

— Рафаэлла Филипс. — Она слегка смутилась, а женщина тотчас же остановилась. Рафаэлле показалось, что она уже где-то видела ее раньше. Ее лицо, походка казались Рафаэлле знакомыми, но она не могла вспомнить, где они встречались. В будуар вошел ее отец. На нем был красный шелковый халат, волосы были хорошо уложены и напомажены. Однако на нем не было ничего, кроме слегка распахнутого халата. Было видно его мохнатую седую грудь и босые ноги.

— Ой! — Рафаэлла отпрянула, будто вошла в дверь, в которую никогда не должна была входить. Но теперь отступать было уже поздно. Она застала момент их тайного свидания, и это совершенно сразило ее! — О, Боже! — Теперь Рафаэлла стояла как вкопанная, глядя на своего отца и на блондинку, которая была женой одного из самых влиятельных членов кабинета министров Франции.

— Пожалуйста, оставь нас вдвоем, Жоржетта. — Голос его был строгим, но лицо выражало волнение. Женщина покраснела и отвернулась. — Жоржетта... — Он сказал это мягким голосом, указывая взглядом на будуар. Женщина исчезла. Отец и дочь остались вдвоем. Он плотно запахнул халат. — Могу я спросить, что ты здесь делаешь, в этой комнате, почему ты меня не предупредила?

Она долго глядела на него, прежде чем ответить. Неожиданно гнев, который она могла бы испытывать год назад, вдруг проявился в ней с такой силой, что она не могла с ним справиться. Медленным шагом она шла ему навстречу, глядя на него с таким выражением, которое он еще никогда не видел в ее глазах. Он инстинктивно оперся о спинку стула, стоявшего рядом с ним. При виде своей дочери в таком состоянии у него внутри все похолодело.

— Что я здесь делаю, папочка? Я приехала к тебе в гости. Я думала, что приезжаю в Париж увидеться со своим отцом. Это что, удивительно? Возможно, я должна была позвонить и предупредить. Но я решила, почему бы мне не сделать тебе сюрприз. А почему я стою в этой комнате? Да потому, что обычно она считалась моей. Но вот что гораздо более любопытно: что ты делаешь в этой комнате, папа? Ты, проповедующий в своих бесконечных речах мораль святоши. Ты, который вышвырнул меня год назад из этого дома, назвав шлюхой. Ты, который назвал меня убийцей, потому что я, дескать, убила моего семидесятисемилетнего мужа, который уже девять лет до этого был почти мертвецом?.. А если у господина министра завтра случится сердечный приступ, ты что же, папочка, тоже будешь убийцей? Что, если он обнаружит у себя раковую опухоль и решит покончить с собой, чтобы облегчить страдания? Ты примешь вину и накажешь себя, как наказал меня? А что, если афера с его женой сломает ему политическую карьеру? А что будет с ней, папа? Берешь ли ты в расчет ее интересы? Что ты от нее скрываешь? Какое ты имеешь право заниматься всем этим, когда моя мать сидит в Мадриде? По какому праву ты занимаешься тем, чем я не имела права заниматься с человеком, которого любила? Почему?.. Как ты посмел?! — Она стояла перед ним, дрожа, и кричала ему в лицо. — Как ты посмел так со мной поступить год назад? Ты вышвырнул меня из дому и послал в Испанию, сказав, что не хочешь жить под одной крышей со шлюхой. Хорошо, теперь ты сам живешь со шлюхой под одной крышей, папочка! — В истерике она указала рукой на будуар, и прежде чем он успел ее остановить, она открыла дверь и увидела блондинку, которая сидела в кресле эпохи Людовика XVI и утирала слезы носовым платком. — Добрый день, мадам!

Она повернулась к отцу:

— И до свидания. И не проведу ни одной ночи в этом доме, ведь я шлюха... Это не я шлюха, папочка, и не эта госпожа, это ты... ты... — Она почти кричала. — То, что ты сказал мне в прошлом году, почти убило меня. Почти год я терзала себя по поводу того, что сделал Джон Генри. Тогда, когда любой убеждал меня, что я невиновна, в том, что он сделал, потому что был слишком стар, болен и несчастен. Только ты обвинил меня и назвал шлюхой. Ты сказал, что я обесчестила тебя, что я могла вызвать скандал, который бы втоптал в грязь твое доброе имя. И что же ты, черт возьми! Как насчет нее? — Она едва заметно кивнула в сторону дамы в голубом пеньюаре. — Не думаешь ли ты, что это будет скандал скандалов? Как насчет твоих слуг? А что скажет господин министр? Его избиратели? А что подумают твои клиенты в банке? Тебе это не все равно? Или же это только я могу навлечь на тебя позор? О, Боже! То, что я сделала, — это еще цветочки. И ты имеешь на это право, потому что тебе так захотелось! Кто я такая, чтобы говорить тебе, что делать, чего не делать, что правильно, а что нет? Но как ты посмел называть меня так? — На миг она остановилась, захлебываясь от желания разрыдаться, затем продолжила: — Я никогда не прощу тебя, папа... Никогда!

Он смотрел на нее, дрожа всем телом, постарев за эти минуты почти на сорок лет. На его лице видна была боль, так он переживал ее слова.

— Рафаэлла... Я был не прав... Я был не прав... Это случилось потом. Я клянусь. Это началось нынешним летом.

— Мне все равно, когда это началось! — Огненным взором она смотрела то на него, то на его избранницу, плакавшую в кресле. — Когда я это сделала, ты назвал меня убийцей. Теперь ты делаешь то же самое, и все в порядке! Я собиралась провести остаток своей жизни в Санта-Эухении, поедая свою душу. И ты знаешь почему. Все из-за тех слов, которые ты мне сказал. Потому что я верила тебе. Потому что я чувствовала себя бесконечно виновной, и я приняла на себя пожизненную печаль за все это.

Она вышла из будуара к двери основной комнаты. Он последовал за ней, спотыкаясь, и только на миг она остановилась и обернулась к нему с презрением в глазах.

— Рафаэлла... Прости меня...

— За что мне тебя прощать, отец? За то, что я тебя разоблачила? Ты не мог приехать ко мне, рассказать это? Ты не мог приехать и сказать, что ты уже не думаешь, что я убила мужа? Ты не мог мне сказать, что ты многое переосмыслил и решил, что был не прав? Если бы я не застала тебя, когда бы ты ко мне приехал сказать все это? Когда?

— Не знаю... — Его голос так охрип, что он почти шептал. — Через некоторое время... Я бы...

— Что бы ты? — Она покачала головой. — Я не верю тебе. Ты никогда бы этого не сделал. И на все это время, пока ты бы развлекался со своей любовницей, я бы похоронила себя в Испании. Ты можешь жить спокойно, зная обо всем этом? Можешь? Если кто и разрушил чью-то жизнь, так это только ты. Ты почти уничтожил мою жизнь.

С этими словами она хлопнула дверью. Она спустилась по лестнице и заметила, что ее багаж все еще внизу. Трясущимися руками она взяла чемоданы, а дамскую сумочку накинула на плечо. Открыла дверь и направилась к ближайшей стоянке такси. Она знала, что стоянка должна быть сразу за углом. Рафаэлла была в таком состоянии, что могла бы дойти пешком до аэропорта, чтобы побыстрей улететь назад в Испанию. Когда она поймала такси, дрожь в ее теле еще не унялась. Она села в такси, приказала водителю ехать в Орли, а сама откинулась на подголовник и заплакала. По щекам ее потекли слезы.

Неожиданно она почувствовала гнев и ненависть к отцу. Какой лицемер! А как же ее мать? Как быть со всеми его обвинениями? Все, что он сказал?.. Но, переживая все это на пути в аэропорт, она вдруг подумала, что у всех есть свои слабости, и у него, и у нее, и у матери, все же живые люди... Может быть, она действительно не убивала Джона Генри. Может быть, он просто сам не хотел больше жить.

Сидя в самолете на пути в Мадрид, она глядела в ночное небо, обдумывая все это. И впервые в этом году она почувствовала освобождение от своего бремени вины и боли. Ей вдруг стало жаль своего отца, и она тихо рассмеялась, вспомнив, как нелепо он выглядел в этом красном халате рядом с этой крупной блондинкой в голубом пеньюаре, с пуховым воротником вокруг ее толстой шеи. Когда самолет приземлился в Мадриде, она уже смеялась про себя и с улыбкой на лице вышла из самолета.

Глава 34

На следующее утро Рафаэлла спустилась к завтраку. Ее лицо было, как обычно, худым и бледным, но в глазах был заметен какой-то другой, необычный блеск. Она выпила кофе и охотно рассказала матери, что обсудила с отцом все их совместные дела.

— Но, в таком случае, почему ты не могла просто позвонить ему?

— Потому что думала, что все это займет гораздо больше времени.

— Но это же глупо! Почему ты не осталась в гостях у отца?

Рафаэлла тихо поставила свою чашку кофе:

— Потому что я хотела вернуться сюда как можно скорей, мама.

Александра почувствовала что-то подозрительное и внимательно посмотрела Рафаэлле в глаза.

— Почему?

— Я еду домой.

— В Санта-Эухению? — Александра обеспокоенно посмотрела на нее. — Ради Бога, только не это. Останься хотя бы до Рождества в Мадриде, и мы поедем туда все вместе. Я так не хочу, чтобы ты сейчас туда ехала. Там слишком мрачно в это время года.

— Я это знаю, но я не туда собираюсь ехать. Я имею в виду Сан-Франциско.

— Что? — Александру будто током ударило. — Вы это обсуждали с отцом? Что он сказал?

— Ничего. — Рафаэлла почти смеялась про себя, вспомнив, как он выглядел в своем красном халате. — Это мое решение. — То, что она узнала о своем отце, освободило ее окончательно. — Я хочу уехать домой.

— Не будь смешной, Рафаэлла, вот твой дом. — Широким взмахом руки она обвела огромные залы дома, принадлежавшего их семье уже сто пятьдесят лет.

— Частично да, но и там у меня тоже есть свой дом. Я хочу туда уехать.

— Что ты там будешь делать? — Ее мать выглядела совершенно несчастной. Сначала она пряталась в Санта-Эухении, словно раненая лань, а теперь решила упорхнуть. Но ей пришлось признать некоторую логику в ее поведении. Это был маленький проблеск, мерцание, напоминание о той Рафаэлле, которой она была когда-то. Она попрежнему была молчалива и странна, замкнута в себе, и даже сейчас она не говорила о том, что собиралась делать. Александра забеспокоилась: неужели опять отец ей сказал что-то такое, из-за чего она едет в Америку? Было ли это снова чем-то очень неприятным? Вообще-то еще не успел миновать год со времени гибели ее мужа.

— Почему бы тебе не дождаться весны?

Рафаэлла отрицательно покачала головой.

— Нет, я уезжаю.

— Когда?

— Завтра. — Она решила это в тот же момент, когда говорила. Потом поставила чашку кофе и посмотрела матери в глаза. — Я не знаю, сколько там пробуду, когда вернусь. Единственное, что я могу сказать, так это то, что, когда я отошла от всего, что со мной случилось, я пришла в ужас. Я должна вернуться.

Мать знала, что это было правдой. Но она боялась потерять ее. Она не хотела, чтобы Рафаэлла оставалась в Штатах. Она была испанкой.

— Почему бы тебе не попросить отца заняться всеми твоими делами? — Так поступала Алехандра сама.

— Нет. — Рафаэлла твердо посмотрела на нее. — Я больше не ребенок.

— Ты не хочешь поехать с одной из своих кузин?

Рафаэлла уклончиво ответила:

— Нет, мама. Со мной все будет в порядке.

Она еще раз попыталась убедить Рафаэллу, но это было бесполезно, а Антуан получил ее послание слишком поздно. На следующий день трясущимися руками он набрал код Испании. Он боялся, что Рафаэлла рассказала матери обо всем и тем самым уничтожила их совместную жизнь. Но узнал только, что Рафаэлла улетела утром в Калифорнию. Было слишком поздно ее останавливать, но Алехандра попросила его позвонить ей и уговорить вернуться.

— Я не думаю, что она послушается, Александра.

— Тебя она послушается, Антуан.

Услышав эти слова, он вспомнил сцену, происшедшую два дня назад в Париже. Он был благодарен Рафаэлле за то, что она не рассказала об этом своей матери. Теперь ему только и оставалось, что покачать головой.

— Нет, она меня не послушает, Александра. Теперь уже нет.

Глава 35

Прозрачным декабрьским днем, в три часа дня, самолет приземлился в Сан-Франциско. Светило солнце, воздух был теплым, дул свежий ветерок. Рафаэлла вздохнула полной грудью, удивляясь, что столько времени могла обходиться без этого живительного воздуха. Ей было радостно просто от осознания того, что она здесь, и, сама взяв в руки свои чемоданы, поскольку ее никто не встречал, она почувствовала себя свободной, независимой и сильной. На этот раз ее не поджидал роскошный лимузин и она выходила из самолета, как все, по общему трапу. Ее никто не сопровождал до таможни, она прошла ее вместе с другими пассажирами, и ей это даже понравилось. Она устала быть все время под опекой, под наблюдением. Пришло время, когда она сможет о себе позаботиться. Она предупредила, что приезжает, хотя в доме Джона Генри осталось всего несколько человек. Большинство из прежних служащих были уволены ее отцом; кто-то получил пенсию, кому-то пришлось удовольствоваться небольшой суммой, оставленной для них Джоном Генри. Но так или иначе, все они сожалели о том, что на их глазах закончилась целая эра. Никто не сомневался, что Рафаэлла никогда не вернется в этот дом, и тем больше было изумление оставшихся слуг, когда они получили известие о ее прибытии.

Такси затормозило у парадного подъезда, она позвонила, и ее встретили теплыми, радушными улыбками. Все были рады снова видеть ее, рады, что в доме появилась еще одна душа, и в то же время все подозревали, что возвращение Рафаэллы предвещает большие перемены. В этот вечер ее ждал вкусный домашний ужин — фаршированная индейка, сладкий картофель с аспарагусом и яблочный пирог. В буфетной слуги единодушно сошлись на том, что она стала худой как тростинка, что у нее усталый вид и что редко у кого увидишь такие грустные глаза. Но она выглядела лучше, чем в прошлом году в Санта-Эухении, но никто из слуг, конечно, не мог этого знать.

Чтобы доставить им удовольствие, она поужинала в столовой, а потом неторопливо обошла весь дом. Он был пустым, унылым, холодным, реликт из древних веков, и она понимала, что у этого дома нет будущего. Даже если она останется жить в Сан-Франциско, что еще не было решено, ей все равно не понадобится этот старинный особняк. Он всегда наводил на нее тоску. И он всегда будет напоминать ей о Джоне Генри, особенно о последних годах его жизни.

Если она решит остаться в Сан-Франциско, если она останется, ей потребуется небольшой домик... как у Алекса в Вальехо... Как она ни старалась, она не могла о нем не думать. Было просто невозможно, зайдя в ее спальню, не вспоминать о тех ночах, когда она нетерпеливо ждала минуты, чтобы пойти к нему. Рафаэлла оглядывала свою спальню и снова думала об Алексе, о том, что могло произойти в его жизни за последний год. Она ничего не знала ни об Алексе, ни о Шарлотте и не надеялась, что когда-нибудь еще узнает. Она не думала встречаться с ней или Алексом... У нее не было намерений звонить ему и сообщать о своем возвращении. Она вернулась, чтобы вспомнить о Джоне Генри, закрыть дом, забрать необходимые вещи; она вернулась, чтобы еще раз взглянуть на себя. Она больше не считала себя убийцей, ей надо было продолжать жить. И она знала, что ей необходимо вернуться сюда, где все произошло, и взглянуть прошлому прямо в лицо, прежде чем жить дальше, здесь, в Сан-Франциско, или в Испании. Для нее не имело значения, где лучше остаться. Но то, что случилось, оставит свой отпечаток на всей ее дальнейшей жизни. Она знала это слишком хорошо. Так она тихо бродила из комнаты в комнату, стараясь не расслабляться и не думать об Алексе и не позволять, чтобы снова возвращалось чувство вины за то, что Джон Генри сам ушел из этой жизни.

Была уже почти полночь, когда она решилась войти в его спальню. Она долго стояла там, вернувшись мысленно к тем дням, когда проводила в этой комнате долгие часы, читая вслух, разговаривая с ним, слушая его, подавая подносы с ужинами и обедами. Она вспомнила стихи, которые он так любил слушать, медленно подошла к книжной полке и стала искать книгу, словно именно за этим сюда и пришла. Она нашла тонкую книжицу на нижней полке, куда кто-то ее засунул.

Обычно он держал ее на ночном столике у кровати. Рафаэлла вспомнила, что видела ее там в то утро... и на следующий вечер... Ей вдруг захотелось узнать, не читал ли он эти стихи перед самой смертью. Это была странная, романтическая мысль, которая вряд ли могла ей что-либо прояснить. Но, опустившись рядом с кроватью Джона Генри, она почувствовала себя словно ближе к нему, держа в руках книгу и вспоминая, как они первый раз читали ее вместе. Это было во Франции, в их медовый месяц. Эту тонкую книжицу он купил, когда был молодым. Тихо улыбаясь, она принялась листать ее и вдруг остановилась на привычном месте, где текст разделялся голубой страницей. У нее замерло сердце, когда она увидела, что вся страница была покрыта корявыми значками, которыми Джон Генри пытался писать в последние годы жизни. Он словно хотел оставить ей что-то, последние важные слова... И, начав читать, она окончательно убедилась, что это была его предсмертная записка. Она бросила взгляд на подпись, и глаза ее наполнились слезами.

Она снова прочитала его послание от начала до конца, и слезы потекли по ее щекам.

Моя дорогая Рафаэлла!

Это бесконечный вечер, завершающий бесконечную жизнь. Яркую жизнь. Ставшую еще более яркой, когда появилась ты. Ты была мне бесценным подарком, любимая. Бриллиантом чистой воды. Ты никогда не прекращала приносить мне радость, счастье, ты внушала мне благоговение. И теперь я только прошу тебя о прощении. Я долго думал обо всем. Я долго мечтал о том, чтобы стать свободным. Я ухожу, не спросив у тебя позволения, но надеюсь, что с твоего благословения. Прости меня, моя милая. Я оставляю тебе свою любовь. Вспоминай обо мне, как об обретшем свободу.

Преданный тебе
Джон Генри.

Она прочитала его письмо снова и снова. «Вспоминай обо мне, как об обретшем свободу». Все-таки он оставил ей письмо. У нее словно гора упала с плеч. Он просил у нее п р о щ е н и я. Как это все бессмысленно и абсурдно. И как она сама ошибалась... обретший свободу. Теперь она поняла его и благословила, а он умолял ее об этом целый год. И благословение вернулось к ней. Потому что впервые за этот год Рафаэлла ощутила себя свободной. Она медленно шла по дому, зная, что они оба обрели свободу. Она и Джон Генри. Он так хотел преодолеть себя, и он это сделал. Он выбрал для себя единственный верный путь. И теперь она тоже была свободна. Свободна, чтобы уйти... чтобы преодолеть себя. Она снова была самой собой. Ей вдруг захотелось позвонить Алексу и рассказать ему о письме, но она не могла себе этого позволить. Это будет попыткой вторгнуться в его жизнь. А ей так много хотелось рассказать ему! Джон Генри умер не из-за них. Он просто ушел из жизни.

Когда она медленно вошла в свою спальню, было три часа ночи. Она думала о двух мужчинах в ее жизни с нежностью и любила их обоих больше, чем когда-либо. Они все стали свободными... все трое. В конце концов.

* * *

На следующее утро Рафаэлла вызвала агента по недвижимости, произвела опись имущества, обзвонила несколько музеев, библиотеки Калифорнийского и Стэнфордского университетов и транспортную компанию, чтобы нанять грузчиков. Пришло время уходить. Она приняла решение. Она еще не знала, куда пойдет и что будет делать, но ей пора было уходить из дома, где она жила вместе с Джоном Генри. Возможно, пора было ехать в Европу, но она не была в этом уверена. Письмо Джона Генри «отпустило» ей ее грех. Она аккуратно свернула его и спрятала в сумочку, намереваясь позднее положить его в банковский сейф вместе с другими важными бумагами. Этот клочок бумаги был для нее самым важным документом в жизни.

К концу недели она передала в музеи то, что хотела, и университетские библиотеки пополнили свои хранилища их книгами. Она оставила себе лишь те, что они читали вместе, и конечно, томик стихов, в котором он оставил ей свою последнюю записку. Она уже успела рассказать отцу о письме Джона Генри, когда он позвонил из Парижа. На другом конце провода воцарилось долгое молчание, и затем последовали сбивчивые извинения за то, что он ей когда-то наговорил. Рафаэлла заверила отца, что не держит на него зла. Но, повесив трубку, каждый из них задумался о том, что былого не вернуть, не забыть горьких слов, что уже произнесены, и что нет бальзама для ран, которым никогда не зарасти. Но Джон Генри освободил Рафаэллу даже от обиды, подарив ей бесценный подарок — правду.

Рафаэлла как во сне смотрела на слуг, пакующих последние коробки. На все ушло около двух недель, а на следующей неделе, под Рождество, Рафаэлла собиралась улетать в Испанию. Здесь ее ничего не удерживало. Дом почти продали женщине, которая была от него просто без ума, но ее мужу еще требовалось некоторое время на раздумье. Мебель сдали на аукцион, всю, кроме нескольких вещей, которые Рафаэлла отправляла матери в Испанию. Здесь больше нечего было делать, и на последние несколько дней перед отъездом из Сан-Франциско Рафаэлла собиралась переехать в гостиницу. Здесь не осталось ничего, кроме воспоминаний, бродящих по дому как привидения. Воспоминания об обедах в столовой, вместе с Джоном Генри — на Рафаэлле шелковое платье и нитка жемчуга... о вечерах у камина... воспоминания о том, как она впервые вошла в этот дом. Теперь придется запаковать в чемодан воспоминания и забрать их с собой, подумала она про себя, закончив сборы. Было шесть часов вечера, до Рождества оставалась ровно неделя. Уже почти стемнело. Повар приготовил ей яичницу с беконом, и это было именно то, что ей требовалось. Сидя прямо на полу в слаксах цвета хаки, она со вздохом медленно обвела взглядом особняк Джона Генри. Все было готово к отправке на аукцион и в Испанию. Доедая яичницу, она в который раз возвращалась мыслями к Алексу и тому дню, когда они встретились на берегу, ровно год назад. Она подумала, не встретит ли его снова, если поедет туда, и улыбнулась своей наивной надежде на чудо. С этим тоже было кончено.

Рафаэлла отнесла тарелку на кухню, чувствуя странное удовольствие от того, что обслуживает себя сама в этом странном покинутом особняке. Теперь здесь не было ни книг, ни телевизора, ни письменного стола. У нее мелькнула мысль сходить в кино, но потом она решила пойти прогуляться и пораньше лечь спать. У нее еще были кое-какие дела на завтрашнее утро, и надо было купить билет на самолет в Испанию.

Рафаэлла медленно спускалась вниз по улице, разглядывая ухоженные, симпатичные особняки, и знала, что ей не будет их недоставать, когда она уедет. Дом, по которому она будет тосковать, был гораздо меньше и скромнее, покрашенный бежевой краской, с яркими цветущими клумбами во дворе. Ноги сами привели ее к этому дому, она вдруг обнаружила, что находится от него в двух шагах. На самом деле она не хотела приходить сюда. И в то же время ей хотелось еще раз ощутить дыхание любви, которую она здесь испытала. Она простилась с особняком Джона Генри, настала очередь домика Алекса. Может, это прощание поможет ей потом обрести новый дом, может быть, когда-нибудь она встретит человека, которого полюбит, как любила Джона Генри и Алекса.

Незаметно для себя Рафаэлла подошла совсем близко, словно бабочка, летящая на свет. Она как будто только и ждала всю неделю этого момента, чтобы прийти сюда, снова увидеть этот дом, чтобы осознать, как много он для нее значил, и сказать «прощай» если не людям, то хотя бы этому месту. В доме не было огня, и она поняла, что он пуст. Она подумала, что Алекс мог уехать в Нью-Йорк, и вспомнила, что Мэнди учится в колледже. Возможно, она отправилась на рождественские каникулы к матери или на Гавайи с Шарлоттой. Все эти люди казались сейчас Рафаэлле жителями другой планеты. Она долго стояла, глядя на темные окна, вспоминая, что она пережила, и желая Алексу счастья, где бы он ни был. Она не видела, что дверь гаража открылась, а на углу остановился черный «порше», за рулем которого сидел высокий мужчина, не веривший своим глазам. Он был почти уверен, что на другой стороне улицы стояла Рафаэлла и смотрела на окна его дома. Но он знал, что этого не может быть, что это наваждение, сон. Женщина, стоявшая там, казалась выше и совсем худой, на ней были старые слаксы цвета хаки и толстый белый свитер, волосы были затянуты в хорошо знакомый пучок. Она до странного напоминала Рафаэллу какой-то особой, только ей присущей пластикой. Но он знал, что она в Испании, его мать рассказала, что она поставила крест на своей жизни. Алекс потерял всякую надежду связаться с ней. Она не отвечала на его письма, и, по мнению его матери, все было безнадежно. Она отрезала все нити, связывающие ее с прошлым, разучившись мечтать и чувствовать. Целый год Алекс жил как во сне, но сейчас смирился со своей судьбой. Однажды он понял, что не может бесконечно изводить себя мыслями о Рэчел. Теперь он знал, что не может вечно цепляться за образ Рафаэллы. Она не хотела, чтобы он это делал. Он хорошо это понял и постепенно, после целого года страданий, освободился от нее. Но всегда будет помнить... всегда... Ни одну женщину на свете он не будет любить так, как любил ее.

Придя к выводу, что та женщина никак не могла оказаться Рафаэллой, он завел машину и въехал в гараж. На другой стороне улицы показался мальчишка, который был настоящим поклонником его автомобиля, и, как всегда, с восторгом уставился на машину. Алекс стал его другом. Однажды он даже позволил пареньку сесть за руль и доехать до угла. Но сейчас Алекс не думал о своем товарище. Он не мог отвести глаз от женского лица, которое увидел в зеркальце заднего обзора. Это была она. Он быстро, насколько могли позволить его длинные ноги, выскочил из машины и стремительно проскочил перед плавно закрывающейся дверью гаража. И остановился, глядя на нее, дрожащую, не сводящую с него глаз. Ее лицо осунулось, и глаза казались еще больше, а плечи слегка сгорбились под простым свитером, в котором она паковала вещи. У нее был усталый вид. Но это была Рафаэлла, женщина, о которой он так долго мечтал и которую уже не чаял увидеть. И вот она здесь, стоит и смотрит на него. А ему не разобрать, плачет она или смеется. Губы ее улыбались, а на щеке как будто виднелся след от скатившейся слезы.

Алекс молчал, не двигаясь с места, и тогда она медленно, с трудом пошла к нему, словно перебираясь через разделявший их водный поток. По щекам текли слезы, но она улыбалась все шире, и он тоже ей улыбался. Он не знал еще, почему она здесь оказалась: чтобы увидеть его или только за тем, чтобы вспомнить о прошлом. Но теперь он уже никуда ее не отпустит. На этот раз — нет. Он шагнул ей навстречу, и она очутилась в его объятиях. Их губы встретились, сердце у него запрыгало, и он почувствовал, что ее сердце тоже бешено колотилось, когда прижался к ней еще крепче и снова поцеловал. Они стояли посреди улицы и целовались, а мимо не проехало ни одной машины. Кроме них, на улице был только маленький мальчик, который вышел поглазеть на черный «порше», а вместо этого увидел, как эти двое целуются. И сказать по правде, автомобиль интересовал сорванца гораздо больше, чем двое чудаков, обнимающих друг друга посреди Вальехо-стрит. Они тихо смеялись, и мужчина вытирал женщине слезы. Они снова поцеловались и неторопливо, держась за руки, вошли во двор и исчезли в доме. Мальчишка пожал плечами, бросил прощальный взгляд на гараж, где стояла машина его мечты, и пошел домой.

Уважаемые читатели!
Даниэла Стил готова ответить на Ваши вопросы.
Присылайте их по адресу:
129085, Москва, Звездный бульвар, 21
Издательство АСТ, отдел рекламы.

Литературно-художественное издание

Стил Даниэла

Прекрасная незнакомка

Редактор И.Н. Белозерцева
Художественный редактор О.Н. Адаскина
Компьютерный дизайн: Е.Н. Волченко
Технический редактор Н.Н. Хотулева
Младший редактор Е.В. Панова

Подписано в печать 10.01.99.
Формат 84x108 $^1/_{32}$. Гарнитура Академия.
Усл. печ. л. 22,68. Тираж 15000 экз.
Заказ № 278.

Налоговая льгота – общероссийский классификатор продукции
ОК-00-93, том 2; 953000 – книги, брошюры

Гигиенический сертификат
№ 77.ЦС.01.952.П.01659.Т.98. от 01.09.98 г.

ООО “Фирма ‘‘Издательство АСТ”
Лицензия 06 ИР 000048 № 03039 от 15.01.98.
366720, РФ, Республика Ингушетия,
г.Назрань, ул.Московская, 13а
Наши электронные адреса:
WWW.AST.RU
E-mail: AST@POSTMAN.RU

Отпечатано с готовых диапозитивов
в типографии издательства “Самарский Дом печати”.
443086, г. Самара, пр. К. Маркса, 201.

HONORÉ DE BALZAC

MASTERS OF WORLD LITERATURE

PUBLISHED:

GEORGE ELIOT *by Walter Allen*
JOHN MILTON *by Douglas Bush*
JONATHAN SWIFT *by Nigel Dennis*
HONORE DE BALZAC *by E. J. Oliver*

IN PREPARATION:

PROUST *by William Barrett*
FLAUBERT *by Jacques Barzun*
COLERIDGE *by W. J. Bate*
KEATS *by Douglas Bush*
SAMUEL JOHNSON *by James L. Clifford*
YEATS *by F. W. Dupee*
JOYCE *by Leon Edel*
D. H. LAWRENCE *by Monroe Engel*
DANTE *by Francis Fergusson*
CONRAD *by Elizabeth Hardwick*
THOREAU *by Granville Hicks*
HARDY *by Irving Howe*
JANE AUSTEN *by Louis Kronenberger*
EMERSON *by Alfred Kazin*
POE *by Dwight Macdonald*
FIELDING *by Midge Podhoretz*
HENRY JAMES *by Richard Poirier*
TOLSTOY *by Philip Rahv*
MELVILLE *by Harold Rosenberg*
BEN JONSON *by Raymond Rosenthal*
WORDSWORTH *by Lionel Trilling*

MASTERS OF WORLD LITERATURE SERIES
LOUIS KRONENBERGER, GENERAL EDITOR

Honoré de Balzac

by E. J. Oliver

The Macmillan Company, New York
Collier-Macmillan Limited, London

First Printing
Apr., 1965

The Macmillan Company, New York
Collier-Macmillan Canada, Ltd., Toronto, Ontario

Library of Congress catalog card number: 64-25418

Printed in the United States of America

DESIGNED BY RONALD FARBER

CONTENTS

HONORÉ DE BALZAC

1

Images of Balzac

A LARGE HEAD, neck finely moulded to the trunk, strong shoulders, a powerfully built figure—that is the first impression of Balzac. Rodin tried to create an image of this power, tried again and again, in a nude figure of Balzac, in another shapeless monster, finally in a great head rising from a primitive block—his monastic robe—the statue which today stands at the juncture of the boulevards Raspail and Montparnasse, above Paris though not in the quarter where Rastignac issued his famous challenge: "*A nous deux maintenant*—I'm ready for you now."

Rodin's is the best figure available, though one on the scale of Michelangelo's David was required, for Balzac had many qualities which belonged more to the Renaissance than to the nineteenth century, and his work sometimes has the grasp of the "terrible" Michelangelo. Yet it is important not to exaggerate the height of this figure, for as one of his heroes Balzac had "the medium height of all great men." He was referring to Napoleon in this, but also to himself, as so often when he wrote of Napoleon, determined, so he said, to complete with the pen what he had begun with the sword. Barbey d'Aurevilly, his most fervent admirer, who never even dared to talk to Balzac when they were together in the Passy horse-bus, went further than this to declare that he was "a literary Bonaparte who never had to adbicate nor lose the Battle of Waterloo."

At least he was an impressive figure, Napoleonic—yet this is precisely the point at which Balzac criticism runs into the first difficulties, and his admirers become angry or embarrassed by smiles and mockery. Napoleon was a great man, certainly, but one who—at least after his fall—has always invited caricature, and delusions of grandeur have made him the perfect model for all madmen, so that his name today, though not diminished in history, bulks large in the case histories of psychology. Balzac too was often caricatured even in his lifetime: one cartoon shows him gaily riding on a swing made from the long hair of women on his right and left, borne to triumph by the "women of thirty" whom he described with such sympathy, while more women acclaim him in the background. He was Napoleonic, but he was also a figure of fun, and when at the height of his fame he applied, not for the first time, for admission to the French Academy, he received only two votes, those of Hugo and Lamartine. Yet there was some justice in that, as they were the only two worthy to hold a candle to his greater light.

He was a powerful figure, but an awkward one, and those who knew him best more often noted his exuberant or childish traits than the dignity of a great man. He described himself more than once in his work, in the figure of Benassis, the country doctor, when he was anxious to impress Madame de Castries, or in Albert Savarus when he wanted to reassure Madame Hanska. Both were men with the strength of passion and the marks of suffering in their faces, while Savarus had his own fine neck which he bared with the defiance of a man facing the guillotine. This noble appearance was joined to the physique of a peasant, and some thought he would have looked more at home behind a butcher's apron in a provincial town, though when success came he dressed as a dandy, and carried a cane with an exotically carved ivory handle, on which Delphine Gay based a novel, *La Canne de M. de Balzac*.

The power is evident enough in the fifty-one years of the short life between 1799 and 1850, in less than twenty years of which he wrote more than ninety works, many of them long. Nor is the intellect in question: the philosopher Alain declared that he had learned more from Balzac than from philosophers and critics. Yet when his sister Laure de Surville tried to recall early signs of intelligence or genius in his childhood, she had to admit that what had always impressed her most was his good nature. George Sand, with her greater experience of men, spoke of his unfailing good humour. Lamartine said that it was "impossible for him not to be good-natured . . . impossible not to share his joyousness." All observers noted his vivacity, the sparkle and joy in his brown eyes, his childish eagerness.

So the powerful build and Napoleonic image have to be qualified by this expression of the eyes beyond the reach of a sculptor, difficult for any artist, though a glitter at least shows in the sketch by David d'Angers above the strong nose to which Balzac drew his attention: "My nose is a world in itself."

Evidently the eyes expressed the Rabelaisian humour of his *Contes drolatiques*, modelled on Rabelais himself, which are still issued in the most lurid of paperbacks—an oddity from the author of *Séraphita*, which was modelled on the mysticism of Swedenborg. It is a question whether Balzac disconcerts more by his grossness or by his sublimity.

At least he still disconcerts, for if he continues to capture his readers, some of the ridicule and the amazement—and some of the misunderstanding—which he aroused in Paris in his time is still to be observed in a number of his critics, who find too much of his own exaggeration in his works. For this reason it is more convenient to discover what sort of man he was and the figure he cut in the world before any judgment on his writings, as it is usually affection for him which brings enjoyment to reading Balzac and antipathy for his character which depreciates his work.

Some have similar reactions to Henry James, for whom Balzac was "first and foremost." Their characters were at opposite poles, but both provoke the same contrast between those who, in fondness and amusement at their peculiar traits, respect them as masters, and those who quite miss their enchantment, even finding them difficult to read. In both, distinct from other great writers on whom criticism is more uniform, there is a quality which attracts some no less than it repels others. Both too produced a great body of work which is never excessive to their admirers, because it is stamped throughout with their own extraordinary personalities.

There is a further resemblance in that both Balzac and Henry James create for some an atmosphere of serenity in which others find an image of desolation. To Mr. Graham Greene, Henry James is above all the analyst of disillusion, of innocence cruelly deceived, though more see in him the most serene of masters, and even Conrad in his Slav melancholy agreed that "his mankind is delightful." So to M. Claude Mauriac and to those who complain that *La Comédie humaine* should really be called a tragedy, Balzac is the most ruthless of pessimists, though another French critic has asserted that his whole work is a chant of joy, its delight never obscured by the grimness of the subject matter—and Balzac's own joyousness can no more be questioned than the charm of Henry James.

Balzac himself maintained in the original preface to *La Peau de chagrin* that a man may be wholly different from his work, though this was largely to disclaim the cynicism of his *Physiologie du mariage* which had appeared two years before. In *Facino Cane* he referred to the extraordinary power, which he certainly possessed, of getting under the skin of others and viewing the world through their eyes, and he compared this gift to djinns in the Arabian Nights who were able to assume human forms and direct their actions. Yet however strong this magic, however perceptive a man's observation, however intense his imagination, in the end he cannot cross the frontiers of his mind and character, and the world of Balzac or of Henry James is unmistakably their own, visible as their signatures, which display their own temperaments.

So the man dominates the work, and to the Napoleonic figure must be added that of the writer who created a world at least as distinctive as the world of Henry James (whose elegance never concealed his own Napoleonic quality). The essential difference of Balzac, more evident than a seam of vulgarity in him, no more important than the flaw of gentility in Henry James, was that there always remained in him something of a child, fascinated and excited by the disgraceful behaviour of grown-ups, whose misadventures he gleefully records, while Henry James appears elderly even in his earliest works. *La Comédie humaine* is above all an immense fairy story, stuffed with all those horrors at which only children have the fortitude not to shrink.

It is true that Balzac's astonishing powers of observation and his exact detail give to this fairy tale the accuracy and the proportions of a history, but its origin and its vitality were in his own childish fantasy. Henry James never showed himself a more faithful disciple of Balzac than when he claimed for the novelist the status of a historian, and his own novels are also documents. But Balzac was more insistent: he was even more exact than a historian, for he was—so he claimed—a secretary, and French society itself was the historian. He pointed out in his Preface to *La Comédie humaine* that neither Athens nor Rome had created a history of manners, for which posterity would willingly sacrifice some of their political records. To ensure that western civilisation would be better remembered, he recorded a history of manners in his age, a work that has since been called "a veritable encyclopaedia."

Yet even secretaries have private lives, compilers of encyclopaedias their passions. Balzac himself not only recognised this, but proclaimed that passion was the stuff of life, without which religion and history and art would have no purpose. So all the descriptions of the furniture in the houses of over two thousand women and men in his books, all the details of their coats, vests, dresses, and shoes, came second in his estimate to the chief passion of their lives. It is true that he set out to describe French society, but that was only the background to an exact expression of life itself.

The impossibility, the simplicity, and the absurdity of such an ambition could have issued only from the mind of a man with the confidence of a child. "When I grow up, I'll never go to bed." So children talk—and Balzac at times achieved that too, as he worked through nights kept awake by the black coffee which in the end was too much for his heart. Most children grow out of such ambitions, while Balzac not only held to his, not only expressed life, but created it, as no criminal is more living than Vautrin, no father more vivid than Goriot. Marcel Bouteron has declared that the reality of daily acquaintances is less than Balzac's figures, and Oscar Wilde maintained:

A steady course of Balzac reduces our living friends to shadows, and our acquaintances to the shadows of shades. His characters have a kind of fervent fiery-coloured existence. They dominate us, and defy scepticism.

Some children invent friends to whom they assign names and incidents more highly coloured than their own. Balzac retained this power, and it is a further proof of the child in him that he decided to become a great man before he decided to become a writer. That too is a common ambition with children: genius is only the realisation of that desire.

The portrait of Balzac at twenty by Achille Devéria shows the great candour of extreme youth. The Byronic pose only emphasizes that the features are still those of a child. Long years of toil and experience altered those features, as is evident in the Napoleonic pose of a likeness four years before his death, but, remarkably, death itself restored the earlier image, for the Giraud deathbed sketch shows a round and simple face almost more like a child than the man of twenty.

This was the last and most convincing evidence of the child Balzac surviving to the end. It is the most important element in his character, because it determined that of *La Comédie humaine,* which he once described as a western Arabian Nights. Even the cynicism and sophistication in it has the youthful abandon of a beginner with his first insight into what really goes on behind the scenes, and it is noticeable that the most cynical remarks are put into the mouths of young dandies, among whom Balzac at one time hoped to be numbered.

Childish exuberance is of course even more visible in those *œuvres de jeunesse,* not often published and less often read, which he wrote before he had made his name, not even giving his own name to them, but signing them with names of which the most aristocratic was Horace de Saint-Aubin, the most fantastic Lord R'hoone—an anagram of his own Honoré. Some think this hackwork has been too much neglected, for there are touches of weird and comic invention in them, and it is certain that they taught him technique, but they are childish in the most obvious sense. Clearly Balzac was aware of this, or he would not have preserved his own name for the great work to come. But the interest here is that he hoped by intense documentation and detail to impose reality on the play of his imagination—and succeeded so well that he has often been regarded as a realist. In the first work that he signed with his own name—*Le Dernier Chouan,* later *Les Chouans,* he studied the ground at Fougères, questioned witnesses in the neighbourhood, documented himself fully. Yet *Les Chouans* remains one of the most romantic of his novels.

What constitutes a romantic writer, and the romantic movement itself is a dispute unnecessary here, for clearly what was most romantic in Balzac was less the influence of Walter Scott (greatly though he admired him) than simply his own youth. If all countries have their romantic period, of which they are afterwards a little ashamed yet glad that they happened, this is even more true of men themselves. Balzac's difference was that, for all his wisdom, for all his disillusionment even, he never wholly grew out of his romantic period, and in the last years of his life was still grasping eagerly at the illusions of a young man, even realising them in his marriage to a Polish countess, whom he had pursued for eighteen years, when destiny added the appropriate romantic touch by fixing his death in the same year.

If his life is remarkably like one of his own novels, this only gives more emphasis to the romantic impulse which was behind both.

To be young and romantic is common enough, though with most people the phase is brief, as they hasten to dismiss their illusions or to substitute those of the society in which they live, to prove themselves adult or sophisticated. What is astonishing in Balzac and in the characters he created is that they persist in their illusions with the obstinacy of children. They are often terrible children, committing crimes, engaging in the most tortuous of intrigues or financial deals, carried by their passions into the arms of a woman, death, success, or despair, but they are single-minded—as their creator who worked in anguish through the nights when his lovers and his criminals were also too occupied to sleep.

This obsessed quality has aroused the chief criticism against Balzac, that his people are not human beings but types, a Goriot who is more a father than a man, a Grandet who is more a miser than a father, a duchesse de Langeais who is more a duchess than a woman. Yet they are true to their inner natures. They are Walter Mittys who realise their fantasies, as Balzac realised his childish resolve to be a great man. They have his own intensity of will. As Baudelaire remarked, even his dishwashers have genius.

So this sociological, scientific work, this description of French society by a man who termed himself its secretary, turns out to be Balzac's personal world—for all the density of its detail, for all the exact notes on people's incomes and taxes, for all the patterns in their carpets and the colour of their eyes. This is often levelled as a reproach against Balzac, but in essence it is a limitation which personality itself imposes on all artists, recognised in speaking of men or situations as Shakespearean. If this charge is more often pressed against Balzac, it is largely because he deliberately set limits to his own world by bringing the same characters, whether politicians, duchesses, lawyers, or courtesans, into different novels. This device of recurring characters served to enclose his society, almost into a separate state, a principality, as M. Félicien Marceau has said, in which people are all not only acquaintances, but interconnected and related, often accomplices.

Yet these characters are the most sharply differentiated, and they are mostly minor characters. The obsessed characters, apart from Vautrin, who has his own cycle of stories, are not recurrent: Claes, Grandet, Goriot live and die in their own novels. But it is precisely these who have most of Balzac's passion and genius in their blood. They resemble him, but they fulfil their lives in very different circumstances.

This contrast between the major and the minor figures represents a contrast in Balzac's own person between his original romantic impulse and the effort to impose exact detail and observed reality on the children of his imagination—an effort so powerful that some critics continue to accept him as essentially a historian of manners.

As a result, the chief division in Balzac criticism is between those who approach him from the severely documentary and those who view him from the more personal and romantic angle. The most forceful champion of his realism and documentation is Professor György Lukács, the Hungarian critic, who quotes Engels on Balzac's novels:

> . . . even about economic details I have learnt more from them than from all the books of all the professional historians, economists, and statisticians of the time. . . .

He further quotes Marx on Balzac's "deep understanding of real conditions." Even more remarkably, Professor Lukács, a Marxist himself, considers Balzac a far deeper realist than Zola, who only has "the outer trappings" of realism. Balzac is for this critic basically antiromantic.

On the other hand, M. Albert Béguin has developed a contrast in Balzac studies with his *Balzac visionnaire*, taking up Baudelaire's remark that he was surprised on the emphasis given to Balzac's observation, when he was above all a visionary, a passionate visionary. For M. Béguin, Balzac and his characters are "seeking the absolute and thirsting for eternity." When Balzac speaks in *Facino Cane,* as quoted above, of his gift for entering into the skins of others, M. Béguin sees this as "second sight" beyond ordinary human powers. For him Balzac has the gifts of a poet, and his desire to "tear words from silence and ideas from the night" recalls the intensity of Rimbaud.

One interesting point in these two opposed critics is that Professor Lukács gives special attention to *Les Paysans,* a work often neglected, finding in this the most acute analysis of nineteenth century capitalism, while M. Béguin thinks that Balzac's one weakness was his treatment of peasants, as he found them dull for a novelist because they were static, and he was concerned only with situations that were dynamic.

These opposed views have their own distinction and authority: Professor Lukács is widely respected as the most courageous and perceptive of Marxist critics, while M. Béguin has done distinguished work on modern French writers, edited an edition of Balzac, and dedicated his propositions on him to Marcel Bouteron, the dean of all Balzac analysts. Both critics too, though their views are so opposed, are ardent supporters of Balzac—authentic Balzacians.

It is easy, of course, to gloss over the difference by saying that Balzac is both a great realist observer and an intense visionary, and there is a truth in this compromise. But there are other divergences of opinion on Balzac which recall not only those of his own Napoleon, but the extraordinary theses advanced on Shakespeare, who has been identified with lawyers, statesmen, nobles, other dramatists, or assigned contradictory positions in religion and politics. At least this places Balzac in the rank of those comprehensive writers who are large enough to figure as masters in any school.

Though he has sometimes been compared to Shakespeare, beyond the obvious analogy between *Goriot* and *Lear,* only M. André Maurois has dared to say that of the three monuments erected to humanity by Shakespeare, Balzac, and Tolstoy, *La Comédie humaine* is the most comprehensive. It may be the greatest survey of society, but the Spanish critic Eugenio d'Ors made a useful distinction when he said that while Balzac is enormous, Shakespeare is great, for this draws attention to the monstrous element in Balzac which is too disproportionate for perfection. The vision and the poetry and the delicacy of *A Midsummer-Night's Dream* belong to a paradise not visible even in *Séraphita,* though Bottom might have found a home in the *Contes drolatiques.* But it is really only in his mastery of climax, as at the end of *Le Père Goriot* or *La Cousine Bette,* that Balzac approaches Shakespeare.

Yet the distinction between them appears greater than it is for reasons quite unconnected with their work. Shakespeare, as Arnold said: "Didst tread on earth unguess'd at.—Better so!"

The great blessing of Shakespeare is that he has no biography. Nobody (despite the scholarly or absurd efforts made) has been able to pull his work to pieces, analyse the influence of this or that love, point to fixations, complexes, or compensations. His work remains hermetically sealed, as if it had been presented on graven tablets from a sacred mountain.

It is far otherwise with Balzac, alas. His documentation is immense—biographies, criticism, analyses, authentic facts, portraits, drawings, caricatures, descriptions of his hands and his hats, his canes and his coffeepots abound, while the women of his choice have been as jealously preserved as the harem of a sultan.

The accidents of his life have been a further misfortune to him after death. As Lamartine realised at the time, he was a great man to whom the fates had measured a destiny hard to reconcile with greatness. It is not only that everything to which he set his hand, only excepting those achieved with the pen, turned out a failure or a fiasco, not only that his publishing house and even the house he had built for him at Les Jardies collapsed, that the paper he edited also sank under him, that he was constantly vexed by debt and chased by creditors, that the woman he loved longest kept him waiting longest, it was not only that these and other misfortunes cramped him, but that his sufferings belong more to the world of his droll stories than to *La Comédie humaine.* Not for him the solitary stoicism of a Vigny, the beard or the exile of Hugo, the Cabinet rank of Lamartine. The greatest of the romantics, he suffered humiliations that were too childish to achieve their touch of the sublime—his own favourite adjective. Yet he suffered more, and though he had the most powerful physique, died younger than any of them, sacrificed to his work.

It may be that Shakespeare was ridiculed, endured whips and scorns, the insolence of office, the pangs of dispriz'd love; it may be that people laughed at his yellow stockings or tricked him to hide in a laundry basket, but at least no record remains beyond those details which he transformed into the plays of his imagination. He remains the author of his work.

Certainly Balzac remains the author of *La Comédie humaine,* but he is also the centre of incidents and escapades which were recorded not by himself, but by malicious or envious colleagues, scandalmongers, and enemies—or friends who were sometimes equally astonished by his behaviour, though they judged it differently. It was the child in him that provoked most amusement, and the stories circulated about him in Paris were not unlike some told by parents of their own children, but they had a different effect when ascribed to a writer of genius.

It may be that his work would have been differently judged if less had been known of his life. Certainly he has been most honoured where he has been better known by his work. In 1835 he was applauded in Vienna when he was still the butt of Paris wits, and even over a dozen years later a spokesman of the French Academy announced that "We have no chair large enough for M. de Balzac." French critics were too sophisticated to understand the child in him. In Victorian England critics were too severe to welcome a writer who described with childish exuberance the escapades of duchesses and prostitutes, corrupt politicians and criminals. Something of this severity, moved to a literary plane, has survived in English critics. Mr. Geoffrey Brereton speaks distastefully of Balzac's presence in his books, "breathing heavily behind," while even Mr. Martin Turnell, who appreciates his enormities and accepts the point made by Baudelaire (on whom he has himself written with such penetration) that Balzac was more a visionary than an observer, will hardly allow him the place claimed by Balzacians.

It is in America, with the great Balzac bibliography created by Mr. W. H. Royce, in Germany and Austria, with the tributes of Stefan Zweig, that Balzac has been best appreciated. New York has its active Balzac Society, while South America has its Universal Balzac Society.

There is a reason for this: some degree of detachment is necessary to see the true position of Balzac in world literature, as the height of some peaks is better judged at a distance than when they are levelled or reduced by hills close around them. Local French and European prejudices have similarly intervened against Balzac. Critics belonging to the revolutionary tradition in France and liberals in England have resented his championship of the Church and monarchy, though Veuillot complained that "M. de Balzac supported the Church and the monarchy in such a manner that their enemies could applaud him." So to Swedenborgians he seemed too much of a Catholic, to Catholics too much of a Swedenborgian. Even in literature, outside politics or religion, other prejudices operated: for realists he was too romantic, for romantics too realistic.

Yet it is remarkable how many of his most fervent admirers have been writers who were themselves novelists, nor is this only because his position in the history of the novel is as unique as that of Raphael in the history of painting, so that an attempt to be pre-Balzacian might mark a theory no less than the term pre-Raphaelite. Of course it is possible to dislike either of these masters, to regret their influence, even to regard it as disastrous, and both painters and novelists have moved in directions quite opposed to their examples, yet they remain as points of reference, and anybody who practices their art feels an attraction or a repulsion for them. A contemporary French novelist, M. Félicien Marceau, expressed this when he said: "We are all children of *Le Père Goriot*."

Goethe in the last year of his life recorded his admiration for *La Peau de chagrin*, which he used to show the inferiority of Hugo's *Notre-Dame de Paris*. Balzac has been criticized for simplicity in his analysis, yet novelists as subtle as Henry James and Proust have been devoted to him. More recently Mr. Somerset Maugham has declared that he is the only novelist to give him an impression of genius.

This consensus embodies a recognition by novelists that Balzac has the gift they most value, what is sometimes called "power," the ability to create an irrefutable impression of life. Maurice Baring, himself a novelist, described the gift in these terms:

> Balzac has a kind of obsessive power. He holds you with his glittering eye, like the Ancient Mariner; and once you take a plunge into a book of his you are obsessed by it as a dream, in spite of its great reality of detail.

This is the answer to the question posed by Professor Lukács and M. Béguin as to whether he is to be regarded as a realist or a visionary. The exact detail draws its reality only from the obsessive force of the dream, without which it would be as lifeless as Professor Lukács himself finds it in Zola. The power of his vision is the essence of Balzac.

It is natural enough to set this quality first, for if art were no more than the reproduction of reality, there would be no answer to the Jansenist gibe of Pascal, that painting is a vain attempt to arouse admiration for what is not admired in nature. Art is precisely that more intense vision which freshens nature, as the mind is refreshed in sleep. Balzac's intensity owed something to those long hours of work at night in which he discharged on paper the obsessions of his dreams.

This justifies Rodin's figure, whose head is so evidently that of Balzac the visionary, whose robe resembles a dressing gown worn in the nights of his labour. Yet it is the domination of this powerful figure which some critics resent, finding it hard to reconcile either with the child in Balzac or with the very human escapades and misfortunes of his life. So it remains a question of figures —the many images of Balzac presented in portraits and in caricatures, presented or misrepresented—a question of which is to be accepted.

Certainly it is impossible to dissociate him wholly from his life, as a Shakespeare has been so happily liberated from his. Yet critics admit that who he was cannot increase or lessen the greatness of Shakespeare's plays. So the follies or disillusions of Balzac's life cannot affect the proportions of *La Comédie humaine*. To argue otherwise would be no less absurd than to maintain that because, as Vasari records, Michelangelo wore his leather leggings for months, and tore the skin when he at last discarded them, his statues must have feet of clay. The follies of great men have their interest, but it is an interest which is inspired only by their work.

If, when all these reservations have been made, the figure of Balzac continues to intrude, it is surely because he was a great man in his own right. He had the energy, the intellectual capacity, above all the strength of will to achieve greatness, and it was an accident of destiny that he attained this in literature. Lytton Strachey, an adverse critic of his style, admits that his genius is irresistible. Sometimes this genius appears almost naked—like Rodin's other statue of Balzac—and shocks by its appearance in a small masterpiece where it seems out of place.

For this reason his reputation has always stood higher with his fellow writers and with his readers than with critics. He fascinates no less by the personality in his work than by the work itself. Contact with this personality is an acquired taste which creates Balzacians, addicts more comparable to a sect or to collectors than to the ordinary run of readers. Here again is a parallel with Henry James, for he too is an acquired taste, but while he transformed himself into a style, Balzac transformed himself into characters, every one of whom has something of his excessive will to live.

In this crowd of figures, two stand out as peculiarly images of Balzac himself, Vautrin the man of disguises, the rebel against society, who knows all its secrets, who finishes on the side of the police, Vautrin the criminal who is also Herrera the priest, and Goriot, the father who lives only in his daughters. For these are the two leading passions of Balzac, to penetrate everywhere and to project himself in his children, whom he had created. The fervour of this last passion is proved by the fact that while he spoke often enough of his sufferings and his disappointments, his creative verve was not interrupted, nor his exuberance checked, and one of the rare occasions when he admitted depression and an inability to work was after receiving the news that the child born to him by Madame Hanska had died. Something of this tragedy passed into *La Cousine Bette* on which he was then engaged.

Always the most important part of his life passed into his work, and he figures so largely in this that Balzac studies owe more to Swiss, American, French, and German scholars who have concentrated on different aspects of *La Comédie humaine* than to critics in France and in England who have judged him on their own literary principles, on which he may not be the greatest of novelists. For *La Comédie humaine* is not simply a collection of novels, but the attempt of one man to lead many different lives at every level of society. It is a vision of the extraordinary possibilities of life.

There has been increasing recognition of this presence of Balzac in his work, particularly by M. Gaëtan Picon who speaks of him creating his own life in his work, and by Dr. Herbert J. Hunt, whose recent *Balzac's Comédie Humaine* is the finest treatment in English of the work as a whole. Dr. Hunt has chosen to analyse *La Comédie humaine,* not in the final divisions assigned to it, but in the order in which the various novels and stories were written, which produces very interesting results, as he shows that Balzac's main preoccupations at the time he was writing found expression in his work.

The question of images can be answered only in relation to that work, for the choice is not between the

Napoleonic image of Rodin and the caricatures of Paris papers, nor even between the romantic and the realist, but between the two-thousand-odd characters of *La Comédie humaine.* If Goriot seems the closest, that is because Balzac was the father, the creator of that monstrous progeny.

2

An Entry into Life

ON THE 29th of May, 1799, the feast of St. Mary Magdalene, patron of many women in his work, Honoré was born at Tours to a mother aged twenty-one and a father of fifty-three (whose name had originally been Balssa) charged with commissioning supplies for the 22d Division of the revolutionary army.

Born in the last year of the eighteenth century, Honoré de Balzac, as he later called himself, died at the age of fifty-one just in the middle of the nineteenth century, and these limits—with a few exceptions, most in the philosophical section—were roughly those of *La Comédie humaine.*

Touraine had already given to France Rabelais, Ronsard, and Descartes. Of these Rabelais was much the most important to Balzac—he described his *Peau de chagrin* as an offering before the statue of Rabelais, "whose immortal satire has already seized the future and the past of mankind in its grip." Rabelais showed his presence even more clearly in the *Contes drolatiques,* where Balzac invoked this "eternal glory of Touraine," and said he wrote to show himself "a good son of Touraine and to regale the hearty appetite of the great people in this sweet land of plenty." In *L'Illustre Gaudissart* he added:

The love of wit and banter, clever tricks and good stories, which marks every page of Rabelais's work, accurately reflects the spirit of Touraine that has the refinement of manners proper to a country where the Kings of France long held their court.

It was only in Touraine that Gaudissart, who could outwit Parisians, was himself outwitted. Yet the exuberant element in Balzac's character probably owed more to the Gascon blood that he inherited from his father (whose family came from the region of the Pyrenees) than to Touraine, for his was essentially a meridional temperament, and his sympathies went further south, into Spain and Italy, whose passionate nature he often praised in contrast with coldness and calculation in the people of Paris and northern France.

He owed less to his mother, for she can be credited, apart from bringing him into the world, only with his unhappy childhood, largely owing to her, which stimulated his self-reliance and strength of will, as he soon learned that he was an exception, and that he had to depend on his own efforts. He even maintained that he had never really had a mother, and this was true in that he was put out to a nurse until the age of four—a custom at that time less peculiar than his again being boarded out until the age of seven, then sent to a school from which he never returned home for the holidays. But it was less this upbringing than the lack of affection in his mother which rankled. Two years before his death he wrote to her that he had no desire for her to pretend to an affection which she had never felt, as all this had been given to his brother Henri (who was almost certainly not the son of her husband). He even added that she had been a "good mother" for him, in the sense that he had escaped being spoiled as Henri was. This was his ironical gratitude to her for his unhappy childhood.

Her treatment of Honoré, her first child, argues a certain resentment of her husband which her fondness for Henri, not his child, confirms. This husband was coarser than herself, not only in the ordinary masculine sense, but in his indifference to her social superiority. He was also old enough to be her father, and her distaste for him had the aristocratic disdain of Anastasie and Delphine for their father Goriot, who was also a commissioner of supplies to the army.

Even apart from circumstances, this wife and mother was a difficult woman, hard and insensitive, one model for *La Cousine Bette* in her bitterness. At one time her children feared that she might be out of her mind, but the doctor kindly reassured them, "No, she is not mad, only malicious." She was a woman much given to reproaching, the worst sort to live with.

Yet when her son began to earn money, and even before he became a well-known writer, she was affected by his ambition, his energy, his strength of will, enough to lend him money, and as he lost or spent it and earned more she became involved in his speculations, which gave her both the hope of gain and the chance of more bitter reproaches. There remained some tie between them, more material than moral, yet something more than the cash nexus, for there was in it the sort of bitter relationship found in other Latin households, nourished to greater strength more by resentment than by affection. After she became a widow—the father died in the year that the son first signed his name to a book—her financial and reproachful interests in her son's affairs kept her grasping and active. She even survived him, a more natural figure by his deathbed than by his cradle—not a lovable character, but a very Balzacian one, the first of those horrible visions which fascinate because they are pockmarked with truth.

Her neglect of him was the chief element in his childhood, for it provoked that passionate desire for love and fame which prompted both his most disastrous and most triumphant actions. He wanted the love he had never received as a child, and he wanted to show his mother and family that others could acclaim what they had not valued. Even at school he was considered dull, because he read and reflected deeply on subjects outside the term's work. This constant refusal of recognition forced him, like some of his characters, to a point where the only alternatives were suicide or a fantastic self-confidence issuing in triumph.

The transformation of the dull boy into the genius becomes less obscure owing to his own account of his schooldays in *Louis Lambert*. This is often regarded as a poor novel, but even apart from its interest for this development, it remains the most absorbing document on the awakening of intellectual curiosity. Others have written in many languages of the first movements of love in youth, but this intellectual adolescence which can be even more intoxicating has rarely been treated, for the awakening of the mind is much harder to express than that of the emotions or the body, as in many lives it never happens at all, and there is no common experience for reference.

Yet Balzac contrives in some of these pages to express his own wonder at a first entry into the world of ideas, as if it were an entry into some more enchanted palace of the Arabian Nights. In the person of Louis he tells of the excitement with which he read even a dictionary, as words and ideas were scattered on the ground of a mind where they flowered into fantastic shapes—for this boy neglected by his family and despised by his masters was an infant prodigy. He had a child's curiosity and wonder, asking senseless questions which nevertheless required an intellectual answer. Why is the colour green so predominant in nature? Why is the straight line an invention of man, hardly to be found in the structure of the world, where organic life is expressed in curves?

He read with the indiscriminate enthusiasm of all young and enquiring minds, but he retained an astonishing mass of detail which prompted more questions. Why should Bacon become ill at an eclipse of the moon, Tycho Brahe at the sight of a fox, Erasmus at the smell of fish, Bayle at the sound of water? Such odd items fascinated Balzac, because it was from the antipathies and sympathies between men and their environment that he achieved the vision of a novelist, which developed from the vision of this schoolboy philosopher, who found it so difficult to distinguish between mind and matter. A certain disposition of features, he argued, or a peculiarity in the organic structure of the brain was sufficient to produce a Raphael, a Napoleon, or a Beethoven, while a valley deprived of sunshine could account for mental defects no less remarkable. How then was it possible to distinguish between material and mental causes? The only answer, he concluded, was that thought itself was a material substance.

This conclusion, that might lead to the materialism of which Balzac was later accused, had just the opposite effect on his Louis, who went on to identify light, the principle of life, with religion—St. John's "light that lightens every man coming into the world." He thought that there had never been more than one religion, that of the mystics—a belief similar to that of another brilliant child, Aldous Huxley. Louis declared:

> Zoroaster, Moses, Buddha, Confucius, Jesus Christ, Swedenborg had the same principles, devoted themselves to the same end. But the last of all, Swedenborg, will perhaps be the Buddha of the North.

All this, though offered only as the eager imaginings of the child Louis, had some place in the mind of the later Balzac, when he had not much trouble in reconciling it with his propaganda for the Church, for it was the age of Catholic romantics—Novalis and the Brentanos in Germany, Chateaubriand in France, Manzoni in Italy. The Church had then a romantic appeal, and devotion was better appreciated than doctrine.

Louis, like Balzac himself, was really more interested in supernatural phenomena and the occult than in religion, for they were the justification of his theory that thought and will were material forces, which revealed themselves in second sight, levitation, sorcery, visions, and miracles. He always referred to the "occult sciences," respectable to his view as any other, and in fact he respected them more.

Judgement on such matters has no place in the study of a novelist, and some have lightly dismissed them. M. Marceau, in his perceptive study of Balzac's world, expressly omits *Séraphita,* the most Swedenborgian work, with the plea that it is outside his province. But this obsession with the occult and the interpenetration of mind and matter are very important to an understanding of Balzac, because they explain both his extraordinary emphasis on material detail and the oddly obsessive quality which this assumes. The more material the scene, the more intense is the gaze of the visionary Balzac. It is not surprising that there has been such confusion among critics in deciding whether he is a realist or a visionary, because, as he discloses in *Louis Lambert,* that confusion was his philosophy of life.

Philosophers may smile or frown at this, but there can be little doubt that it greatly increased his power as a novelist, for a novelist can create the illusion of life only by pressing the minds of his characters and their material surroundings together to make a convincing unity. Philosophers may be able to confine themselves to ideas, but novelists have constantly to be shaping theirs into figures and furniture, incomes, smiles, or dresses, as women and men often express themselves less in words than in a turn of the head, a style of hat, or the choice of a chair. Balzac's belief in the occult and in the strange power which makes some the slaves of their surroundings and enables others to transform them, however questionable in itself, impelled him to write fairy stories which are yet wholly real. Sometimes, as in *La Peau de chagrin,* or such stories as *L'Elixir de longue vie,* or *Melmoth réconcilié,* he deliberately introduced the supernatural, but their atmosphere is hardly different from others apparently realistic, as his mind was so charged with visions that reality became for him a manifestation of the occult.

Louis Lambert is one of his least successful stories, for it is more an exposition of these ideas than an application of them, less a novel than a treatise, like that Treatise on the Will to which Louis had given the whole genius of his youth only to have it torn from him by a master and destroyed. He was constantly being caned for lack of attention, but when he looked up there was something in his gaze that led the master to say, "Look at me again like that, Lambert, and you'll be caned." So schooldays passed between abstraction and the cane. Nor was Balzac's life very different afterwards, for when he looked up from his work, it was usually only to receive some blow from fate.

At the end of these six years in the Collège de Vendôme he returned to his family at Tours, but shortly afterwards they moved to Paris, where after more schooling he was sent out into an office to study law under Maître Merville, a man who had the rare distinction to Balzac of being honest in his practice—as he was the model for Derville, to whom le Colonel Chabert went for legal confirmation of his identity. Balzac showed further regard for this honest man of law by dedicating to him

Un Épisode sous la Terreur, "to explain to those who want to know everything where I learned enough of legal procedure to conduct the affairs of my little world."

He learned enough for that, and he learned much from the false starts of these years, as there were still more before him even when he abandoned law, and at the age of twenty proclaimed to his family that he was going to be a writer. Matters were not helped when he read aloud his tragedy *Cromwell* to the family and a professor was summoned to give judgement, which was that his time could be better employed than at writing tragedies.

It was a bad year for the family, one in which the father's brother had been guillotined for murder. The mother had great opportunity for reproaches—but Balzac, strong in his theory of the will, stood firm. Finally it was agreed that he should be given an allowance of fifteen hundred francs, some two hundred dollars, to live for a year or two while he established his reputation as a writer. He managed to write and even to publish books, but they were so short of his dreams that he refused to sign them, and it was nearly ten years before he made his name.

The years from 1819 to 1829, from twenty to thirty in his own life, were his real schooling, for he had hardly been able to educate himself at school, interrupted as he was by canes and masters and lessons. In the garret in which his meagre allowance enabled him to live, close to the Place de la Bastille, he was at last free to read and write. He must have read prodigiously, for *La Comédie humaine* is stuffed with information, theories, facts, and later he had no time to read—nor to observe. When asked where he observed his characters, he retorted indignantly, "Observe? How do you think I have time to observe, when I have barely time to write?"

That is one more sign that he was a writer of vision, not a reporter of fact, but all the same the range of knowledge in his work shows wide reading, and the background of detail shows much observation. Marx himself was something of a visionary, but he was also an economist, and if both he and Engels regarded Balzac as a chief authority on social and economic subjects, it is evident that studies, not only of books, but of people and places in Paris, went to achieve this mastery.

When Balzac said that he had no time except for writing, that was in his great productive period between the ages of thirty and fifty. He knew then that this expenditure of energy, in disregard of health and sleep, would shorten his life, as this was the moral of *La Peau de chagrin,* almost the first work of the period, and already time had for him the shorter perspective that comes to a man who foresees the year of his death. But the perspective was very different in the ten years between twenty and thirty, when he still enjoyed the immortality of youth. Time itself had a different quality then. He failed at everything he attempted, he was abjectly poor, and he was harassed by debt—but he could afford time. He used it largely and without discipline, reading and observing without discrimination. The discipline came later, when he sorted the accumulated material into *La Comédie humaine.*

He described these years, shortening them to intensify the crisis, at the beginning of *Un Drame au bord de la Mer:*

> This age, which for all men comes between twenty-two and twenty-eight, is the time of great thoughts and first conceptions, because it is the age of vast desires, the age when one has no doubts: to doubt is to be impotent. After this age, swift as seed-time, comes that of achievement.

Those years were also the ones in which he was most under the influence of Madame de Berny—another reason why he fixed the limits just there, for Pauline is with him there in Brittany (the setting of the story), and the name Pauline here, as in *Louis Lambert* or *La Peau de chagrin,* is usually a sign of Madame de Berny in his mind.

The influence of Madame de Berny can hardly be exaggerated, nor was Balzac exaggerating when he wrote at her death to Madame Hanska that she had been to him more than a friend, more than a mother, "more than any person can be to another." He had no need to say that to the woman who was eventually to become his wife, no need beyond the pressure of truth.

His original gifts, the strength of his will, the reading, the observation, the experience of these ten years between twenty and thirty, all were summed up in the person of Laure de Berny, for without her the whole personality of Balzac would have been different—if he had survived, for he was often driven to the limit of endurance, and it was she alone who sustained him with consolation and with joy.

It is often said that Balzac's women are more vivid, more finely conceived, and better characters than his men. His first great publishing success, *Physiologie du mariage,* was a defense of women and a demand for their emancipation, while women were the most passionate readers of his stories, especially those, such as *La Femme de trente ans,* which insisted that older women were the more attractive (fashion and relative ages have so changed that his "women of thirty" had then more the implications of a woman of forty or even fifty today). To express all this, he found a phrase, "It is only the last love of a woman which can satisfy the first love of a man," which contains a truth beyond the question of relative ages, as it discloses that women are always the experts, men always the beginners in this matter. All this he learned from Madame de Berny, and all his tributes to women as well as most of his knowledge of them came originally from her.

She tried to eradicate his worst faults, and what remain of them for some critics of his work—an awkwardness, exaggeration, or grossness, a childish straining after effect, or bad manners, or social lapses—were precisely the ones which she exerted herself to overcome.

On the other hand, some of his lesser faults, which have a charm to a confirmed reader of Balzac, as eccentricities in an old friend, his passion for great ladies, his devotion to obsolete royalist ideas, his snobbery, or his purple passages about women, these too echo his loyalty to Madame de Berny, who was a godchild of Louis XVI and Marie Antoinette, for whom the Duc de Richelieu and the Princesse de Chimay had acted at her baptism.

She may be said to have formed Balzac in these decisive years of his youth, for apart from his reading, it was to her that he owed most of his education, in the sense that this is a judgement on the real experience of life—the most valuable education of a novelist.

The de Bernys had lived close to the Balzacs in Paris, and when both families had moved out to Villeparisis a chance arose for Balzac to become tutor to the de Bernys' son Alexandre. He had already begun on his literary hackwork, earning money where he could. Madame de Berny had no fondness for the Balzacs, but she was astonished by the gifts of their son, shocked by their waste on worthless scribblings. She could see too that he lacked any sympathy or direction. He was delightfully naïve, brilliant, and horribly awkward. At home he had that terrible woman, his mother, and a father who shrugged and let her go her own way, as crude as he was indifferent.

Madame de Berny was moved in more ways than one, in her maternal indulgence, in her admiration for a brilliant young man—who also had brilliant brown eyes—in her pity for his loneliness and lack of success, in the certainty that she could help and guide, perhaps even inspire him.

It was a temptation to any woman, in that virtue itself demanded that she should succour him. Any dangers in the situation could be ridiculed by the certainty that she was twenty-two years older than he was. But his good humour was always proof against ridicule, and when she teased him he only took it as the sort of teasing natural to lovers.

Both had much to endure at home; both needed sympathy. Her husband was a man of black humours who had only just escaped the guillotine, and he was permanently embittered as if resentful at the loss of this exceptional privilege. In his own style he was as difficult a character as Balzac's mother, who in her crises asked her family for a heavy stone to take with her when she threw herself into the Seine. Neither household was very gay.

Madame de Berny had a generous and indulgent nature. Her portrait reveals one of those women who cannot help being indulgent—as Balzac, in Lamartine's words, could not help being good-natured. It was not a one-sided affair, for though she had much to give him, she had suffered much, and he was as eager to console her as she was to guide him.

She announced of course with a proper firmness that she was going to be a mother to him, but it was already a little late for that, as he had managed without a mother for over twenty years, and in that time his masculine assertion and his strength of will had developed, precisely because he had to rely on himself alone. It was more important that his virile nature in the full ardour of youth had been without a woman; and that was less easy to manage. Laure de Berny appeared to him as the only woman in his life, in understanding and in affection certainly, but also in passion.

It is obvious enough that the absence of a mother's affection was an important element in the matter and in his whole life, but it is also true that he was often a child in later life, and that his unique regard for Madame de Berny was caused more by her qualities and the fondness of his gratitude than by the conventional substitution of a "mother figure." Certainly he began by writing to her that he was and would always be "excessively shy, passionately loving, and so reserved that I dare not confess my love." But that was itself not only a confession but a declaration, and soon he was pointing out to her the advantages of possessing a young lover, even saying how useful he could be to her children.

This love of a younger man for an older woman had been a Greek tradition, as readers of Mr. Thornton Wilder's *Woman of Andros* will recall, and it had become a French one, especially in the eighteenth and nineteenth centuries, when women so dominated intellectual and social life that admission to their salons was essential to a young writer, who courted them both for their own sake and his. Madame de Berny was not in that sense a Madame Recamier or a Delphine Gay, still less a George Sand, but she was able to guide and groom him towards the salons of success.

She gave him all that she had to give, even money, for dismayed by his hackwork, she allowed herself to become involved in his schemes for making the money which would give him leisure to write more honestly—she urged that he was degrading himself in such cheap historical romances as *Le Centenaire* or *Wann-Chlore* (later changed to *Jane la pâle*). Posterity has generally confirmed Madame de Berny's opinion that this was a waste of Balzac, but it is less easy to judge whether the cause was cynicism or incompetence, for he was only learning his technique at this stage, and these *œuvres de jeunesse* show traces of his real self, particularly on the Rabelaisian and the occult side, though his realism appears more rarely—touches in the beginning of *Argow le pirate*—and in one or two, *L'Israélite* and *La Dernière fée*, there is real cynicism in the endings—an obvious impatience to conclude the improbable story.

The later Balzac has been accused of cynicism on social issues, but never of this literary sort—and his endings are often his finest achievements. The early failure seems more a result of despair and a desire to be rid of the manuscript, perhaps with a resolve that the next would be better. Balzac himself confirmed Madame de Berny's opinion at the time by not signing these romances with his own name, and later by not including them in *La Comédie humaine*.

He at least wrote, acquired the habit of writing and telling a story, and when Urbain Canel, the publisher of *Jane la pâle*, spoke of publishing classics and requiring capital, Balzac, both for a respite from this sad business and the hope of profit, raised Balzac and de Berny money to become a publisher. He wrote an introduction to the works of Molière (a more lasting influence with him than Scott), and awaited a rush from the public, but the booksellers paid him with notes which he was unable to collect—a trick later adopted by some of his characters.

Bankruptcy encouraged him to start a printing business, for he argued that as publishers thrive on authors, so printers thrive on publishers: his active brain worked out such sequences logically but applied them too rapidly, as later when he went to Sardinia to exploit a silver mine neglected since Roman days, prophesied a success which actually followed—but to the profit of a fellow-traveller who left him to go to Genoa for the concession.

The printing business which he set up in the narrow rue Visconti, behind St. Germain des Prés, suffered from this same optimism and good nature. He was too quick and too sanguine, but his will and his enthusiasm must have been compelling, as they could even induce his mother to invest and to lose money—for these ventures left debts of a hundred thousand francs, perhaps less than twelve thousand dollars, which might not appear excessive when later set against the income of a famous and prolific writer, but he was constantly struggling to pay them and never succeeding because his costs of production, with innumerable corrections, were so extravagant—and even his economies became extravagances, as when he built himself a house to save the cost of an apartment. His optimism was as remarkable as his pessimism, but this was more natural than might appear, as the optimism sprang wholly from himself, while the pessimism came from his hard experience of the world.

The optimism survived, stronger than debts or disappointments, and was even fortified by the pessimism, because despite his desire for money and fame he refused to accept the values of the world. He juggled with money, gave exact accounts of income to his characters, calculated their rents, amassed piles of figures, gloated over coins with old Grandet, over bills of exchange with Gobseck, over vast manipulations of credit with Nucingen, but here he was only repeating the fantasies of his publishing and printing business. The essential point in his character was that he never took money seriously, not as it is taken seriously by real businessmen, real lawyers, or even by men living carefully on their incomes. For he never lived on his income, only on his hopes.

It is an important point, because his concern with money and the increasing part played by capital in society are often urged as proof of his realism, especially by Marxists, who have been quite hypnotized by his joyous juggling with figures. Yet he is remote from their materialism because his misers and capitalists are fantastic figures. He is not even denouncing them wholly, for he shares their childish enthusiasm for coins and rents, as he played with money in his own life. The final absurdity is reached when the dying Grandet, knowing that his great fortune has now to pass to his only child, Eugénie, urges her to take care, "For you will have to give an account of it to me one day." This proves, Balzac ironically adds, that Christianity should really be the religion of misers.

He is a realist in the sense that he saw money and love as two of the most powerful motives in human affairs, and he saw too that the disorderly pursuit of them often ended in disaster. But to see that, it is not necessary to be either a realist or a Marxist: it is only necessary not to be a fool.

Balzac was no fool. He was indeed a genius—of which one definition is an exaggerated love of the normal—and he had a genial trick of exaggerating these basic motives in human nature, precisely because anybody wholly under the influence of love or money himself exaggerates their importance. So when he writes of women and love, such phrases as "sublime creatures" or "ineffable delights" flow readily in his pages. In just the same style when he writes of money, francs, rents, mortgages, debts, profits, millions, they pile up hardly less sublimely, for he moves among these figures as among those others, the seductive shapes of his harem.

That his treatment of money has in it more of fantasy than finance is shown by his indulgence towards the tricks used to procure it, whether by the duchesse de Maufrigneuse or courtesans such as Esther or Carabine.

It is with relish that he relates such escapades, because he sympathized with those who took material values lightly. As Lamartine observed:

> His child-like serenity viewed the world from such a height that it seemed to him hardly more than a joke, a soap-bubble due to a child's fancy.

He was contemptuous of those writers and journalists who sold their gifts to the highest bidder, that prostitution of talent against which Madame de Berny had warned him. The grim pages of *Illusions perdues* reveal a disgust with such transactions, but they lighten when a Coralie cheats her protector for the benefit of her lover. He was no less indulgent towards thieves who only inconvenienced the rich, more than towards bankers and financiers who ruined hundreds of homes.

In fact, he can be more easily accused of irresponsibility towards money than of excessive regard for wealth. His own incursions into business had taught him that the innocent suffered and the guilty prospered in a society where speculation had advanced more rapidly than safeguards against fraud. He tried to pay his creditors, but he tried even harder to keep out of their hands, and at the end of his ten years' apprenticeship to the debts and despairs of Paris, he escaped to Brittany, where at Fougères he was welcomed by the Baron de Pommereul, a friend of the family.

The verve of the stories he related in the evening delighted his hosts. Madame de Pommereul said that his "perpetual good humour was so exuberant that it was contagious." After some of his tales, they asked, "Is it true?" At which he laughed and replied, "Not a word of truth in it—pure Balzac."

There was more truth in the work produced there, for which he solidly documented himself in the neighbourhood, but this book, *Le Dernier Chouan* (later *Les Chouans*) was also nearer to being pure Balzac. At least it was both the first signed with his name and the first to be worthy of it.

In *Les Chouans*—called after the owls whose cry identified the Breton royalists—the influence of Scott is still apparent, and even the subject is similar, as these Bretons were comparable to the Jacobites in their loyalty to a king over the border if not across the water. Balzac later declared in the Preface to *La Comédie humaine* that Scott had raised the novel to the philosophical level of history, but had not advanced from that to describe an entire society. In making this advance himself, he naturally began with the historical novel, which had first inspired him, gradually finding his way into the novel of contemporary manners in which he achieved mastery. In this he also freed himself from the more fantastic improbabilities so evident in the historical romances of his hackwork. As the novel became more contemporary, it became more probable, for even today readers tolerate greater violations of fact in a historical romance than in a novel set in the age they know. Yet the old habit died hard, and one or two improbabilities recur even in a work so skilful as *La Femme de trente ans* when the daughter elopes with a pirate (to recall the unsigned *Argow le pirate*), though her mother is a most subtle study of a woman married to an *homme nul*—Balzac's term for a man whom a woman can make nothing of. Such lapses justify Madame de Berny's warning against the waste of his gifts, and prove how much he—and his readers—owe to her.

Les Chouans, appropriately enough, describes events that happened in the year of his birth, 1799. So from this first novel he went on to describe society through the first half of the nineteenth century and the whole of his own life, and though the process followed no exact order, the last written were set in years closest to their own date.

Les Chouans is only the first in time, not in quality, though Balzac in this story already transforms the historical novel by the skill of his political intrigue. The love between the royalist leader and the woman who is a republican agent has been compared to that of Romeo and Juliet, for they too have only one night to share before their death. Yet this novel was hardly enough to make Balzac's name, which became known with *Physiologie du mariage,* published in the same year, 1829, as this created a scandal with its revolutionary demands for more freedom to girls before marriage and with the cynicism of its anecdotes, offered as a warning to husbands. Its originality was the real shock.

From this year 1829 until 1846 he was almost constantly productive, often publishing more than half a dozen works a year, of unequal length and value, but in some years, as in 1833 and 1835, issuing two or three major works in a single year. Of over ninety works, most appeared in these eighteen years, and at the end of this period he still had many more planned, but lacked the health and the strength to continue.

In 1830 he had already proved his mastery of the shorter novel and the short story, with the publication of *Scènes de la vie privée,* and in the following year he achieved his first great success with a full-length novel, *La Peau de chagrin,* which has a special importance both as an allegory of all human life, a *Pilgrim's Progress* which was also a *Rake's Progress,* and as a prophetic account of his own end—for even as early as 1834 he wrote: "It will be curious to see the author of *La Peau de chagrin* die young."

This is the book that most clearly expresses Balzac's philosophy of life: that every desire of a man is an expenditure of energy that weakens his vitality, and ends by killing him.

Simply stated, this is obviously true of those who kill themselves by debauchery or by overwork, but he applied it very much more widely to include every act of the will, which issues in the impulses or passions, the thoughts or feelings of men. Thought itself was no less destructive than passion, unless controlled and tamed by education, philosophy, or religion.

This was the essence of Balzac's belief, that men are killed by the strength of their own desires. So Goriot is killed by his passion for his daughters, Claes by his search for the Absolute, Hulot by his lust for women—and Balzac by his frenzy to finish *La Comédie humaine.*

The belief can be questioned as a general principle, on the grounds that these men were mad or unbalanced, that they were projections of Balzac's own frenzy. *La Peau de chagrin* answers this objection by viewing the process of desire in slow motion, to show that it applies also to ordinary men, whose lesser desires are just as destructive on a smaller scale. So they arrive more slowly at the same end. The principle remains the same.

To illustrate this principle, Balzac used—for the only time in a major work—a magic device, an old faded piece of leather, the skin of a wild ass, on which is engraved the seal of Solomon and a phrase in Sanskrit: the wishes of its owner will all be granted at the cost of his own life, for as each wish is fulfilled the skin will shrink, until nothing remains of either.

Raphael, on the verge of suicide, goes into a remarkable antique shop, the description of which is one of the great Balzac passages, evocative as that of Madame Vauquer's boardinghouse. Here an old man offers him the skin, and expounds the great principle—only knowledge can bring peace.

The old antiquary claims that he has found the only

true enjoyment of the world, because he has contemplated all its treasures and beauties without expending his desires on them. He has preserved his health and his strength because he has never wasted them in the search for pleasure. He has an "imaginary harem" in which he can enjoy women he has never seen. Why should anybody prefer to admire "flesh that is more or less colored, forms that are more or less rounded"?

Knowledge is the only wisdom, madness is the excess of desire. Raphael is unconvinced—he prefers to take the magic skin which will satisfy his desires, the first of which is an evening of luxury. At once he runs into an old friend who says he has been looking for him everywhere, as a rich banker is giving a party to launch a paper where Raphael's gifts will be rewarded. In the aftermath of this party, where wines and women are lavishly provided, he expresses a second wish for riches of his own, and falls into conversation with a lawyer who is looking for the heir to a millionaire Major O'Brien, dead in India. Raphael's mother was an O'Brien.

The art of *La Peau de chagrin* is that all the wishes are fulfilled naturally, so naturally that Raphael at first feels that the skin is not responsible, until at the granting of a wish he feels the skin contract in his hand. The results are also natural, for wealth affects him much as any other young man. The magic—as Goethe pointed out—in no way interferes with the natural course of life, and the background remains wholly realistic. But the contraction of the skin serves to point the moral, the destructive power of desire, and even this change in the skin has its counterpart in similar reactions of tissue to disease and death. The choice of a wild ass for the skin probably came from Rabelais's phrase about controlling the ass of the body.

Poor Raphael tried to control his skin by the aid of

science, but while biologists could define it, and chemists could subject it to treatment, they were powerless to enlarge it. So when his own condition deteriorated, three doctors argued over his symptoms, one insisting that the trouble was organic, another that it was psychological, a third that it was both. None could cure him, as none could extend the skin: they could only define its properties, or his case: "Science had given him all that it has to offer—a nomenclature."

Passionately interested in science though he was, Balzac here shows his own power of vision by seeing even then what has since become more apparent, that science is more apt to define and measure than to cure the ills of humanity. The arguments of his scientists and doctors have his own realism, but they issue in a satire which is again in the tradition of Rabelais.

Raphael's only course was to live as a recluse, in order to avoid any occasion of desire, and so preserve what remained of the skin. He is nearly saved by the devotion of Pauline—a Laure de Berny figure—and because she loves him already, his desire for her has no effect on the skin, which cannot grant a wish already fulfilled. But inevitably even she provokes him to further desires, and he dies in a final gust of passion which consumes his skin.

This was certainly the course of Balzac's life, as he often said that his only desires were for love and fame, and he destroyed himself in his frenzy for them. Even then he seems to have foreseen that, of all the women he loved, only the influence of Madame de Berny was wholly good. Zulma Carraud, his best friend and wisest adviser, never figured among them, though she once told him that she was the sort of woman he should have married. But he was never realist enough to find such a woman for himself, and with the great success of *La Peau de chagrin* he threw himself into the illusions of the world, dressed as a dandy, enjoyed the delights of fame. His own *Début dans la vie* was attended with the ridicules which he later ascribed to poor Oscar.

Yet he worked with the same frenzy: 1832 and 1833 saw the publication of the first *Contes drolatiques, Le Curé de Tours, Eugénie Grandet, Le Médecin de campagne,* the beginning of *Histoire des treize,* and many shorter pieces. In 1834 he began *Le Père Goriot,* and with its publication in the following year he was already in the centre of *La Comédie humaine.*

3

Le Père Goriot

One consequence of Balzac's fertility and the scope of his achievement is the difficulty of appreciating him by a single book. A Spanish critic has expressed this by saying that his work is not synoptic, that a general view is better obtained by a study of Balzac himself than by reading only one of his writings. His fame rests on *La Comédie humaine,* which in the most compact edition extends to ten volumes, each having more than a thousand closely printed pages. By arranging its parts in this order under a single title, he himself insisted on the unity of the whole.

It is a difference in architecture, of books no less than towns: some such as New York from the sea or Paris from the Sacré Cœur present a skyline not unworthy of the whole, others such as London or Milan offer no single point of focus. But it would be foolish to judge their importance or even their size from what is simply a difference of design. All have to be judged in their greatest monuments, and there are reasons for the general opinion that *Le Père Goriot* is such a monument in *La Comédie humaine*.

M. François Mauriac, in support of this opinion, himself adopts the parallel of towns, for he sees *Goriot* as the *rond-point* of the whole, from which radiate Balzac's "avenues driven through the thick forests of mankind." It has this position not only because it is the first novel in which he used the device of recurring characters, taking them from books that had appeared in the previous four years, Madame de Beauséant from *La Femme abandonnée*, the Duchesse de Langeais from the story of that name, de Marsay from *La Fille aux yeux d'or*. In *Goriot* too are Rastignac and Bianchon, two of the most persistent and most representative figures in the whole of *La Comédie humaine*, in which Rastignac appears fifteen and Bianchon, the doctor consulted by all, no less than twenty-three times, though here he is still a medical student. Beyond this, *Goriot* includes Vautrin, alias Collin, alias Herrera, alias Trompe-la-Mort, who in the guise of a Spanish priest is to rescue Lucien from his *Illusions perdues*, only to postpone his suicide until the more terrible intrigues of *Splendeurs et misères des courtisanes*. This is already a sufficient example of the obsessive recurrence of figures as in a dream, where the stories follow one another more naturally than in the Arabian Nights.

In this sequence *Goriot* is the masterpiece of Balzac's earlier years, as *La Cousine Bette* of the later, so the first is naturally more concerned with a young man's entry into life, the second with the corruption and decline of an old one. Yet Goriot himself is an old man, as Bette's Wenceslas is a young one—youth and age are hardly contrasts in Balzac, owing to the terrible persistence of passion. Similarly, it is not easy to trace developments or deteriorations in his writing over the eighteen years of his great period. There is an increased use of dialogue, but quality and design change much less. There is not even more cynicism or disillusion in the later work, nor less of the romantic and the sublime, nowhere more evident than in *Albert Savarus* or *Honorine*, both later stories. All the changes occurred in the days of his hackwork before he signed his name: from then he worked on *La Comédie humaine* as if it were really a single book, as if it had been present in his mind from the first novel included in it, though the earliest mention of the plan was in 1835, the year of *Goriot*'s publication.

This again is a claim for preeminence to *Goriot,* which today remains the novel available in the greatest number of different editions, after *Eugénie Grandet* which, for all its great merits, is reissued chiefly because its more innocent story is approved with less misgiving for use in schools.

Much of *Goriot* was written at Saché, in Balzac's own Touraine, where he was staying with the Margonnes, and in this retreat which relieved him of the cares, the debts, and the lures of Paris, he was able to reflect on these things. It was time for an interval, as he already had rapid experiences of success, its price and its deceptions, as he had endured the mockery of Paris and rejection by Madame de Castries. He was thirty-five, and had taken his own *Peau de chagrin* as a warning that he might die young.

In these circumstances it was natural that he should look back at Paris through the eyes of a young student, Eugène de Rastignac, innocent but ambitious, determined both to make his name and to earn enough to reward his family for the sacrifices they were making to his career. He would see the corruptions and the intrigues of Paris, but also the fascinations of its odd corners, which had attracted Balzac when he slaved in his garret near the Place de la Bastille. So Rastignac is the character most often present in *Le Père Goriot,* and most of the action concerns him.

Yet *Le Père Goriot,* as its title implies, is a study in paternity, and Goriot himself is not related to Rastignac. But Balzac, in his own Touraine and with his own experiences in mind, when conceiving a father could hardly avoid a thought of his own, who had died before his son's rise to fame—at least he gave to Goriot the same career as his father's, a commissioner of supplies to the army—though the force of paternity is more Balzac's own, in his devotion to all his characters, more especially the women, as Goriot's children were daughters.

The third great figure is Vautrin, the criminal who is so far from being the incarnation of evil that some find him the most likable person in the book—among them Madame Vauquer, who concludes even after the revelation of his crimes, "All the same, he was a good man."

In most of Balzac's novels, there is a central character who may give his or her name to the book, Eugénie Grandet, le Curé de Tours, Louis Lambert, Modeste Mignon, or la duchesse de Langeais. The title may stand for a person, as *Le Lys dans la vallée* for Henriette de Mortsauf, or in others such as *Illusions perdues,* Lucien, the disillusioned, is the central character, though unnamed in the title. Yet *Le Père Goriot* is not only the history of Goriot, for Rastignac is the central character, through whose eyes Goriot is more often seen, while it is Vautrin who precipitates the action, who is responsible for "one of the most extraordinary days in the history of the Maison Vauquer." Vautrin is likely to dominate any book, as he dominated any company in which he appeared, yet Goriot remains Balzac's best-known character, while Rastignac is central to the whole *Comédie humaine,* more frequent in his appearances than either of them, and he is followed with more interest precisely because *Goriot* gives so intimate an account of his youth.

It is a unique quality in *Goriot* that it revolves on three centres—recalling Professor Lukács's remark that "Balzac's world is, like Hegel's, a circle consisting entirely of circles." Yet the unity is complete. In some stories Balzac uses subplots skilfully integrated with the main theme, but in *Goriot* the central interest controls all the action. Nothing is irrelevant, and the development is closer to that of a short story than a novel. Rastignac is directly involved with Goriot, both in defending him at the boardinghouse and in relation to his daughter, yet even more involved with Vautrin who tempts him with wealth at the cost of murder.

These three are strongly contrasted characters, with their own interests and passions, but all are intensely Balzacian, and like most of his characters they are developed so much from inside that they are also images of Balzac himself. Rastignac is the young Balzac in his innocence, but also in his desire for love and fame, Goriot is the mature Balzac sacrificing himself to the children of his imagination (and Goriot dies calling for his children as Balzac died asking for the doctor he had created), while Vautrin the criminal is in a sense most like Balzac, both in his contemptuous rejection of the world's standards and in his imperturbable good humour.

The three are brought together in the most natural manner, simply because they are all staying at the same boardinghouse on the edge of the Latin Quarter. This is all the more natural because this Maison Vauquer, the most famous boardinghouse in fiction or in real life, is described in such detail and with such distaste that it impresses its own reality on the characters before they appear.

One trick of Balzac's technique is to concentrate on the background to a point of exactitude that fatigues the reader until the figures which emerge against it appear credible, however fantastic or dramatic their behaviour. *Goriot* is highly dramatic and filled with action, yet the story has to wait until Balzac has taken nearly an eighth of the whole book to describe the boardinghouse and its inmates. This is not deadening, because the people themselves are a remarkable assortment, and there is suspense even in the description, because not only the reader but Balzac himself is eager to finish with it and begin the story. But he cannot begin until everything is ready, and tension mounts before the rising of the curtain.

These descriptions are commonly taken as realism, but they are highly personal, often dogmatic, sometimes fantastic. Balzac notes the district with some exactitude, but adds that "no part of Paris is more horrible, nor more unknown." Then the street is compared to "a bronze frame" and to the Catacombs, "withered hearts" taking the place of "empty skulls." These are not ordinary facts. The description of the sitting room is even more prejudiced, "the boardinghouse smell," the dampness and foulness, the nausea, yet all this is elegant compared with the dining room, where Balzac uses eight adjectives to indicate the decrepitude of the furniture, adding that there is no time for further details.

That is the extraordinary point, that these long descriptions are to him very hurried, and this eagerness is communicated even in the mention of furniture. His distaste and nausea are also shared, and this is important, for it stimulates interest. Why is a man such as Goriot, who has evidently been rich, who is still visited by fashionable women, living in such a place?

"Background" is hardly the word for Balzac's furniture, houses, and streets, for these are suffused with his universality of interest and constant excitement, as they are also as much a part of his characters as their clothes. In many of his works there is evidence that he saw with great intensity—he spent a couple of days in Venice, yet his *Massimilla Doni* is said by Venetians to hold the place's essence. Almost simultaneously, his interior vision peoples the place with figures, who are at once his own projections and women or men peculiar to the houses he has seen.

So the Maison Vauquer is at once a particular house in Paris and an elaborate piece of scenery for the use of Vautrin, Goriot, and Rastignac. It has to be both respectable enough for those clinging to pretensions and poor enough for those able to afford nothing better. The stairs themselves are important, for there has to be a good room on the first floor where Victorine Taillefer, the disowned daughter of a millionaire banker, can be decently lodged, and a miserable room at the top where Goriot can die without peace. Balzac sees to all this.

He sets the scene with the care of a woman who knows the sort of people coming. There is realism, there is attention to detail, but it is for their sake, not from any theory of scientific truth. That came later with the naturalism of Zola. Balzac's vision was quite undulled by any such belief that the material world was more important than the tormented or ecstatic women and men who gazed at it. Not only Goriot but Balzac himself wanted to furnish everything for his children.

Having set the scene, he relaxes with almost a sigh of relief:

> Such then was the general position at the boardinghouse at the end of the month of November, 1819. A few days later Eugène, after going to Madame de Beauséant's ball, returned at two in the morning. . . .

At the top of the stairs he notices a light under Goriot's door, opposite his own, fears the old man may be ill, peers through the keyhole, and so sees him twisting some silver plate into a solid mass. A moment later he hears Vautrin entering, though the front door has been bolted.

In this brief episode the three chief actors have been presented in character. Eugène de Rastignac is disclosed in his poverty, but also as a cousin of Madame de Beauséant, whose house is "one of the most exclusive" in Paris. At her ball he has already met the Comtesse de Restaud, who he has yet to learn is one of Goriot's two daughters. When he hears that she has been seen at the boardinghouse, then finds Goriot emerging from her house, he foolishly mentions this to her—which closes her door to him. The manner of this is typical—for she assures Rastignac that she will always be delighted to see him, then instructs her servant never to admit him.

Madame de Beauséant, his cousin, explains his blunder, adding that he had better turn to the other Goriot daughter, Delphine, married to the millionaire Baron de Nucingen.

At the boardinghouse the occasional visits of these daughters to extract the last of his money from their father (the silver plate that Rastignac had seen) have caused scandal, as nobody believes they are really his daughters. Rastignac champions him and wins his affection—Goriot even encourages his hopes with Delphine, indignant at her husband's treatment of her.

Rastignac and Goriot have much in common, for both are living in poverty, though related to the most fashionable women in Paris. Goriot is mortgaging the last of his fortune to pay his daughters' or their lovers' debts, Rastignac needs money to pay his way in a world beyond his means.

This is where Vautrin intervenes. His motives, his whole personality, remain more obscure than the others, but he is clearly indulgent towards the handsome Rastignac. Only later are his motives disclosed as both interested and perverted: "You would like to know who I am, what I've done, or what I'm doing. You are too curious, young man."

In a long talk he at least reveals his intelligence, his cynicism, his intimate understanding of Paris and the world—and not a little of Balzac's. He points out that to lead the life he wants, Rastignac needs at least a million francs, and needs them soon. Advancement in the law will get him nowhere, for he will still be a mediocrity when he is fifty. He has ambition, and Vautrin admires that. Women all turn to men of ambition, who have more strength, more blood in them, than other men.

Only two things succeed in the world, genius and corruption, because both work outside the conventions. An intelligent man has to break the conventions on a grand scale: "In every million men there are ten who put themselves above everything, even the law: and I am one of them."

He too has an ambition, to buy a plantation with a couple of hundred slaves in the United States—in ten years he will have made three or four million, but first he needs two hundred thousand francs: if he finds Rastignac a million, that is all he will ask from him.

It is very simple, for all he has to do is to court Victorine Taillefer, who already admires him. Vautrin has a man who will provoke her brother to a duel and certainly kill him with a special trick of the sword. Her father will then recognise Victorine, his only other child, and she will have a dowry of a million. There is nothing to it. Every fortune has a crime behind it—this is cleaner than most.

Rastignac recoils, but he has already seen enough of the world's hypocrisy to recognise some truth in Vautrin's talk, and even to respect his honesty. He refuses, but he is closer to corruption.

Vautrin brings out the worst in him, as Goriot brings out the best. In this, Rastignac is very much Balzac, who could understand a complete lack of scruple and a complete devotion, but found hypocrisy much harder to tolerate, for his genius made him one of those ten men in a million to whom Vautrin referred. He can describe a conventional setting, but always in terms which make it more horrible than it appears to the majority in a million men. He needed a constant stimulus (like his black coffee) as he wrote, for his vitality demanded strong emotions, and when the sublime was out of reach he had to be content with disgust. So he turned from grandeur to misery, as Rastignac from the splendid apartments of Madame de Beauséant to his garret in the Maison Vauquer.

Yet he recognised ordinary honesty, for the central point in *Goriot* is the scene in the Luxembourg gardens where Rastignac asks the advice of Bianchon, who so often in *La Comédie humaine* is the spokesman of that good sense which was Balzac's most traditional quality, the good sense of Molière. Rastignac takes an example from Rousseau: if he could become rich by killing an old mandarin in China, without stirring from Paris, would he take the chance?

Bianchon, the medical student, laughs and says that he has killed thirty-three already. But when Rastignac insists, asks him to be serious, he replies: "Is he very old, your mandarin? But all the same, whether he's young or old, paralysed or healthy, damn it . . . well, no."

He goes on to say that emotions can be as fully satisfied in a small sphere as in a great one. Napoleon could not enjoy the same meal twice, nor more mistresses than a student. Happiness, whether it cost a million or a hundred, was still limited to one person's capacity for enjoyment.

This brief exchange in the Luxembourg gardens, so typical of a medical student's outer cynicism and inner good faith, helps Rastignac to resist Vautrin's offer. These interventions of good sense in a temptation or a passion are often brief in Balzac, and as often made by a minor character, yet they have the same force of a lapse from extravagance into wisdom as occurs in his master, Rabelais.

As Rastignac goes more into the world and becomes

more involved with Goriot's daughter Delphine, his need of money grows more pressing until one evening, almost without thinking, he makes himself agreeable to the heiress Victorine—but it is not with his consent that Vautrin carries out his scheme, and on her brother's death, her father sends for her. On the same morning, Vautrin is arrested, not for this crime (which remains unsuspected as he had promised) but because his identity as an escaped criminal has been unearthed by the police.

The police officer remarks that Vautrin is not interested in women, and he had once gone to prison for a crime really committed by a handsome young Italian. Evidently he is a homosexual—Balzac noted such facts, and the Lesbian Marquise in *La Fille aux yeux d'or* in the century before Gide or Proust, without their emphasis, but as an aspect of the corrupt society whose secretary he was. Vautrin interested him more as a critic of that society, for he shared his view that more harm was done by bankers, such as Nucingen and Taillefer, than by thieves or murderers. Yet it would be difficult to say that he judged even misers or millionaires harshly, for he was so inside his characters that he judged them with their own self-pity.

Most of all, he was inside Goriot, in his obsession with his daughters, which is at once obviously morbid and deeply moving, because it is a real and basically natural devotion for which he makes very real sacrifices. They have had nearly all his great fortune, they refuse to be seen with him in public, yet he continues to adore them, and stands with the crowds outside the Opera simply to catch a glimpse of them.

Vautrin casts his great shadow over the book, all the more sinister in his genial good nature, but his arrest removes him three-quarters of the way through—when Rastignac, in horror at the crime in which he has so nearly taken part, abandons every thought of Victorine, now an heiress, and turns with all the more passion towards Delphine, as if this affair with a banker's wife was sacred by contrast. This brings him still closer to Goriot, whose illness, madness, and death dominate the last quarter of the book, earning his right to the title.

In Vautrin, Rastignac has seen the effect of strong intelligence, uncontrolled by scruple or emotion. In Goriot, he now sees the effect of devotion and feelings equally uncontrolled. Both impress him, but the end of Goriot moves him more deeply because he is in love with one of the two daughters whose alternate bleeding and neglect of their father bring him to that end.

The final blow falls when both daughters come to him for money and he has none left:

> This is death to me . . . but what will become of you when I'm no longer here? Fathers should live as long as their children. God, how badly organized your world is! Yet you too have a son, so they tell us. You should prevent us from suffering in our children.

Then, more terribly, the two daughters have a violent quarrel in his presence which so strikes the principle of his life, divided wholly between them, that he collapses. Bianchon is summoned, and concludes from a glance at the eyes that there has been a stroke with a threat of apoplexy.

The daughters having gone, he and Rastignac look after the old man, until Rastignac is called away by Delphine whom he had promised to take to Madame de Beauséant's last reception on which she had set her heart (only he had been able to secure her an invitation). At the ball he says that her father's last cry is in his ears, at which she sheds a tear, hastily brushed aside with the thought that it will ruin her makeup.

After the ball, he returns to Goriot's bedside, to hear

the last great tirade and rhapsody over his daughters. As the end is obviously near, Rastignac sends for them, but they fail to appear.

Goriot at last brings to the front the reflections which have been tormenting the back of his mind:

> They have their affairs, they are asleep, they won't come. . . . You give them life, they give you death. You make their way in the world, they chase you from it. No, they won't come. I've known that for ten years . . . but I wouldn't believe it.

For the first time, the bitterness of truth invades him, as he realises that if he had been less devoted, if he had kept his fortune, they would be there at his bedside. He recalls how they once were—even when they were first married, he was welcome at their houses, then gradually his presence embarrassed them, and he stayed away for their sake:

> That's what it is to educate your children well. Yet I couldn't go to school, not at my age . . . this agony—let the doctors open my head, that would hurt less. My daughters, my daughters . . . send the police for them, justice is on my side, nature, the law, everything. The fatherland depends on fathers and will go under with them. That's obvious. Society, the whole world, turns on fatherhood. Everything's upset if children don't care for their fathers. Oh, just to see them . . . and tell them not to look at me so coldly when they come.

Then his mind revolves the other way: they are innocent, and it is all his fault, because he has spoiled them. God would be unjust to condemn them for his sake. He will make more millions, to bring them back. Then again: "I'm a fool. They don't love me, they've never loved me. It's all clear now. They won't come."

When Rastignac says he will fetch them, Goriot tells him to make the government, the king's officer, act against them. Reminded that he has cursed them, he is astonished: no, he loves, adores them, and he would be cured if they came. A moment later he demands "a law on the death of fathers."

Rastignac goes off to bring the daughters, but the most he can achieve is a promise from Delphine that she will come, and this is given more for his sake than her father's. When he returns, the end is already near. As he and Bianchon are changing the old man's sheets and lifting him up, he grasps their hair and cries, "Ah, my angels," dying with a sigh of relief at this last illusion.

In a few minutes a woman's step is heard outside. Rastignac at once says, "She has come too late." But it is not Delphine, only the maid to explain why she can't come.

It is by such touches that Balzac skirts convention and arrives at the more fantastic cruelty in life.

It remains only to bury Goriot, which is not easy as there is no money left, and both sons-in-law refuse appeals to them.

Bianchon proposes an epitaph:

> Here lies M. Goriot, father of the Comtesse de Restaud and Baronne de Nucingen, buried at the expense of two students.

Goriot has a pauper's funeral, with Rastignac as the only mourner. Looking down on Paris from the cemetery, he sees the world he has to conquer, and issues his challenge, "*À nous deux maintenant.*"

Balzac himself had already advanced into the centre of his world when in 1835 he published *Le Père Goriot*, for it was one of his most productive years in which also appeared *Séraphita* and *Le Lys dans la vallée*, both major works, as well as *Le Contrat de mariage*, a shorter novel. So he had already delivered himself of those books which weigh on a writer more from a necessity of deliverance from them than from his own vision, whether they are the expression of his youth, such as *Louis Lambert* and *Le Lys dans la vallée,* a statement of a political position such as *Le Médecin de campagne,* or a statement of religion such as *Séraphita.* He had even expressed his whole vision of life in *La Peau de chagrin.*

In *Le Père Goriot* he attained what is for many a greater achievement, the direct creation of life. Goriot, Vautrin, Rastignac are figures more clearly defined than Balzac himself, for he shaped them with a greater art than he gave to his daily life, in which he was often content to indulge his imagination—and this caused fantastic episodes which some found inconsistent with his genius. But when he wrote he was himself: Goriot is consistent, even if Balzac is not.

It is true that both Goriot and Vautrin are extraordinary creations: Goriot is the genius of fatherhood ("the Christ of paternity" to Rastignac) as Vautrin is the genius of crime, but they are consistent and impose conviction. It is only in *Le Père Goriot* that Balzac put two such characters in a single novel, and this sometimes creates a strange effect, as a sudden passing from light into darkness. Yet this strengthens more than it weakens the theme of the book, which is based on contrasts between success and failure, riches and poverty, devotion and indifference. But Balzac was doubtless wise to arrest and remove Vautrin before Goriot's greatest scenes: so terrible a passion required the whole stage.

For *Le Père Goriot* remains the bible of fatherhood, and so it is inevitably compared with *King Lear.* Clearly the poetry and the grandeur of Shakespeare triumph, but in one not unimportant particular Goriot has an advantage over Lear, in that he is more human. He is driven out of his mind only after his stroke, and even then he rallies, sees that he is himself much to blame, that he has spoiled his daughters. These daughters themselves are human, not monsters such as Goneril and Regan. Delphine especially has not only charm but moments of tenderness which make it easy to share Rastignac's fondness for her. Goriot's daughters are simply women with social cares and worries over money: they would come to his deathbed if only he had chosen to die at a more convenient time, and they are genuinely upset when they learn of their failure. Delphine even said, "I would be a monster if I did not come." But she is not a monster, only a woman preoccupied, and in letting this be seen Balzac adds that extra dimension of tragedy represented by the words, "If only. . . ."

Le Père Goriot retains a special place in *La Comédie humaine* because, unlike some pieces which are chiefly interesting in their relation to the whole, this with half-a-dozen others support that whole which without them would fall to pieces.

4

Physiology of Woman

BALZAC INVENTED SO MANY WOMEN and in such variety that they are his chief claim to creative vision, for if it is true that he is also inside them, this is a much greater achievement than the projection of himself inside creatures of his own gender. That he is inside these women has nowhere been better asserted than in the great phrase of Henry James:

> He bears children with Madame de l'Estorade, knows intimately how she suffers for them, and not less intimately how her correspondent suffers, as well as enjoys, without them. Big as he is, he makes himself small to be handled by her with young maternal passion, and positively to handle her in turn with infantile innocence.

This is all the more remarkable because he hardly received attention from his own mother, and had very little home life. His first knowledge of women as so much else came to him from Madame de Berny. Yet she was certainly not the only woman from whom he learned—these lines of Henry James were written of *Mémoires de deux jeunes mariées* which Marcel Bouteron believes were influenced by Balzac's correspondence with the Countess Guidoboni-Visconti. He corresponded with many other women, even apart from Zulma Carraud and

Madame Hanska, who after years of correspondence became his wife. He once told Gautier that for a writer affairs were best conducted by letter, as this helped to form the style.

In some of these letters he gave the impression that he worked in monastic solitude and may even have believed this at the moment of writing, for he was no less a monk than he was, when impersonating Vautrin, a criminal. He certainly believed that continence preserved the energy necessary for his work, though the Goncourts' story that he lamented on emerging from a woman's embrace, "I have lost a book," is probably only a well-found illustration of this principle. In fact the principle was violated, and he "knew women" in the scriptural sense no less than he knew them by letters.

His sister, in her memoir of him, notes with some amusement the efforts he made to observe discretion about his affairs. This discretion was not always proof, in exuberant moments, against mysterious allusions to women of immense distinction who had been with him. Anyhow, the efforts directed against gossip have proved vain against scholars and critics, who have done worse than any scandalmongers in revealing his private life. Nor is their work unrewarding when it helps to clarify the intimate understanding of women displayed in *La Comédie humaine*, where he invented so many.

Yet the strange impression that a student of Balzac has, on making the acquaintance of these real women he knew, is that he also invented them. Art seems once more to have anticipated life. His passion and his gratitude for Madame de Berny, a woman twice his age, whose children were closer in years to him, are less easy to believe than some affairs in his novels to which he has given the deeper reality of his own vision. His bitter despair over Madame de Castries is harder to understand than Montriveau's over the Duchesse de Langeais, whose charms are more convincing. Most certainly his affair with Madame Hanska, ending with their marriage and his death, is more astonishing than any improbabilities in *Albert Savarus,* the novel in which he described its course without knowing its end. Truth here is really stranger than fiction.

Yet it is also true that these women bear some responsibility for the fiction. Art reverses the roles of physical creation, for women provide the seed that enables a Balzac to give birth to his characters. It may even be argued that if there had been no Madame de Berny, he would have created no such women characters, or at least they would have been different—for a man whose work was so feminine in substance was predestined to a woman. In being that woman, the first in his life, she not only inspired those in his work, but those he was to meet after her, for most of them were women of distinction, her equal or superior in status and elegance, having her literary interests and knowledge of the world, holding her religious and royalist opinions, even encumbered as she was with a difficult or disagreeable husband, offering in fact exactly the qualities and the situation that Balzac had found in her.

It has been remarked that, to a man, the women he loves are always the same woman, because what he finds in them is an image of his own desire. To an imagination on the scale of a Balzac this certainly applies, and the best women in his work—in which women more often behave better than men—and in his life bear a certain resemblance to Madame de Berny, because they would not have attracted him nor taken his time if they had lacked that essential quality.

In his earlier work she is assigned the role of the "angelic" or "sublime" woman who sacrifices herself for a man and consoles him in his labours. Both in *La Peau de chagrin* and *Louis Lambert* she has this role

(Pauline), but a fuller account of their relationship is in *Le Lys dans la vallée,* published in 1835, the year before her death, where she appears as Henriette de Mortsauf.

Like *Louis Lambert* this work is more impressive as a wonderful evocation of youth than as a novel, though here the interest is much stronger. The enchanted spring of Touraine and the wonder of Félix de Vandenesse, hardly more than a boy, in his first worship of a woman, are distilled in the sunshine of these pages, where Balzac describes the fields and flowers with the same impatient eagerness as he gives to the misery of the Maison Vauquer at the beginning of *Goriot.* Even the startling incident when Félix first sees Henriette sitting in front of him in a corner at a dance and kisses her bare back, at which she turns angrily and sees a boy with a tear trickling down his face, even this can be treated with her own indulgence, because it is obvious that not only he, but Balzac, could not help it.

It is absurd, but it presents the right balance between the boldness and the timidity of a first affair, for if Balzac's women or men are sometimes extravagant in their conduct or language, they are always human—they exaggerate only what really happens. *Le Lys dans la vallée* becomes less convincing precisely when Balzac, out of devotion to Madame de Berny, departs from what really happened. For in the book he not only makes her as noble and selfless as she doubtless was, but shows her treating Félix as a son and giving no return to his love, only admitting her own for him when she lies dying. Yet she bitterly repents this love—disproportionate in her though less in Madame de Berny, as she had sacrificed the whole of her reputation and some part of her children's fortune to Balzac. So the angel of the sublime, who was always his evil spirit, intervened in the story to weaken it.

Félix himself undergoes a similar change, for when he

leaves Henriette and falls to the fantastic Lady Dudley, this appears to be the consequence of Henriette's austerity, yet in reality Madame de Berny had been less austere, and Balzac had been even less faithful than Félix. His first years of success had been celebrated by affairs with women who continued his education from the elements supplied by her. In *Le Lys dans la vallée* he showed his gratitude by ascribing that education wholly to her, but in reality he learned much from others.

Not least among them was this Lady Dudley, only less fantastic than the real Countess Guidoboni-Visconti whose acquaintance he had made at the Austrian Embassy in Paris. She was English by birth, a Sarah Lovell from an eccentric family in Kent—Lady Dudley came from Lancashire "where women die of love." On the Countess its effect was less fatal: she had married an Italian count who had dissipated his youth until nothing was left but a passion for music (*Massimilla Doni* gives some indication of this), and his chief delight was to play second fiddle in a theatre orchestra. The Countess also consoled herself: Lady Dudley remarks in *Une Fille d'Ève,* "One exists with a husband, one only lives with a lover." Balzac once escaped from his creditors by taking refuge in the house of the Viscontis, which led to the husband being sued for his debts—one more situation more proper to *La Comédie humaine* than to real life.

The charm of the Countess for Balzac was that she shared his enjoyment of escapades and defiance of conventions, being one of those Englishwomen who, once freed from British restraints, become more exuberant than any southerner on the Continent. Balzac's references to English hypocrisy—"Speak to a woman . . . pay a compliment . . . shocking . . . shocking"—owe something to the force of her own reaction against it.

Balzac wrote *Le Lys dans la vallée* as a tribute to Madame de Berny, but also to explain his relations with her to Madame Hanska, which was another reason why these had to be raised to a higher level in the book. The letter at the beginning from Félix to Natalie de Manerville sets out his devotion, while her letter at the end, telling him that women are not very interested in the woman who came before them, may represent Madame Hanska's reaction.

It was a different woman who gave him some of the material for the very different book, *Physiologie du mariage,* with which he had earlier made his name. He had met the Duchesse d'Abrantès when he was still engaged in hackwork, as she, widow of Napoleon's General Junot, had also been reduced to this. She was able to tell him all the scandals of Napoleon's court, where the Emperor himself had been at least among her admirers. In the preface of *Physiologie du mariage* Balzac refers to her as one of the wittiest women of her age, and with his gift for absorbing the experiences of women proceeds to write as if he had intimate knowledge of marital crises.

The form and style of the book obviously owe much to Brillat-Savarin's *Physiologie du goût,* which had appeared only five years before, with its maxims and its meditations, and there is even something of the same mock-heroic manner. Beyond that, there are eighteenth century influences hardly less obvious, for Balzac here is at his least romantic—in all his work, if he mentions Rousseau, the prototype of the romantic, it is usually to disagree with him, while Diderot, the type of rationalism and encyclopaedism, is quoted with respect. *Physiologie du mariage* even has some claim to be an encyclopaedic work, for very few of the misfortunes to be encountered in marriage are neglected. There are one or two references to its joys, but Balzac is here most concerned to warn husbands against the dangers to which they are exposed—warnings which M. de Berny, M. Visconti, and M. Hanski might well have taken to heart. He even offers statistics of those who are unmarried and likely to disrupt the peace of homes.

While exposing the tricks by which women deceive the men who have disappointed them, he places the blame on the men. He anticipates the work of later psychologists in emphasizing the delicacy necessary to love: "Never begin a marriage with a rape." This famous maxim is typical, for here as in his stories he was the defender of women against the brutality and stupidity of men.

He explains how French society had reached an unsatisfactory compromise between Roman subjection and Frankish independence for women, resulting in that situation where unmarried women were almost an enclosed order, married women even more at the mercy of their lovers than their husbands. Love and marriage were in fact dissociated. Balzac claimed that the greater freedom enjoyed by girls in Switzerland or in English-speaking lands offered a better chance of happiness. It is noteworthy that in his own novels two of the few girls who achieve happiness in marriage, Modeste Mignon and Ursule Mirouet, both have an enlightened father or guardian who allows them to make their own choice.

Physiologie du mariage describes the misfortunes of marriage with gaiety, even with cynicism—it shocked Parisians on its appearance—but Balzac was no more indifferent to marriage than Brillat-Savarin to food, though he wrote as lightly. Marriage extends beyond the kitchen, but he wrote no less rationally of honeymoons and double beds than his predecessor of chocolate and truffles. There is much good sense, yet also a lyrical passage on that true love which is a direct gift of the gods.

If some of the basic wisdom came from Madame de Berny and some of the anecdotes from the Duchesse d'Abrantès, he had a deep insight into women's feelings, and the stories that followed often apply the lessons of

Physiologie du mariage. La Femme abandonnée may have been inspired by the Duchesse herself, but Madame de Berny had shown him what a woman could suffer. He exalted her again in *Madame Firmiani* (which he tactfully dedicated to her husband), while in *La Femme de trente ans* he showed the unhappy course of a woman with a characterless husband such as hers.

Most of Balzac's women express themselves in their love, whether this is sacrificial, devoted, passionate, or mercenary. But there are some who are too proud or too cold to love, though they take a pride in being loved, and may even encourage passions which they have no intension of sharing. For these he had a model in Henriette, later Duchesse de Castries, who first wrote to him in the year of his success with *La Peau de chagrin.* She pretended to be an English admirer of his, and he was excited both by this proof of his fame abroad and by the quality of the writing paper, which was the first clue to her distinction. When the time came for her to reveal her identity, he was much more excited, as she was the great lady of his imagination, and her uncle, the Duc de Fitzjames, was the leader of the legitimist party. Her chief object was probably to secure a brilliant young writer for that cause.

If, as he later declared, this was the most bitter experience of Balzac's life, his disappointment was not only in her, for he was also disillusioned with himself, with the woman of his imagination, with the aristocracy, with the royalist cause, and even with his hopes for France. For Madame de Castries embodied not only his illusions, but some of his principles—these survived her, but they were modified by doubts on the aristocracy which professed them. Later in *Le Cabinet des antiques* (the nickname of a diehard group) he showed how powerless they were to alter the course of events, as in *Les Paysans* they were superseded even on their estates by speculators from the towns.

In the autumn of 1832 he travelled with Madame de Castries and her uncle to Aix-les-Bains and Geneva, a journey which revealed to him that she was as unlikely to favour him as her party was to govern France. Over a year later he expressed his deception in her treatment of him with *La Duchesse de Langeais,* which resembles *Le Lys dans la vallée* in convincing more when it keeps to the facts than when it exaggerates and sublimates them. Balzac could magnificently transform a real woman or boardinghouse and raise them into the other world of art—it was only his own fantastic experience that he was unable to control. His assault on Madame de Castries was basically as fantastic as Montriveau's attempt to kidnap the Duchesse de Langeais from a convent off the coast of Spain after she had become a nun. The detail and the description of the convent are admirable, the rocky islet with the palm trees above the gleaming waters of the Mediterranean where women from all over Europe came to enter the strictest of the Carmelite orders. But Montriveau's long search ending in his interview with the nun there is only less fantastic than the last coincidence when he scales the cliff, finds her laid out for burial while the sisters are in choir, and elopes with her corpse.

Yet it is with great art that Balzac begins and ends the story in the convent, taking only a few pages for this, while he places in between the whole affair of the Duchesse and Montriveau. He is subtle in analysis of her pride, her coquetry and her refusal, her desire to make the conquest of a great man whose simplicity of heart she admires, her fear of compromising her own position. Behind this is another contrast between the arrogant conventions of the old regime which she represents and the simple directness of a Bonapartist general—or between Henriette and the Napoleonic directness of Balzac.

In the last analysis the affair is projected with a vision of such power that the exaggeration of the convent scenes at the beginning and end no longer seems absurd, for they embody the real exaltations and frustrations of a grand passion. It is not true that Henriette entered an enclosed order, but it is true that she was enclosed in the rigidity of her own conventions. It is not true that Balzac kidnapped her corpse from the convent, but it is true that she raised him to that frenzy of desperation.

The story is typical of Balzac, who forces belief by the accuracy of his detail and his analysis of personal relations, who then intensifies his vision to a depth where the reader is startled to observe strange and unknown creatures beneath a sea as familiar as that Mediterranean in which the Duchesse de Langeais had her convent.

This meeting of reality and vision is even more remarkable in the affair of Eveline Hanska. She too introduced herself (in 1832) with a letter under an assumed name, *l'Étrangère,* aided by her child's Swiss governess, who afterwards had scruples on the part she played in the affair. To Madame Hanska, immured with a husband much older than herself in a vast Palladian mansion in the Ukraine, the arrival of novels and papers from Paris was the chief excitement of life. Balzac was no less excited when he learned that his correspondent was really a Polish countess, one of whose great-greataunts had been Anne Leczinska, Queen of France.

The affair was obviously more suited to romantic fiction than to real life, and the fact that he met her the following year at Neuchâtel and also at Geneva, that the letters continued, that they married eighteen years after the first letter, has its chief interest to the critic in the effect on his work.

Some items in *La Comédie humaine,* among them

Séraphita, Modeste Mignon, Albert Savarus, Honorine, are directly related to Balzac's devotion to Madame Hanska. All may be charged with sublimity or romanticism, yet it is difficult for a critic to say that they present situations impossible in real life, when they are often less fantastic than Balzac's own experience.

In every period the style of the day affects the language and even the behaviour of lovers, but it is even more understandable that a writer as creative as Balzac should extend his conceptions from literature into life. This point is capital in justice to Madame Hanska and to her influence on his life and writings. Writers sympathetic to Balzac, among them Dr. Herbert J. Hunt, the best of recent critics in English, have viewed this influence with regret, feeling that she imposed on him eighteen years of frustration. Such a view has authority, and it is at least evident that this long affair denied him the peace and serenity of married life.

Yet domestic peace, or indeed peace of any sort, may not be the need most urgent to the temperament of a Balzac. What he most needed was the renewal of those visions and illusions which he translated into his words and work. In this, frustration itself was an aid, as it is the unsatisfied lover who writes the most passionate declarations.

That Balzac realised this is proved by his effort to live as a monk, his monastic robe, his abstinence—he ate and drank very frugally, apart from his vast infusions of coffee, while at work, though he feasted during breaks in his labours. By concentration and willpower, which he believed was the impulse of all thought (that was the basis of both Louis Lambert's and Raphael's Treatise on the Will) he hoped to lead a purely intellectual life, and he at least succeeded in the slavery of his work. Even when he was writing love letters or pursuing an affair it was a point of honour with him not to steal time from his working hours: he preferred to sacrifice his sleep and his health.

This was not the life of a husband—indeed any sensible woman, such as Zulma Carraud, prescribed as a wife for him, would have been the first to protest, and rightly, at such a life. Nor is it true that Madame Hanska destroyed his domestic peace, for if he loved her he had an immense capacity for loving, and there were other women (he was not faithful to her through all those years of separation). The truth was that he preferred the vision which she represented in his mind, and it was from that vision that he created some of his most hallucinating figures.

Madame Hanska was in fact largely the creation of Balzac, as he was himself formed by Madame de Berny, and it is in these two women that his perceptions were at once inspired and embodied, so that the women of *La Comédie humaine* are directly related to them, either as sisters or daughters. Yet the effect they had on him was so strongly marked by his own temperament and reactions that it is impossible to distinguish exactly between their reality and his own vision of them. Between them, too, stands the figure of Madame de Castries who in the mythology of Mr. Robert Graves might be described as "the white goddess," personifying a fate in the alteration of a man's life. Yet even she had already been represented as Fedora, "the woman without a heart" in *La Peau de chagrin,* precisely the novel which had attracted her to Balzac.

All three women can be discerned in the vision of *La Comédie humaine,* to which Madame de Berny gives the indulgence and devotion of women, Madame de Castries their pride and inaccessibility, while Madame Hanska embodies something more exotic, the woman to whom a man aspires though baulked by all the difficulties

—distance, social position, poverty, or husbands—that stand in his way.

The name chosen by her, *l'Étrangère,* emphasizes this quality. She was the foreigner in a wider sense than the English term, as she was also the woman who remains always strange in a man's experience, belonging to the other world, even if this be only the other world of women, and in many of Balzac's novels this is their first attraction to men, who in their cliché-ridden existence need the stimulus of the one refreshing cliché, the woman who is "different."

Madame de Berny and Madame Hanska deserve their special place in Balzac's life because they both realised that he was "different"—in his genius—from other men. Madame de Berny had the greater part of nursing and inspiring that genius, which Madame Hanska respected more than the man in whom it had—awkwardly or even grossly—assumed flesh (she was shaken at their first meeting by his manners at table).

Yet Madame Hanska may have been all the more valuable to him in her insistence on his fame as a writer and on her own role as *l'Étrangère.* The strangest product of this influence was *Séraphita,* which he wrote at her request, a book considered by some to be his least characteristic—they even resent its inclusion in *La Comédie humaine.* Others, among whom was Yeats, find it his most interesting work, the one in which his vision is most free. *Séraphita* is in fact a crux of Balzac criticism: whether he is regarded as most himself in that or in *Eugénie Grandet* has a similar importance to analysing Dickens in *Hard Times* or in *The Pickwick Papers.* In Dickens the poles are the grim and the comic, in Balzac the vision and the reality.

Such easy contrasts are more often a temptation than an aid, for they weaken the personality of a writer whose greatness is precisely the breadth and unity of his work. *Séraphita* and *Eugénie Grandet* spring from the same jet of imagination, however wide its range, for the Norwegian background of *Séraphita* is even more definite than the details of Saumur, though Balzac had never been to Norway and Saumur was only just beyond his own Touraine.

The mysticism of *Séraphita* was more closely related to the loves and passions of *La Comédie humaine* than may be apparent to those who question its right there, for the seraphic figure who appeared to a woman as Séraphitus, to a man as Séraphita, illuminates not only divine love as expounded by Swedenborg, but human love as conceived by Balzac. *Séraphita* may be an angelic figure, but that brings her all the closer to Henriette de Mortsauf, to Adeline Hulot, to Madame de la Chanterie and all the other "sublime" or "angelic" creatures of Balzac's world.

Because he had this exalted conception of love, expressed most fully in *Séraphita,* he imagined women who passed naturally from the love of a man to love of God. Owing to this, the Duchesse de Langeais, once passion has been aroused in her but not satisfied, enters a convent, as Véronique Graslin, after a man has died for her, devotes herself to good works directed by the abbé Bonnet (*Le Curé de village*), as Adeline Hulot, deserted by the husband she worships, dedicates herself to the poor of Paris. Even women who sell themselves are no less readily transformed into worshippers, as Esther developes piety in her convent, as Coralie dies in an aura of devotion, as even Valérie Marneffe, the most cynical of Balzac's women, sets herself to win treasure in heaven when she no longer has any use for that she has accumulated on earth.

These transformations are doubtless also the trick of a novelist, yet suicide would be an even more striking trick, but Balzac's women are above that, which comes more naturally to the weak and selfish Lucien. The women really make a religion of love—"the most beautiful of human religions," as Albert Savarus, modelled on Balzac himself, refers to it.

This exalted conception of love, particularly of women's love, was largely responsible for the immense popularity of his novels with women—and especially with Madame Hanska. He received so many letters from women that he was unable to answer them all himself and handed some over to Zulma Carraud, who once by mistake answered one from Madame Hanska. Balzac passed over the difference in handwriting by explaining that under the strain of work his writing changed to suit the character. More ingeniously he explained a letter discovered by M. Hanski as being written on a laughing challenge from his wife to see if he could manage a love letter as well as a novel. In fact he had plenty of practice in both.

If he sometimes appears too fluent in passion, both in novels and letters, this is only because it came so naturally to him, both in practice and on principle, for "passion is the whole of humanity." This was not a typically romantic exaggeration, for it was Balzac himself who set the style. He was not simply following a romantic tradition, as the chief influence before him was Walter Scott, whose women are very different from Diane de Maufrigneuse or la Torpille. Balzac was not even following a tradition in France, where emphasis in the age before him had been more on the pleasure than the passion of love. As the old baron in *Madame Firmiani* declared, "We only made love—today you love." Balzac was not of course alone in this, as the Revolution had altered the expression of feeling, but George Sand was more representative of that by insisting on the freedom to love. Balzac in principle disagreed with her: he believed in love, but he also believed in marriage—a delicate position which he was not alone in finding difficult to maintain.

Yet the passion with which he devoted himself to *l'Étrangère,* to reconcile love and marriage at the end, if only at the cost of his life, proves the seriousness with which he wrote *Séraphita* (even while its heaviness proved that his real genius was for fantasy or comedy). He dedicated it to Madame Hanska as:

> . . . one of those balustrades carved by an artist strong in faith on which pilgrims lean while contemplating the choir of some great church and meditating on the end of man.

Balzac and Madame Hanska belonged to the same physical type, dark and plump, inclined to exuberance in body and temperament. But they had no less a common impulse towards the supernatural, especially in the form of mysterious and "magnetic" attractions. This corner of Balzac's mind was ignored in the last century, as it was unwelcome either to the rationalism or to the religion of his readers, until in 1899 Dr. Augustin Cabanès published his *Balzac ignoré.* But it is still too often dismissed as the foible of a writer who otherwise had an almost scientific sense of reality. It is true that Balzac had a strong interest in science, but this was precisely on its more esoteric side, and he was most fascinated by the physiognomy of Lavater and the phrenology of Gall, not today viewed as the most respectable of the sciences, and his own use of the term is most frequent in references to "the occult sciences."

It is not only *Séraphita* that reveals this: there is the case of Dr. Minoret in *Ursule Mirouet,* the fortuneteller in *Le Cousin Pons,* the extraordinary "magnetic" strength displayed by Madame de Sérizy in *Splendeurs et misères des courtisanes*—and these things, far from being romantic or fictional machinery, are offered as serious observation. Balzac was in fact more attracted, even as an observer, by phenomena that could not be explained rationally than by rational reductions of them. He would have agreed with Giraudoux that "the direction of our lives achieves certainty by virtue of our ignorance, not by our explanations."

For Balzac this ignorance, whose secrets are today more commonly assigned to the unconscious, was enveloped in the occult sciences, and at the head of them was the mysticism which he expressed in *Séraphita*. It was natural that Madame Hanska should demand this of him and that he should dedicate it to her, because this celestial love was the best they could achieve when she was incarcerated with her husband in the Ukraine, but their occult science was also of value to them as a means of communication in a shared belief, a nourishment to their hopes.

With other women of that generation, Madame Hanska had a desire for emotional and artistic sustenance, for recognition too of their own sensitivity to feeling and to art. It was a movement of feminism that raised the position of women by insisting on the value of intuition and mysteries of feeling which could themselves border on the occult, as some of their secrets and charms came close to witchcraft. Balzac shared this belief in such exaltations of feeling, not only the heights he revealed in *Séraphita* but even the minor crises of nerves, as in *Étude de femme*. He had a woman's sense that the personal is more important than the political, that it was "more human to obey friendship than tyrannical laws," as in the Preface to *La Comédie humaine* he asserted that "the battle waged in the Indre valley between Madame de Mortsauf and passion may be as great as the most famous of recorded battles."

He was not trying to sublimate these feminine crises,

for in his eyes their sufferings were already "sublime." He judged them simply by their consequences, as in *Mémoires de deux jeunes mariées* he showed that Renée, who sacrificed her life to her husband and children, in the end achieved a greater happiness and satisfaction than Louise, who gave all to love, exhausting both her husbands, the first by the tyranny of her demands on him, the second by the almost greater tyranny of her gifts to him. Yet Louise—the novel is told in letters between the two who had been girls at the same convent—writes with even more truth and passion than Renée: life itself divides their destinies, not Balzac who, as Henry James noted, is no less intimately present in the one than in the other.

Here again he is both less romantic and less revolutionary than George Sand, who regarded love as an absolute value above any claim of marriage or society (they once had an argument on this point which lasted most of the night). But he realised no less clearly the anguish of passion under social or moral restraints, and his vision of this was so intense that he was often accused of encouraging it.

This charge was hardly just, for his vision was essentially feminine, as he shared both the feeling of women that love was "the key to higher worlds" (*Séraphita*) and their equal certainty that children and homes were the most important elements of this one (*Mémoires de deux jeunes mariées*). Obviously there is a discrepancy between these views which can only issue in conflicts and crises, to provide most of literature's material, not only Balzac's—the originality of his vision was that it was double, equally intense in both aspects, less limited than idealism or cynicism which both ignore one aspect. If there is a contradiction in this view, it remains a human outlook with two eyes. Later naturalism closed one eye, with a microscopic effect in contrast to Balzac's magnifying power.

For all his feminine vision, which accorded so well with an intuition often regarded as irrational in a world of masculine values, he remained very much a man subject to the stresses of his own passions. If Madame Hanska was his Séraphita, he found it more difficult to be her Séraphitus. A cartoon showing the monk and his angel carousing together draw attention to this. Madame Hanska and his women readers who so quickly identified themselves with his sublime or nobly passionate heroines protested against the entry of some others into his work, not only the scandalous Impéria of the *Contes drolatiques,* but such ones as Jenny Cadine, Carabine, la Torpille, Suzanne de Valadon, Coralie, and the *lorettes* who made their living out of men in *La Comédie humaine* itself.

These women were neither sublime nor angelic, yet Balzac's vision of them had an indulgence that was more masculine than feminine, for what he most emphasizes is their generosity. They too are much better than the men who make use of them. At times they even offer examples to other women, as Josépha in *La Cousine Bette* says that the government ought to set up gymnastic classes to teach virtuous women the art of handling their men, for to her the devoted Adeline Hulot seems pitifully ignorant.

Women such as Carabine or Coralie who gave themselves to artists and journalists while selling themselves to bankers had a quick intelligence and acquired a wider knowledge than the arts of love. They even became expert hostesses or presided over Bohemian dinners at the Rocher de Cancale where Balzac made their acquaintance—among them was Olympe Pelissier who married Rossini. They had qualities not to be found in Balzac's duchesses, and some find the Jennys and the Carabines more attractive than his countesses.

To Balzac with his ardour and sympathy for women of all sorts, their attractions were all-triumphant when he was writing of them—with the passion of Louise determined to find a lover worthy of her the moment she is out of her convent, or with the devotion of Renée writing letters in reply to her closest friend. Nor were the duchesses always so different from the Carabines, for Diane de Maufrigneuse, later Princesse de Cadignan, disguises herself as a man and goes posting down to Alençon to get her lover out of a scrape—an escapade bold enough for any *lorette*. Yet, for all these gay inventions Balzac is never happier than in his creation of girlhood, though he admitted the difficulty: "To create many virgins requires the genius of a Raphael."

Eugénie Grandet, Modeste Mignon, Ursule Mirouet, Césarine Birotteau, Pauline, Pierette, these and other virgins have less monotony than those of Raphael. The remarkable thing about all these girls is that they are much less often deceived than the women of the world, the countesses and the duchesses. Their innocence is clearer than the obscure results of experience. If they have illusions, these quickly vanish when they inspect the man of their choice more closely. Eugénie Grandet has dreams of her Charles until she discovers his acquisitive nature, when she gives him money but refuses herself to him. Modeste Mignon rejects Canalis, the writer whose poetic style she has so much admired, for the same reason.

Modeste Mignon, published only six years before Balzac's death, is a light comedy with a happy ending, rare in *La Comédie humaine*. It was dedicated to a "polonaise," obviously Madame Hanska, in phrases attributing to her all the charms of innocence and experience. There is a Ferdinand and Miranda relationship between Modeste and her Ernest, with her father playing the role of a Prospero, and the book has the serenity of a *Tempest*: even the father's recovery of fortune and title bears out the parallel. The difference is that it was not an ultimate work, for *Les Parents pauvres* was still to come. But it shows how Balzac might have developed if he had achieved earlier the happy marriage which he there imagines, for it was written after the death of Count Hanski, at the time when other obstacles in the way of marriage seemed less considerable than they proved to be. Admirable though it is, there is little cause for regret. Others could write light pieces, but not a *Goriot* or an *Illusions perdues*.

In *Les Secrets de la princesse de Cadignan,* published five years before *Modeste Mignon,* he had created a more sophisticated comedy which had a happy ending of a different sort. Here Diane de Maufrigneuse who had numbered among her lovers most of the dandies of *La Comédie humaine* from Rastignac to Maxime de Trailles decides that the only man who can satisfy her is a genius, d'Arthez—who usually appears as Balzac's fondest vision of himself. Realising that her past is against her, she is inspired to present herself to him as a simple and virginal character, grossly calumniated by the world. She plays this part so beautifully—and with such generosity, as it is for his sake that she wants to renew her virginity—that she convinces him. So when her dear friend Madame d'Espard invites all the former lovers to dinner with d'Arthez, to disillusion him, he smiles with unshakable confidence at their calumnies. One of them is forced to admit that genius is stronger than truth.

Diane and d'Arthez retire to enjoy their love beside an Alpine lake, which to Balzac is always the image of an idyll (*Albert Savarus*), as it was there that he first won Madame Hanska, and there that he had imagined the winning of Madame de Castries: the lakes of Bourget, Neuchâtel, and Geneva held his torments and his joys.

This *Secrets de la princesse de Cadignan,* which reunites so many favourites of *La Comédie humaine,* has some claim to be a revelation of the whole work, for it is an extreme development of two master themes, firstly that will and feeling can triumph over the most indisputable facts, secondly that women are not, like men, enclosed in the limits of their own egoism, but can achieve entire transformations of their natures.

As women are, at least to Balzac, the more devoted gender, the two themes become one: femine intensity presides over creation.

This drastic reassertion of feminine values explains his deep appeal to women readers in his day, for his physiology of women is very much deeper than his *Physiologie du mariage,* which was no more than a first youthful manifesto on their behalf. What is constant in Balzac is belief in passion for its own sake, which explains his admiration for Napoleon, who believed in power for its own sake. Balzac's claim to complete with the pen what he had begun with the sword meant the same devotion to an absolute. But because this absolute was conceived in feminine terms, it could become oddly domesticated.

Balzac believed in passion so absolutely that he hardly distinguished between the affairs of a Diane de Maufrigneuse or even those of la Torpille and the sacrifices of an Adeline Hulot or even a Madame de la Chanterie, for they were all giving as he gave himself to his work. He could approve the passion of Coralie or la Torpille for the handsome Lucien only less than the celestial passion of Séraphita. So passion could be domesticated in a Josephine Claes or an Adeline Hulot and not lose its force, even gain more intensity.

He was a novelist seeking to magnify life, not a moralist trying to enforce a code, yet because he was giving birth to books as a woman to children, he had a woman's demand for faith in love. The disastrous passions which he expressed so potently in his work, Goriot's for his daughters, Grandet's for his money, Claes's for his alchemy, Birotteau's for his shop, are not only distinct from love, but wholly opposed to it. Goriot's passion became obsessive only when the death of his wife destroyed the peace of his love, his wife even halted Grandet, as his Josephine was able to control Balthazar Claes, and Madame Birotteau was always trying to check her César's ambition. Passion in Balzac achieves its worst disasters only when it escapes from the control of women, for even Hulot, ruined by them, is corrupted only because he eludes his wife and goes from bad to worse and uglier women, driven by his own lust, not by their qualities, nor in the end even by their charms.

The criminal passion of Vautrin himself is typified in the remark of the detective that "he does not care for women."

Yet even Napoleon, despite his belief in power, or because of it, imposed a code on France and came to terms with the Church, and so Balzac, despite his belief in passion, imposed a code and a religion on *La Comédie humaine,* in the Preface to which he insisted that Christianity was a complete system of control over the depraved tendencies of man, who could be restrained only by religion: the family, not the individual, was the unit of society.

This again is very feminine, to emphasize the importance of passionate feelings and nature, only to demand their submission to the family and piety. Reconciliation of the two is not impossible, though Balzac himself showed their divergence in *Mémoires de deux jeunes mariées.* There are interesting differences in his own attempts at a happy solution in the two works instanced above, *Les Secrets de la princesse de Cadignan* and *Modeste Mignon.* The first is almost a fantasy, for it is hard to believe that *la belle Diane* and the incorruptible d'Arthez really lived happily ever afterwards—they were at least unlikely to found a family. The happiness of Modeste is more secure, but the dedication of her story to Madame Hanska draws attention to the difference in age between the literary and the real couples. *Modeste Mignon* is a vision of what might have been, not of what happened—unless Balzac's marriage a few months before his death is to be seen as a happy ending.

The vitality of his women really springs from the force with which he loves them. Each one of them came to him, working in the night, as a vision of desire. Even Madame Vauquer in *Goriot* becomes for a moment desirable on the evening when she dresses up for Vautrin, even the fishergirl of *La Rabouilleuse* can arouse passions. That is why they are superior to his men, for there is more of his vision in them, more of his desire, making them subjectively richer in life.

He wanted happiness for them, as he wanted the women he loved to be happy with him, sometimes indulging himself with visions of union with Diane de Maufrigneuse—in whom there is a trace of the Countess Guidoboni-Visconti—or with Madame Hanska. But in his love for them he put himself in their place, to perceive that some wanted drama more than happiness in their lives. So he put them in situations where they could display their "enchanting" or their "sublime" qualities. But his vision was so intense that they became more vivid than their models in real life. Until he was already dying, Madame Hanska preferred seeing herself in his pages to being no more than his wife.

Women recognised themselves in his work because his vision of them was so close to their own. That was how they behaved—in their dreams. Only one of them,

Madame de Berny, came to him before the work was written, and by her encouragement made it possible. Only she was both a real woman and a Balzac heroine, a vision that came to him before he had acquired the power of vision. That is why she remained NUNC ET SEMPER DILECTA, loved now and for ever.

5

The Short Stories

THE TECHNIQUE of Balzac's short stories is more widely admired than that of his novels. Certainly it is very different, but it is proof of his skill as a writer that he had so sharp a sense of the difference between the two techniques. Yet one particular his short stories and his novels have in common, for both begin with the creation of an atmosphere appropriate to the theme.

Obviously in a short story there was no room for details of house, furniture, clothes, streets, or countryside which often projected the atmosphere in his novels. The effect had to be immediate, but a swift movement into action or a beginning in a drama already developed, such as is often used today, would not have suited his method which, being visual, depended so much on the setting of a scene. Instead, he chose themes that depended on their appeal to the most prompt of human emotions, such as horror and humour, to produce an impression as sudden as a shriek or a laugh.

Paul Bourget was the first to point out how Balzac also used a third means to solve the problem of the short story, by setting his scene in historical circumstances which are general knowledge, such as the Terror or the Retreat from Moscow. The use of characters already famous, such as Dante, Don Juan, or Melmoth, is another part of the same device which shortens exposition.

One result of a technique chiefly dependent on these means was to divide the short stories from the central block of *La Comédie humaine,* which is built to so much larger a design, and conceived on wholly different lines. Balzac included his short stories in it, but they had much more in common with the *Contes drolatiques.* That he was aware of this is shown by his placing most of the short stories among the *Études philosophiques,* where he put work which had no obvious relation to his map of society. The ninth volume of the Pléiade edition, the only one devoted wholly to this section, contains thirteen short stories as against only two novels. The most in any other volume are in the first, *Scènes de la vie privée,* only seven—excluding the shorter *nouvelles* which, though brief, belong more properly to *La Comédie humaine.* Nor are these genuine short stories, but short novels which form a natural sequence with the others.

Of the other short stories in the remaining volumes some, especially *La Messe de l'athée* and *Facino Cane,* might well have been placed in the philosophical section, and are best considered with that group. There are in all over twenty genuine short stories, even apart from the *Contes drolatiques,* themselves fine examples of the same art.

In his short stories, even more than in his novels, Balzac shows two of his chief qualities, his intellect and the breadth of his vision. These stories are very pointed, very definite, but the moral they point has two heads to its argument. They have their own life, but as life itself they can be taken either lightly or tragically. This appears clearly in one of the best, *Le Chef d'œuvre inconnu,* in which Porbus and the young Poussin go to see a masterpiece at which a painter of great reputation has been working for years. They know that such a work can only be extraordinary—and it is, for years of toil have created a wilderness of lines from which dimly emerges one exquisite feature. This may be regarded either as a satire on abstract art, written a century early, or as an intellectual defence of it—and it has been published with illustrations by Picasso.

In *L'Élixir de longue vie* Don Juan's father asks on his deathbed to be anointed with a liquid that will renew his life. Juan thinks the old man is delirious, but humours him, touches his eye, and finds the drug effective, whereupon he lets his father die and keeps the precious stuff for himself. When his hour comes, he knows his own pious son will not play him such a trick, but the son is so overpowered by the result that he treats only the head and arm, then collapses and drops the bottle. The awful consequence is regarded as a miracle, and the resurrected head is placed on an altar from which it blasphemes, falls, and kills the officiating priest.

This again is an equal satire on Don Juan and on the priest. It is also close to the point of *La Peau de chagrin* —the impossibility of cheating the laws of life. Similarly *Melmoth réconcilié* shows how fatal is the fulfilment of desire, a power so terrible that the possessor's only concern is to hand it on to somebody else. Balzac was constantly obsessed with the illusion of desires and the terror of their fulfilment: most of his characters are driven to a satisfaction of their passions which is also their destruction. That he worked himself to death and died when he had gained the woman of his deepest illusions are only consequences of the same law, which to him was both a law of nature and one with preternatural sanctions. So Balthazar Claes, after ruining himself and his children in pursuit of the Absolute, cries his triumphant "Eureka" on his deathbed.

The most extraordinary and the most horrible of the short stories are those in which the atmosphere and spirit of place are most carefully evoked. This is partly to balance the outrage with the reality, as in the novels the most devastating passions receive the most detailed background, but it is also because certain places breed their own dramas, and awareness of this in the reader enables the writer to save space. So Balzac has only to introduce Corsicans, and the tragedy of *La Vendetta* becomes acceptable. So the most horrible of the stories, *El Verdugo,* the Executioner, could happen only in Spain: in this the Spanish father begs that his son should be spared to continue the family which has been condemned for insurrection against the French invaders. The French general grants the request on condition that the son himself act as executioner to the rest of the family, including his own mother and sisters, who implore him to accept. He agrees—though one of his sisters is sad to think how lonely he will be without them—a characteristically "sublime" Balzac touch, here more convincing because the land is Spain, with its own attitude to death.

This unity of mood and land is preserved in other stories. *Massimila Doni* has exactly the corruption, the passion, and the music appropriate to Venice. *Facino Cane,* who is also a Venetian, has its secrecy and its wealth. So *Sarrasine* and *Gambara* have their Romans and Italians, always held up by Balzac as by Stendhal to be examples of sincerity and devotion to art. So Thaddée Paç's fantasy and chivalry in *La Fausse maîtresse* are more readily grasped because he is a Pole. So *Un Drame au bord de la mer* owes something of its horror to the bleak salt marshes of southern Brittany.

In some stories the background of the Terror itself provides the suspense. In *Le Réquisitionnaire* a mother prepares a room for her royalist son which is requisitioned for the agent sent to arrest him. That is a more obvious effect than *Un Épisode sous la Terreur* where the executioner has a mass said for the king he has executed—an act paralleled by the atheist doctor in *La Messe d'un athée* who against all his convictions has a mass said for the old porter who had helped him in his student days, knowing that it is what would most have pleased him.

Balzac was often attracted by a particular sort of incongruity, behavior out of character that has a fantastic explanation, either owing to a peculiar incident in the past or to pressure of circumstance. He was always looking for the revealing circumstance or the telling moment, as he describes himself at the beginning of *Facino Cane:*

> With me observation had become intuitive; it did not neglect the body, but it penetrated further, into the soul or rather it grasped the outer details so completely that it at once passed beyond them. It gave me the ability to live the life of another, substituting myself for him. . . .

It was in fact because he walked in this dream of creation that he saw details and breathed in atmosphere with such intensity, for they were absorbed unconsciously and returned to him afterwards charged with all the force of his vision: as a man remembers years afterwards every detail of a room where he received some great shock, even when the memory of the shock itself has faded. This is the meaning of his remark that he never had time to observe, for what appears in his work as detailed observation was really a memory, chiefly of those desperate and haunted years between twenty and thirty, when he still could neither make nor sign his name. This is why his works, for all their detail, have the obsessive reality of a dream, and the fact that he often worked in a state of exhaustion in the hours before the dawn made him more dependent on the phantoms in the back of his mind. At such a time and in such a condition, the mind is least rational and most open to strange interpretations. His emphasis on the preternatural and the extraordinary in his short stories, some of which were written at a sitting, owe something to this circumstance.

M. Albert Béguin says that the short stories are all written by Louis Lambert—that is, that Balzac's intellectual nature and his preoccupation with the other world are most evident in them. Certainly they are more nakedly revealed there, especially in such a story as *Les Proscrits,* where Dante listens in Paris to a lecture by Siger of Brabant and hears remarks on the angels and celestial truths which might well have issued from Louis Lambert.

What is not often emphasized is that there was in Balzac something of a real scholar, eccentric and undisciplined, but with that gift of extra perception which is sometimes accorded to the amateur. Such a work as *Sur Catherine de Médicis* shows a real insight into the history of the sixteenth century. But his historical genius is nowhere more obvious than in the *Contes drolatiques,* which are even written in sixteenth century French.

It is not for a foreigner to estimate the accuracy with which this language is reproduced—it has been criticized —but it is at the least an astonishing pastiche. The stories themselves are very much more than that, for they have an authentic savour of the period, that gaiety of the Renaissance in which still grinned the gargoyles of the Middle Ages.

They are of course directly inspired by Rabelais, and offered to him as a tribute from another son of Touraine, but the subjects owe considerably more to the *fabliaux* long before him. Some critics of Balzac, like some of his women correspondents, have tended to devote all their attention to *La Comédie humaine* and to dismiss the *Contes drolatiques* as a lapse of taste in a genius not easy to pardon. This has made the difference between the man and the work even harder to explain, for the

Contes drolatiques are a most valuable aid to the understanding of Balzac.

First, it is hard to emphasize enough the directness of his descent from Rabelais, on which he himself insisted so much, not only in these stories, but in the original preface to *La Peau de chagrin*. Like Rabelais, he had an exuberance of temperament which could suddenly quieten into good sense. Like Rabelais, he had a passion for learning and for science which could issue into startling applications. Like Rabelais, he had a deep respect for the heritage and traditions of the past combined with impatience and contempt for their orthodox defenders and for received opinions. Then while Rabelais was also a doctor who dissected the human body, Balzac was also a sociologist who dissected the body politic. If Rabelais was much more of a satirist, his attacks on the Sorbonne can be paralleled by Balzac's on the journalists and publicists of his day.

Second, the *Contes drolatiques* and this affinity with Rabelais reveal how much Balzac was really a man of the Renaissance. Victor Hugo's aims and ideals were typical of the nineteenth century which accorded him so much honour, and his interest in the past was romantic, antiquarian, picturesque, but Balzac really preferred the sixteenth century—and immensely preferred Catherine de Médicis to Louis-Philippe. Whenever he mentions the sixteenth century it is with enthusiasm, not only for its art, but even for its politics. He was a man of the Renaissance in the fantasy and eccentricity of his scientific interests, in fixing his eyes on an ideal Woman while having affairs with women of flesh and blood, in his odd theological speculations and his championship of the Church. Even what is often considered a typical foible of his own—his exaggerated deference for the great and his no less exalted sense of the respect due to artists—becomes more understandable when referred to some of Vasari's stories about Michelangelo, Leonardo, or Raphael—Raphael, whose tastes were almost more luxurious than Balzac's, and who was even more notorious for his affairs with women.

If some have been puzzled by a certain grossness in Balzac, going with a great delicacy of feeling and deep intellectual preoccupations, this was much more common in the Renaissance, and Balzac's speculations were less startling than those of Pico de Mirandola, as his lavishness was less than Raphael's. So too his interest in the preternatural and in fortunetelling or prophecies was more usual in the age of Nostradamus.

It might even be maintained that the *Contes drolatiques* represent the fundamental Balzac, who supplied the energy and insight which went to the greater achievement of *La Comédie humaine.* On this thesis he would be a great comic writer turned by the Revolution's effect on France, the grim aftermath of its wars, the temper of the time, and the vogue of the novel into one more tragic—which would at least explain the contrast between the joyous vitality of his writing and the grimness of his material. But the point has not to be pressed so far, because in fact there is much in common between *La Comédie humaine* and the *Contes drolatiques,* which have themselves grimness interleaved with their humour.

The reason why they appear so authentic, so much in the spirit of an earlier age, is that Balzac almost wholly lacked a quality often valued by critics today under the name of "compassion," which arises from a moral judgment or a protest on the conditions of human existence. Most generations select some quality to value as peculiarly their own—Balzac was similarly addicted to the "sublime," but he had none of this "compassion," as he wrote in a tradition that reasoned less about the workings of fate, with the result that tragedies and comedies were less sharply distinguished.

This is most striking in the *Contes drolatiques,* that tragedies and comedies not only jostle each other in these stories, but even occur in the same story, which gives both a vivid impression of an age in which gaiety and sudden death were close companions, and emphasizes a fact not always noted by writers—that in real life grief itself is never safe from the touch of farce, nor is any delight secure from the jab of pain.

Art, however emancipated or abstract, has to limit itself to a form and a style, if only because pictures, buildings, books, are restricted by size, place, circumstance, while life is free to be more incongruous. In the *Contes drolatiques* Balzac comes near to this sort of freedom because he uses the grotesque to confront kings, village girls, and monks in an incongruity which is not forced, but has the casual quality of real lifé.

These stories have often been regarded as a thing apart in his work, but once disengaged from their archaic language and sixteenth century background, figures and situations disclose resemblances with those in *La Comédie humaine.*

There is even, strangest case of all in this collection of "gay science," one story, *Le Frère d'armes,* which has something in it of *Séraphita* and the sublime, as it ends:

> The lady broke into tears, admiring this noble fidelity, this sublime resignation in his faith, and the exalted sufferings of this inner passion. But as she too had preserved her love in the depths of her heart she died when Lavalière perished before the gates of Metz.

La Connétable is as nobly served by her lover as is *La Femme de trente ans* by the devoted Arthur Grenville. *Berthe la repentie* is not unworthy of a place beside Véronique Graslin in *Le Curé de village.* The woman who is la Mye du roi has much in common with those in *Splendeurs et misères des courtisanes,* and treats her husband with as high a hand as Esther serves the Baron de Nucingen. Most striking case of all, la belle Impéria, almost the hostess of the Council of Constance—and of the *Contes drolatiques,* the first and last stories being both dedicated to her—has much in common with the Duchesse de Maufrigneuse, la belle Diane, who makes ten different appearances in *La Comédie humaine.* Both are almost fairy-tale characters for whom Balzac suspends the ordinary laws of retribution, and la belle Impéria ends by finding true love with her Isle-Adam as la belle Diane with Daniel d'Arthez.

Le Succube, the longest of the stories in the *Contes drolatiques,* is a masterly piece apart from the others, also different in being set back in the Middle Ages, not in the Renaissance, but it has as remarkable a sense of period. In it a Saracen girl enters a convent, but returns into the world where she entrances so many lovers that she acquires power and wealth which she uses generously for the poor and for the Church, but an ambitious cleric brings a case against her as an enchantress, causing riots in Tours, and she is burned. The story is told in extracts from thirteenth century archives of the cathedral, concluding with a later document that proves her innocence.

As *La Peau de chagrin* uses the device of a magic skin to represent the mortal skin of a man's life, equal in their brevity, so *Le Succube* uses a girl's genuine charms to credit her with the reputation of an enchantress. The skill of both narratives lies in the exact balance between the natural and the supernatural—they can be taken either way, because the results remain the same, whatever the causes. *Le Succube* through her own arts can give her clerical rider the illusion of being transported to heaven, as her diabolical arts can show him the generation of worlds in the seeds of the Milky Way. A vision remains a vision, in the real world or in the imagination.

Because they reveal so clearly Balzac's sense of the equality between reality and vision—to him interchangeable—the *Contes drolatiques* illuminate *La Comédie humaine,* which is a vision of nineteenth century France, parallel to theirs of sixteenth century Touraine. The times had changed, but the fantasy remains the same, for Balzac's women and men chase similar dreams in the sunshine of comedy or in the darkness of tragedy. But in *La Comédie humaine* they are pretending to be grown-up, while in the *Contes drolatiques* they are content to remain the children of his fantasy.

6

Genius and Passion

If, to some, Vautrin appears the most powerful figure in Balzac's work, it is not only because he so dominates both his fellow criminals and those in other fictions, nor even because he can remain so much himself under the most fantastic disguises, but because he represents so strongly a basic element in *La Comédie humaine* and in Balzac himself.

Both Vautrin and Balzac seek to impose themselves on a society in which there is no place for them, and to achieve this they have only their intelligence and their personality—no influence beyond that, no helpful relations in the world, no money, no established position. Both have to make a career for themselves, and this is true of many others in *La Comédie humaine,* for even those in better positions are trying to impose themselves on either women or society, while many of the women are making similar efforts to conquer a man or a social stronghold. But the struggles of Vautrin the criminal and Balzac the writer are peculiarly intense because they face special difficulties.

Every artist is a criminal in that he has to upset established values to make a place for himself in society which already has its own pictures and books and possessions, and it naturally defends them against attack from criminals and artists and writers, who compel the making of fresh purchases and judgments to replace those which have been stolen or devalued.

When an artist has achieved a position or a writer has "made his name," he is no less concerned to defend it than a thief who has reformed or retired, yet Balzac not only remembered his struggles but continued them, for he was always attempting a greater work, and indeed died before he had completed his own plan for *La Comédie humaine,* which was to have contained one hundred and thirty-seven titles as against the ninety-one which he completed.

For this reason his conservative opinions were modified by his active sympathy with ambition and by his own, as he was also disillusioned not only by conservative politicians but by most established figures in a society which in his view they were corrupting more than they were supporting: in his work an honest banker or businessman is even rarer than an honest lawyer—Birotteau and Derville are both noted as exceptions in their integrity.

So while he accepted the institutions of that society, he remained bitterly opposed to all those, whether men of affairs or ministers, who corrupted the country by graft and theft committed inside the law. In *La Maison Nucingen* in which he exposed some of the financial tricks of the day, he noted that a clever and unscrupulous man could ruin thousands, yet acquire the title of baron and an honoured position in society, while one who had purloined food for his hungry family went to prison. A government could default on a loan with disastrous effects on wide areas, yet remain in power, while an honest man could be driven to bankruptcy and ruin. At the time, the development of large capital had been so swift that safeguards had not yet been enforced, and banking was considerably in advance of insurance.

People were protesting against the absolute power of kings or the ambitions of generals when this power had already passed into the hands of financiers.

Some of Balzac's own ventures, in printing, in publishing, in journalism, had been frustrated by the wiles of lawyers and moneylenders, and he had a bitter experience of their trickery. When he saw their legalised theft of property he had more sympathy for the crimes of a Vautrin, who at least had more courage and less hypocrisy—and what appealed most to Balzac—an audacity and lightheartedness similar to those of more Bohemian artists.

That he remained well able to distinguish between a principle and its abuse, Balzac showed in his introduction to *L'Élixir de longue vie,* where he gives a horrifying account of those who wait eagerly for the death of relations from whom they are going to inherit. Some, like Don Juan in this story, not only do all they can to hasten the end of their parents, but even bring it about. Yet, says Balzac, this is no valid argument against inheritance, on which all civilisation is based.

At the same time, pressed for money as he often was and having the expensive tastes that sometimes drive to crime, he preferred the frank criminal to the hypocrite who may commit worse crimes without endangering either his safety or his reputation. When Vautrin in *Goriot* speaks of ambitious men who are above the ordinary conventions of human conduct, Balzac had little difficulty in finding words to justify him, and Rastignac after his first insight into the corruption of Paris society has to admit that Vautrin is no worse—and much more honest. Balzac himself, in adhering to the legitimist party and shocking those who were most devoted to him, Madame de Berny and Zulma Carraud, had known that ambition could corrupt, for he shared with Vautrin and Rastignac their passion for money, luxury, and power.

When the crisis came, Rastignac drew back from conniving at murder, and Vautrin had to drug him to prevent his going to the police. So Balzac, drugged by his hopes of Madame de Castries and a political future, failed for an interval to champion the forces of law and order against Vautrin, but his clarity of mind quickly recovered, as he had a stronger head than a Lucien who wholly succumbed to the domination of Vautrin. *Goriot* may be a greater work than *Splendeurs et misères des courtisanes* which completes the Vautrin cycle, but the abbé Herrera is a more impressive image of Vautrin, who is most convincing of all in his "last incarnation"—when he shows his complete mastery over all other criminals in the prison yard, and then places his gifts at the disposal of the authorities.

In this, Vautrin was a true figure of Balzac himself, who attacked the society of his day with such vehemence, and ended by becoming a part of it, so that his work retains the traits of Louis-Philippe's reign, though he so much despised him. But this was not simply a development of Balzac's thought, which was conservative even before he first wrote of Vautrin, who was more the means by which he expressed his disgust and horror with the corruption and injustice of a society which he still preferred to the anarchy and cruelty of revolutions.

It has often enough been remarked that Balzac's characters have the energy of his genius, or as Baudelaire said, they are all bursting with determination. But there is a sense in which all the obsessed characters, Vautrin, Goriot, Grandet, Claes, the chasers of an absolute in power, feeling, wealth, or knowledge, are morally lesser and weaker men then himself, because they were dominated by passions which they were unable to control, while he was able to check their effects in his own life precisely because he expressed them sufficiently in his work.

Vautrin here, though less pathetic and less moving than Goriot, has a greater interest for that work as a whole, because he is the incarnation of absolute power, the Napoleon of *La Comédie humaine,* and Balzac's attitude to him is as ambivalent as it was to Napoleon himself.

Balzac was constantly exercised by the tension between human determination and destiny. This to him was even the basic problem of religion, for Louis Lambert found the inequality of human destiny the greatest obstacle to his belief in God. The power of his genius led Balzac to belief that only the greatest energy and determination, his own or a Napoleon's, could effect any enduring work in the world. In this struggle he was tempted to believe in power for its own sake, and in money as the chief instrument of power. If only he had enough money, he would be free to produce works of genius, as when he had achieved power, Napoleon had created an empire for France. "Destiny is politics," had been Napoleon's dismissal of the problem. Balzac, in his sphere, was tempted to think that destiny was money.

Yet Napoleon's determination had brought him to his destiny at Waterloo and St. Helena. Balzac, meditating the lesson, had seen that Goriot's determination to safeguard his daughters had brought him to delirium and death, while Claes's had ruined his family.

Vautrin's case is one more profound and more useful to Balzac, as his ambition is less simple, for although he wants to retire to his plantation with hundreds of slaves, and needs money for this, he already has enough to achieve one great satisfaction, power over men. His personality is such that his fellow criminals have already placed their funds with him, and use him as their banker. His intelligence and his disguises enable him to assume a part, even that of a priest, and play it to such perfection that he makes converts, as he saves Lucien from suicide to endow him with a million and engage him to a duke's daughter. Yet Lucien commits suicide in the end, and Vautrin too is frustrated in his ambition.

Vautrin's ambition, like Balzac's, was obscure even to himself. He was seduced by dreams of opulence and leisure, yet he was happiest in manipulating the lives of others, in planning brilliant futures for a Rastignac or a Lucien. So Balzac was happiest in controlling the lives of his characters, in the power with which he found positions in the government for a Marsay or a Rastignac, happiness in marriage for an Ursule or a Modeste. Yet these successes, like Vautrin's, were combined with the bankruptcy of a Birotteau, the tragedy of a Goriot, the disappointments of a Madame de Beauséant or a Comtesse d'Aiglemont. He could give to his characters his own determination, as Vautrin could bend Lucien to his will, but they were still unable to escape the power of destiny.

Balzac was constantly learning from his characters the fatal nature of his own passions. If in *La Peau de chagrin* he had a first prophetic vision of his own life, in other novels he discovered the frustration of its different phases. His anxiety over money and the debts he had contracted in his twenties, which weighed on him all his life, weighed too on all his characters. Their preoccupation with rents and incomes, calculated to the last franc, drove them to dreams of fortune, rich marriages, inheritance, even, as in the case of Vautrin, to crime. Their dreams were also his own, and he tried to shake them off in his writing, but always the debts kept ahead even of his labours.

In his own case, some of his money troubles were caused by simple material obstacles, such as his fantastic methods of composition—he sent even his briefest drafts to the printer, had them set with excessively wide margins, wrote most of the book in galley, demanding more and more proofs. These proofs are hardly credible to those who have not seen them (a mass of erasures, additions, bubbles, lines, deletions, corrections), and they were hardly legible to the printer who refused to do more than "a page of Balzac" at a time: the strain was too great.

Yet even this was only a symptom of his wider extravagance, his dress, his carriages, his houses, especially the disastrous building of Les Jardies, then the final phase of bric-à-bracomania, when he was acquiring pictures, furniture, vases, and tapestries for the Pavillon Beaujon in anticipation of his marriage to Madame Hanska.

So the debts and the pressure of creditors continued, while the cost of printing his books diminished the profits of publishing them. He worked harder and harder, both to correct and improve his writing and to earn, to pay his way, to live. But the conscience of the writer and the anxiety of the man were in conflict, and the need for money to free him from the harshness of his destiny became an obsession which was transferred to all his characters, for whom he worked out elaborate columns of profit and loss, with exact details, as he had so often stared at such figures himself. They conducted a vendetta against him hardly less implacable than those figures of his *Histoire des treize* who so persecuted the young baron in *Ferragus*. When he was engaged in his struggle with Buloz who closed much of the Paris press to him, forcing him to start his own journal and so incur more debts, he had reason to feel that he was being hunted like a criminal.

Yet in his efforts to baffle his creditors, while labouring to pay his debts, Balzac more often appeared as a comic figure, though the man whom he had acknowledged as his first master, Walter Scott, has always been respected as a noble figure in his work on the Waverley novels, similarly undertaken to honour his engagements. Balzac should at least receive the honour which is due to such efforts, as described in *La Grandeur et décadence de César Birotteau*, for he had been tricked as Birotteau had been when he was first saddled with debt, even if he also shared Birotteau's ambition and expansive hopes.

The financial details which so accumulate in *La Comédie humaine* are commonly ascribed to Balzac's realism, but they owe more to his anxieties and an imagination constantly haunted by debt and by fantastic schemes to acquire the wealth which alone could relieve him. The two things fused in his mind as in those of all harassed and dreaming of first prize in a sweepstake or lottery—a large part of humanity, in fact. Because the part is so large, because it is the fate of man constantly to dream of an easier life, Balzac's own dreams appeared as realism in his description of French society, but this was only because in all his visions this was the point at which he was closest to a common interest.

His first illusions of success in publishing and printing, his fantastic journey to Sardinia in 1837 in search of the old Roman silver mines, his certainties of a fortune from growing pineapples at Les Jardies, transporting them to Paris by the new railway, and even at Wierzchownia his plan to export timber to France for railway sleepers, all these illusions, some of which prospered in the hands of others more fortunate or less extravagant than himself, stimulated his dreams of fortune attained.

They were available for *La Comédie humaine* where they were transferred into figures and accounts accurate enough in themselves, but both in origin and in development not the most realistic but the most fantastic part of his work.

Yet if he had experience of illusions he had even more of their frustration and disappointment, which also found their place in his work. In this interplay of illusion and disappointment he uncovered the answer to the basic problem of life, which had perplexed Louis Lambert, which had been posed in *La Peau de chagrin:* is real satisfaction and the meaning of life to be found in desire and the determination to achieve it, or are the circumstances of a man's life beyond his control, what is often called destiny, his only happiness a recognition of this?

The answer that Balzac gave in his work closely accorded with Napoleon's "destiny is politics," for in its simplest form it becomes "destiny is character," as a man's character is shaped by his passions, the paternal passion of a Goriot, the avarice of a Grandet, the criminal passion of a Vautrin, the celestial passion of a Séraphita: all are responsible for the course their lives assume, their destinies, whether as a father, a miser, a criminal, or an angel.

So simply stated, the answer is obvious, but it involves another truth less widely accepted, the truth of *La Peau de chagrin,* that all desires are self-destructive, that all destinies are in the end frustrated, not only because men die, but because desires themselves die, even before death, and they die most swiftly of all when they are most completely satisfied.

The extraordinary element in Balzac's life is that, while he discovered this truth so clearly in his work, he never applied it to himself. Goriot has no wish to be anything but Goriot, the devoted father of his daughters, but Balzac was constantly trying not to be Balzac, the prolific author of *La Comédie humaine,* the devoted father of so many characters.

If he had achieved any of his dearest desires, whether as a political leader, the proprietor of a silver mine, or even as the husband of a rich wife, he would have abandoned those labours on which his destiny depended. In fact, the nearer he came to marriage with Madame Hanska, the less he wrote. It was true that he had moments of exuberance in which he spoke of his work as a vast cathedral, but if the ultimate pressure was his own genius, the immediate urge was the hard necessity of his circumstances.

His desires too were self-destructive, for when they were fulfilled he was no longer the living writer of genius but the dying husband of Madame Hanska. Yet even in his own life he uncovered the deeper truth of his work, for he too was driven to his destiny by his passions and desires. What he had failed to understand, in common with his characters, was that the obstacles in his way, the debts, the checks to his career, the breakdown of his financial projects, the delay in marriage to Madame Hanska, or even the earlier fiasco of Les Jardies, were not really obstacles but stimulants to his work.

So Goriot failed to realise that he was spoiling his daughters, Claes that he was ruining his family. They felt that they were being frustrated by what were really the consequences of their own passions. So Balzac brought disaster on his finances and ruined his health, feeling that he was being frustrated by circumstances beyond his control, when the passion of his own genius was responsible, for it was only in his work that he was really himself.

In this unconsciousness of reality Balzac was wonderfully faithful to the principles of his characters, as it is a necessary condition of passion and desire that they should work in ignorance. The more obsessed a man is, the more he feels that his obsession is a necessary condition of life: Grandet believes that the hoarding of money is obvious common sense, Goriot that his father's feelings are the most natural in the world, Claes that nothing is so important as the transmutation of metals which is the discovery of the Absolute. They are not mad, for they recognize the existence of other motives. Grandet finds it extraordinary that his daughter Eugénie should spend money, Claes that Josephine or Margurite should not accept the ruin of the family's fortunes when they would be immensely enriched by the discovery of the Absolute.

Sometimes, even in literary matters where he was usually more serious, Balzac was no less contemptuous of reality. Gautier relates an extraordinary episode when Balzac summoned him to help write a play which was to be shown to a producer the next day. Balzac would write three of the acts, Gautier two. But when Gautier not unreasonably asked what the plot was to be, Balzac was indignant: "We can't stop to discuss that or we'll never finish in time." Claes himself could not have been more impatient at an interruption to his chemical experiments. So Balzac was impatient of realities outside his work, as when he said to Sandeau, who was talking of his father's serious condition, "That's all very well, but let's return to reality. Who is going to marry Eugénie Grandet?"

As art was stronger than life in him, for his work killed him when he was just over fifty, so his vision was stronger than reality. In fact, vision to him was reality, as the "return to reality" was simply to his vision of the Grandets at Saumur.

It is here that the figure of Vautrin acquires its full meaning, for he is at once the most fantastic character in *La Comédie humaine* and one most closely drawn from real life, or so Balzac himself claimed. It is known that Vautrin was largely based on Vidocq who similarly established himself as a leader among criminals, then offered his services to the police whom he served until he relapsed with the accomplishment of a particularly well conceived crime. This last detail was not copied, for the Vautrin cycle ends with his admission into the police, but Balzac also drew on the experience of other criminals, one of whom he closely questioned at Les Jardies. He was in fact very careful of accuracy in character, in clothing, in furniture, in houses, in streets, in towns.

But, as with Vautrin, the closer he comes to reality, the greater is the stimulus to his fantasy.

He established himself inside a character very much as he set himself up in a house or apartment, one outwardly very suitably placed in a Paris street, even if it had some peculiarity, a concealed door at the side or, in grander days in the rue Fortunée, one leading into a church, but inside it was furnished with his own fantasy, whether it was the bare garret recalled in *Facino Cane* or the luxurious apartment described in *La Fille aux yeux d'or*. Anyhow, once inside the character or the house, he remained implacably Balzac, with his monkish robe and his coffee maker, above all with his vision and his fantasy.

The elements supplied by a Vidocq were as exact and solid as the masonry, but inside them Balzac was free to develop all the vagaries of his own character. Vautrin ceases to be Vidocq, because he becomes Balzac, who had early claimed the gift of being able to transfer himself into the skin of another person, like a djinn in the Arabian Nights. That is why *La Comédie humaine*, for all the exactitude of its detail and all its historical value, has the charm of a fairyland, even and perhaps most of all in its horrors, as there are worse butcheries in the Arabian Nights, more horrors in the fairy tales of the brothers Grimm. There is even something childlike in a writer who can describe such matters almost with relish.

But Balzac needed the traits and streets of other people before he could release his vision, as he needed a house in which to write. It was only when he had adopted the mask of Vautrin that he could express all his very real contempt for a society in which some men were honoured for their adventures and intelligence in accumulating wealth, while others were condemned for escapades which sprang from a character more violent but in some particulars less morally corrupt. It was only by speaking as an antisocial criminal that he could uncover the worst corruptions, as it was only by speaking as Benassis, the country doctor, that he could defend the health of a properly constituted society.

In this, some of Vautrin's tirades or the lectures of Benassis to Genestas come close to the dramatic monologues of Browning, who equally adopted masks that were not his own to express the views of a Blougram or a Sludge.

Balzac was in fact more a poet than a philosopher, and the historical value of his work is a product of his vision, as historical facts are also to be found in primitive epics. He was describing not only a more complex society, but one which was rapidly changing under his eyes. His own restlessness and the vicissitudes of his brief life enabled him to interpret these changes not simply as an observer but as an actor. He could rise to ministerial rank with a Rastignac, endure the miseries of Paris journalism with a Rubempré, hoard the secrets of society with a Gobseck, and most intimately of all feel power over those he manipulated with Vautrin, unrestrained by any code or convention.

There is in all *La Comédie humaine* something of Vautrin's power, genial yet contemptuous not only of laws but even of life, as Vautrin cynically had Taillefer's son killed or more abominably drove Peyrade's daughter out of her mind. So Balzac, unlike Dickens ("indulgent father to the children of his fancy") killed off the brilliant Louis Lambert, or more brutally allowed the innocent Pierette to die under persecution, if that was necessary to his plans.

He was so much inside Vautrin that he had to distinguish himself from him, and he remarked the difference by emphasizing one side of Vautrin's character—"he was not interested in women." Nobody could say that of Balzac. He could have found no more telling point by which to underline not only his difference from Vautrin but from the theory of male egoism and power which he embodied. For ultimately the whole of Balzac's work and the society he described rest not on the aggressive passions of men, but on the women whose sacrifices and devotion assured its survival.

7

Society and Piety

THE BALZAC who has been most prized by historians critical of the Revolution such as Taine, or by royalists such as Bainville and Gaxotte, is also the Balzac valued by Marx and Engels, or by such a follower of theirs as Professor Lukács. This is the Balzac who not only claimed to be the secretary of French society, but even asserted that it was "not enough to be a man—one has also to be a system." Yet this statement, which might well have come from the Marxist, was made by a royalist, even a legitimist.

This is already a sufficient contrast, sometimes explained by the exactitude and realism of his social analysis which has allowed both sides to find some support in his work for their own views. Yet even here, in the most systematic side of his work, Balzac had a strongly personal outlook, as is clear from his treatment of Napoleon, a figure equally uncongenial to royalists and to Marxists. For what fascinated Balzac in Napoleon was largely the quality of Vautrin, his power over men, the force of his character.

Believing that the first duty of a government was to be strong, Balzac supported firm rule whether by a king or by a republic. He pointed out that the absolute rule of Catherine II had strengthened Russia, while the weakness of the amiable Louis XVI had destroyed the monarchy and delivered France to the Terror. After the Revolution of 1848 when he submitted his name for the Assembly, Balzac declared that his first wish was that the republic should be strong, because what France most needed was a permanent regime, not one that changed every fifteen years—though Heine, who had talked with him at this time, ironically commented that what he really wanted was a republic ruled by royalists.

The point may be taken, for there was in fact an ambiguity in Balzac's attitude to politics, as in his attitude to Vautrin, partly because a belief in power is itself ambiguous, as it can be exercised for good or evil. Just the same uncertainty extends to Napoleon: whether he was "the heir of the Revolution" or the restorer of order and authority.

When Victor Hugo, in his funeral oration over Balzac, called this royalist a revolutionary writer (much to the disgust of his widow), he was historically right in that both Napoleon and Balzac had issued from the Revolution. They had more than that in common. Both their families had their origins much farther south, the Bonapartes in Corsica, the Balzacs in Gascony, and both had come to seek power in Paris. Both were parvenus who made terms with existing society, but they were critical of what they found in Paris. Napoleon was not more abrupt with political parties than Balzac with literary groups. Both resolved to impose their own ideas, while Napoleon's Concordat with the Church was an image of Balzac's own accord with her place in society. Finally both died prematurely, one at fifty-two, the other at fifty-one.

Yet Balzac's political outlook was not Napoleon's because a generation came between them—Balzac had himself only just come of age when Napoleon died in St. Helena—and France had endured other changes.

Louis XVIII, himself a shrewd politician (as shown in *Le Lys dans la vallée*) had been frustrated by the zeal of his followers and the obstinacy of his brother who, as Charles X, lost the throne in 1830 to the Orleanist branch in the person of Louis-Philippe, who changed his style from king of France to king of the French—a gesture typical of a reign of compromises inexpertly executed, the opposite of all that Balzac approved.

The effect of these changes on a supporter of stable government was to make him a legitimist, as the disorders of the Revolution had earlier been used to justify the rule of Napoleon, for Balzac believed that only a return to an undisputed succession could prevent further changes of dynasty or falls of government. It was in fact his dubious claim to the throne that brought Louis-Philippe to the uncertainties and expedients that further weakened his hold on the country. He tried first to set up a constitutional monarchy on the English model, and created barons in the same style. The prosperous bourgeois in *La Comédie humaine* all seek to become barons of this sort, such as the Baron de Nucingen, the financier whose cunning led to the comment in *La Maison Nucingen* that "highway murders were acts of charity compared with some financial combines." Journals were bought and sold, journalists forced to change their opinions from day to day, resulting in the cynicism and jobbery described in *Illusions perdues*.

The reign of Louis-Philippe from 1830 to 1848 was in fact a time of lost illusions. It was also Balzac's great productive period, only *Les Chouans* and *Physiologie du mariage* appearing before it, nothing after it. These limits are so close that it is only natural that, as almost the whole of his work appeared in the reign of Louis-Philippe, the political opinions of Balzac and his characters should refer directly to it.

A cynicism in many and a devout legitimacy in others

reflected on Louis-Philippe himself, whose father had early rallied to the Revolution, and voted for the execution of his cousin Louis XVI, only to lose his own head to the guillotine. The son of such a man, who attempted compromises of the same sort, had little to commend him to revolutionaries, who despised him both as a king and as a traitor to the Revolution, or to royalists who regarded him as the son of a regicide and a parricide.

These crosscurrents flowed through *La Comédie humaine* as in *Le Cabinet des antiques* where the old M. d'Esgrignon takes his stand on loyalty to the past, like some great tree, says Balzac, defying the force of the current, while his steward is no less commended for trying to divert that current to the benefit of his master's property.

The old d'Esgrignon remains convinced that all usurpers will perish, as Providence had disposed of Napoleon Bonaparte. Yet it is not only the old aristocracy who remain attached to the legitimist principle, which is as firmly held by the most distinguished writer, d'Arthez, who represents Balzac's finest image of himself. But the d'Arthez circle also includes the brilliant Michel Chrestien, the noble revolutionary who died on the barricades. In Balzac's world the chief opposition was not between legitimists and revolutionaries but between men of principle and the careerists—who were most typical of Louis-Philippe's reign, as the government rested on no sure principle, and ambition was the chief quality of ministers.

Balzac sympathized with ambition, as he showed in his treatment of the young Rastignac, a southerner showing some traits of Thiers, who had been born in Marseille and who attained office under Louis-Philippe. Yet Rastignac, once a minister, is no longer the attractive figure of *Goriot,* while de Marsay, who attains even higher rank, is a complete cynic, disillusioned by his first love affair, since when he has believed "neither in God, nor man." Yet he was a successful statesman, for he inherited from his father, Lord Dudley, that "opportunism which is native to the English Cabinet."

Against these careerists, Balzac asserted the principle of legitimacy, especially in his women characters where it almost appears as a woman's virtue, and Diane de Maufrigneuse in composing the myth of her chastity for d'Arthez can insist on her legitimist opinions as proof of it. Legitimacy in this world had in fact quite the respectability of legitimate birth.

Yet Balzac himself, in his championship of legitimacy under the influence of Madame de Castries, was accused even by his friends of behaving as a careerist himself. But it was more the desire to conquer her than to conquer Paris, where he had already triumphed, that led him to work for the legitimist party, as the principle had for him all the charm which la belle Diane had for d'Arthez. When he spoke of "the purest legitimacy" it was a feminine purity that really seduced him, as against all the shabbiness and corruption of the regime. There was an aesthetic element in his political opinions, as in all his thought, for he found it difficult to give his mind to anything that could not be transformed into the "sublime"—though this "sublimity" could appear in the dingy deathbed of Goriot, in a Breton hut, or in a stable in the Dauphiné.

He was disillusioned by the legitimist party, by Madame de Castries, and by their intrigues with Paris journalism, but when in this disillusion he attempted his greatest political statement, *Le Médecin de campagne,* a book much dearer to his heart than to his readers', he was still dominated by this vision. Above all, he was again so inspired by the Napoleonic legend that he inserted in the book, at some loss to unity, one of its outstanding documents, *Le Napoléon du peuple.*

It was inevitable that Balzac and his world should be haunted by Napoleonic figures, as he was himself at the impressionable age of sixteen when the First Empire fell, and the Second Empire, which was based on the legend to which he contributed, was set up two years after his death. If he wrote during the reign of Louis-Philippe, many of the important events in the lives of his characters had happened before then, and could only be described by reference to Napoleon and the First Empire —Goriot himself, the Hulots, Montriveau, and many others, even apart from such obviously Napoleonic survivals as Colonel Chabert or Philippe Bridau in *La Rabouilleuse,* all had their lives shaped by the Emperor.

Balzac had learned from the Duchesse d'Abrantès, the widow of General Junot, and his wisest friend, Zulma Carraud, was the wife of a Bonapartist officer. More important still, the Balzacs themselves owed their position to the father's work as commissioner for the army, work in which both Goriot and Hulot followed him. It was perhaps with this family precedent in mind that Balzac dedicated *Le Médecin de campagne* to his mother, his father having died four years before. It was a book for which he had a special regard as embodying the principles on which his work was based.

In choosing a country doctor to be spokesman of his views, he staked his claim, advanced in the preface to *La Cousine Bette,* to be "a simple doctor of social medicine, a surgeon of incurable diseases." Benassis is a doctor beloved by all the peasants he attends in the mountain villages, but he is also a brilliant and dedicated man who has renounced ambition after a tragic affair: "For broken hearts silence among the shadows," is the epigraph. Those of Balzac's men and women who devote themselves to great or good works have all suffered, for only those who have endured the hardest blows of fate can overcome self and desire, to enter the way of charity and understanding. Benassis even makes this renouncement the basis of his social doctrine.

Egoism, individualism, self-interest, he declares, can produce only social conflict. If everybody is for himself, nobody is for the country. "Superiority is the great evil of our age. There are more saints than there are niches for them." Every man thinks he is better than anybody else and more fitted to be in charge. Values have been falsified: a small medal is good enough for a sailor who risks his life to save a dozen others, while the highest distinction is reserved for the politician who sells his vote to the government. Society should rest on clear principles and shared values, for which a man will sacrifice his own interests. When it is based only on interests, it necessarily issues in disorder, because interests are always in conflict, and only honour, patriotism, faith can create unity.

It is not the passing of laws that ensures the stability of society, but the manners and customs of its people. "A people which has forty thousand laws has no law." Sooner or later, to escape from this confusion, it has to place its destiny in the hands of one man.

These long pronouncements on Balzac's social theories are made by Benassis to an old officer of Napoleon's whom he is taking on his rounds. This officer, devoted to his Emperor, naturally finds them much to his liking, for they are the sentiments of devotion which Napoleon aroused in those who served him. This prepares the way for *Le Napoléon du peuple* in which an old soldier speaks of the Emperor as of a god.

Napoleon's mother had dedicated him to God, with a vow that he would restore religion. But he had himself almost divine power, and instances are given of his charmed life among bullets which killed all around him, his indifference to fatigue and lack of sleep, his immunity to plagues that destroyed regiments. He was "the Saviour of France." Even his journey into Egypt evokes a parallel with the Gospel story.

Finally he was betrayed like the Son of Man and martyred in St. Helena by the abominable English, for whom the officer listening to the old soldier's recital has a bitter hatred.

Yet Louis-Philippe was trying to introduce an English system of government into France. There could be no graver condemnation of him. The only kind words spoken of Louis-Philippe come from Rivet the haberdasher in *La Cousine Bette:*

> I adore Louis-Philippe. He is my god, for he is the splendid and worthy representative of the class on which he based his dynasty, and I'll never forget what he did for haberdashers by restoring the uniforms of the National Guard.

But even he complains that, after the splendour of Napoleonic reconstruction, Louis-Philippe has neglected the Louvre: because he is a man of the Centre, he wants to see the centre of Paris tidy. Just as the Empire style survived the passing of Napoleon, a nostalgia remained for a style which has something in common with Balzac's, as this too gilds and adds sphinxes to constructions that are basically classical. It was the feeling that his regime was shabby and un-French that animated resentment against Louis-Philippe, and because Napoleon was the last representative of French glory, there was a constant hankering for him which led, even before Balzac's death, to Louis Napoleon's election as President—and later to the Second Empire.

This thirst for glory, which accorded with his own thirst for fame, was strong in Balzac and in the society he describes. It explains his sometimes exaggerated efforts to inflate a scene and a language which will hardly bear the strain. Yet Napoleon himself had a practical side and could make sober judgments, a common sense which in Balzac—or at least in his writing—is even more marked. He saw, for instance, that Napoleon's laws for the division of property would result in such small farm holdings that they would eventually become unworkable. Where he was closest to Napoleon was in regarding all institutions in terms of their social value, and that is particularly notable in his attitude towards the Church.

In *Le Médecin de campagne* Benassis speaks as a doctor and a sociologist, yet all his discourses constantly refer to religion, and he is a close ally of the village priest. When stating his religious views in the Preface to *La Comédie humaine,* Balzac first names this book:

> Man is neither good nor evil, he has instincts and inclinations. Society does not corrupt him, as Rousseau claimed, but improves and completes him, but self-interest also develops his worse leanings. Christianity, and especially Catholicism, being as I have stated in *Le Médecin de campagne,* a complete system for suppressing man's corrupt inclinations, is the greatest agent of Social Order.

All this is very Napoleonic. Balzac is making a Concordat with the Church to control his characters, as Napoleon did to rule his subjects. But this reveals their views on society more than their attitude to religion. Yet even here there was a resemblance, for Napoleon's remark, "I tell you, I know men, and Jesus Christ was not a man," offers a parallel to Balzac's vision of the Church in *Jésus Christ en Flandre,* where he sees her as the inspirer of art and thought. Both regarded religion from the standpoint of their own profession—as a leader of men or as a writer of books.

Balzac looked beyond the Church as a social institution, for this was hardly more than the Marxist view of religion as a popular drug, even if he differed from this in thinking it a far more beneficial one than any revolution. Along with his social regard for religion went a readiness to accept miracles and a mysticism which rushed towards the Infinite—if this was overcharged with "sublimity," it was held with strong conviction.

That he managed to reconcile these diverse elements becomes less surprising when the reconciliation is again placed in a Napoleonic context. Napoleon, as a ruler, could come to terms with the Church without altering or at least without disclosing his own religious feelings, but Balzac as a writer, having accepted the Church on grounds not very different, could no more escape her influence on his own vision than he could extricate himself from a Goriot or a Vautrin. They are convincing figures, but they are also images of Balzac, who could even assert that "the smallest details of religious practice are necessary defences against the spirit of evil," but the feeling behind all this is as intimately his own Swedenborgian mysticism as the reality behind a Daniel d'Arthez is Honoré de Balzac.

In the course of his life, this fusion became as complete as it was in his work. An interesting example of this is *Une Double famille* in which Granville is married to a puritanical bigot, so austere that she preserves her scruples even against the personal judgment of the Pope. Balzac gives a wonderful description of her bigotry, a passage as striking in its way as the classic account of Pons's stomach and his passionate love for stuffed carp. He sums up the deathly effects of bigotry in a house, the drabness of the curtains, the horror of colour, the frustration and blankness that extends even to the ornaments and the walls, the lamentable details of the woman's dress. Bigotry could not be more thoroughly denounced, yet the whole point of the story is not to justify her husband's seeking happiness with another woman but to narrate the disaster and misanthropy in which he ends as a result of this. This was a story that Balzac worked over more than once, and it is evident that two different impulses were at issue. At one moment he was horrified by "the tyranny of false religious ideas," that Jansenism which had also ruined the life of the country doctor; at another he saw the tragedy of a man with a "double family."

It is very typical of Balzac that he should so give the two sides of the story. "*Homo Duplex,*" he was fond of quoting, as in the preface to *Les Parents pauvres,* where he insisted that all men and all situations have two sides to them, like a coin. But his art was precisely numismatic, for it showed the two sides in a single medal. So in his eagerness to reduce everything to unity in his work, he made sweeping gestures which certainly brought things together, but sometimes battered or broke them in the heap.

So in his Preface to the whole work, having cited *Le Médecin de campagne* as a witness to his views on Christianity, he adds a reference to *Louis Lambert* where it is shown that "there has only been one religion since the beginning of the world." The reader who turns to the relevant passage in *Louis Lambert* finds an essay of a page or two on comparative religion, more confident than convincing, in which the Hindu Trimurti is identified with the Christian Trinity, and various religious leaders are all identified in a common doctrine.

In the same Preface Balzac rebuts charges of immorality, always made against original thinkers, such as Socrates and Jesus Christ, who were killed because they tried to reform mankind, while Luther and Calvin, who only tried to reform religion, died in their beds. Finally, as a proof that he was wholly opposed to materialism, he offered the example of *Séraphita,* "this Christian Buddha."

A Christian Buddha is again a double image, one

which well expresses the contradiction between his belief in the Christian discipline of the Church and the theosophy implicit in his mysticism. They are again joined in a letter to Madame Hanska in which he proclaims his adherence to "the mystical Church, the Church of St. John." He often refers to St. John with special respect, which indicates his reliance on a long mystical tradition derived from the early Gnostics and revived in the eighteenth century by the Illuminism of Saint-Martin to which his mother was particularly given. In fact his reading of Saint-Martin at home combined with his enthusiasm for Swedenborg at school to produce the mysticism of *Louis Lambert*. But in later life he tended to emphasize the orthodox more than the Gnostic side of this religion. The Illuminists with their belief in the "Church of St. John"—where "the beloved disciple" figures as the apostle of an inner mystery—and in the third age of the Holy Spirit spoke the language of orthodoxy, their chief objection to the Church being the hypocrisy of an establishment which was overturned by the Revolution.

In 1830, after another revolution, the Church looked different, as it appeared to Balzac when he concluded *Jésus Christ en Flandre* with the words: "I have seen the funeral of a monarchy. It is time to defend the Church."

There were other influences at work in the Church, among them the social Catholicism of Lamennais which was not without influence on Balzac, both in *Le Médecin de campagne* and *Le Curé de village,* and while Lamennais left the Church, Lacordaire, who had collaborated with him on *L'Avenir,* remained in it. So Balzac's change of outlook was accompanied by changes in the French Church—when in 1842 he began *L'Envers de l'histoire contemporaine,* the charitable works he there described were not very different from those of Ozanam. Even their mysticism is more orthodox, for it is based on *The Imitation of Jesus Christ* (though one of the best known French versions is that of Lamennais), and Balzac praises this as a book which has a message for everybody.

Finally in 1850 he and Madame Hanska confessed and received communion before their marriage in the church of St. Barbara in Berdichev. A few months later he was dying in Paris, and had a visit from Victor Hugo who recalled Balzac's pride in his house, as he said of the adjoining church, "A turn of the key and I can be at mass. I prefer that to any garden."

It is true that Talleyrand, the ex-bishop of Autun, whom Balzac met at the Duchesse de Dino's in Touraine, died in the Church, and this is no indication of a man's earlier principles, but the religious was always one side of Balzac's double nature, and if there was something in him for Flaubert, Maupassant, and even Zola, so his vision sustained another literary strain which passed through Bourget to the more fervent pages of Bernanos and Mauriac who, in an introduction to his son's book on Balzac, interprets him in his own terms. The diversity of these interpretations shows the extent of his influence, to confirm M. Marceau's remark that all French novelists are the children of *Le Père Goriot*.

8

La Cousine Bette

When in 1846 Balzac settled down to his last great work, *Les Parents pauvres,* he had already arranged five years before with a group of publishers for a complete edition of *La Comédie humaine,* to which he had continued to add, but with many works still unwritten he was not preparing *La Cousine Bette* as his final masterpiece. Yet in his own and the century's forties the conditions of his life had radically altered: in 1842 he learned of Count Hanski's death, which at last opened the possibility of his marriage, long planned and agreed, and as a direct result his visit to St. Petersburg in the following year had led to arachnitis and that deterioration in his health that finally brought death.

The causes of both these changes were more remote, for his devotion to Madame Hanska dated from only the third year of his success as a writer, and the ultimate cause of his ruined health, according to his Dr. Nacquart, was overwork and the excessive use of coffee which kept him awake for it—habits also of long standing.

There is then a great continuity both in his life and his work over these years, a continuity openly proclaimed when with *Le Père Goriot* in 1835 he had envisaged his work as a whole, and again in 1841 when he arranged its collected edition as *La Comédie humaine.* Some novels showed the pressing preoccupations of his daily life, but the central inspiration was so maintained and he had so devoted himself to the unity of the whole that the question of development or "late" and "early" work is rarely of interest. His real early work was that to which he refused his name.

But if the bulk of *La Comédie humaine* can be accepted as a single work, there are differences at the extremities between one of the early masterpieces and one of the last. *Le Père Goriot* showed the fullness of his powers, as *The Pickwick Papers* showed the full genius of Dickens, but *La Cousine Bette* further reveals a fullness of life. The change is certainly much less marked than the technical development which came to Dickens with *Bleak House* and *Hard Times,* but there is some similar check on exuberance and gain in construction and realism.

Whether the ultimate result is loss or gain may be similarly answered in both cases. If austere critics prefer the later work, *The Pickwick Papers* remains the most famous novel of Dickens, *Le Père Goriot* the best known of Balzac's. Yet with Balzac the difference between the early and late work is very much less, partly owing to the greater unity of his work and its embodiment in *La Comédie humaine*—a unity for which Dickens had neither aim nor ambition—but much more because the scale and scope of *La Cousine Bette* are greater than *Goriot,* and to some it may even appear as Balzac's masterpiece.

Both books too, for all their difference in plan and treatment, have very much more in common than either have with some others, for both are remarkably free from the early "sublimity" of *Séraphita* or *Le Lys dans la vallée* and from the melodrama which survived in the late *Splendeurs et misères des courtisanes.*

Yet, if only in the figure of Rastignac, *Le Père Goriot*

has an unmistakable air of youth, for it is a young man's introduction to the pleasures, deceptions, temptations, and ambitions of Paris. *La Cousine Bette* has an inevitable effect of age for the action turns less on Bette, herself no longer young, than on the ruin and dotage of Baron Hulot, who even abandons his corset and the tinting of his hair. The last words of *Goriot* are Rastignac's bold challenge to Paris, while the last words of *Bette* are a comment on Hulot's second childhood.

The difference is less between early and late work than between youth and age. *Goriot* is a young man's book, to recall Gide's dictum that Balzac should be read young. Everything is happening for the first time, with that extra sharpness of impression that belongs to fresh experience. *Bette* has the more terrible clearness of retrospect which shows the fatal consequences of wrong decisions. Yet while *Goriot* has the force of tragedy experienced in youth, *Bette,* despite all disasters in it has more lightness and that sense of inevitable comedy in human affairs that comes only with age.

Both are set in Paris, but the outlook is so different in *Bette* that it seems almost as if Paris too has grown older. The Vauquer boardinghouse of *Goriot* is certainly not gay, but the students can forget their cares at table, animated by Vautrin at his most genial. Even Josépha's or Carabine's parties in *Bette* are wearier and more sophisticated. But the real difference in the Parisian scene is more one of district, even of height, for in *Goriot* there is often a sense of exhilaration on the Montagne St. Geneviève or open air in the Luxembourg gardens, looking down on Paris as in the end Rastignac gazes down from a height on the other bank. In *Bette* there is a constant sense of cramped and central streets, such as the blind alley near the Louvre where Bette herself is disclosed—and even Crevel's luxurious little pavillion for Valérie

Marneffe is tucked away in a corner. This was the real pre-Haussman Paris, before the city of light, yet oddly the air of the still earlier *Goriot* seems fresher and more modern, simply because it is younger. In *Bette* the sense of constriction is reinforced both by the vast number of characters and by the furniture and objects of art, for Balzac had already entered on his phase of bric-à-bracomania—ornaments and the statues produced by Wenceslas Steinbock, Bette's protégé, are important and obsessive, while his group of Samson and Delilah has more effect on the action than some minor characters.

If *Goriot* showed Balzac's entry into Paris society only a few years before he wrote it, *Bette* recorded even more immediate impressions, for it appeared under the heading of *Les Parents pauvres,* which embraced *La Cousine Bette* and *Le Cousin Pons.* That he chose just that moment to write of poor relations indicates an understanding of their feelings intensified by the scorn and hostility of Madame Hanska's relations at the prospect of his marriage into their family. The Hanskis were of sufficient importance in Russia for the Tsar's consent to be required to a marriage with a foreigner, while Balzac's social scale could not even rise to the "de" which he had inserted before his name, and his glory as a writer was only an obstruction, for there is a prejudice against marriage with writers or artists—a prejudice on which Valérie plays when seducing Wenceslas from his wife. News of Balzac's debts and extravagances had also reached Russia, and when he arrived there he had to endure all the ignominies of a poor relation, without the satisfaction of marriage.

It was in these circumstances that he expressed Bette's resentment at her position of inferiority, and related how she reversed that situation by reducing the Hulots to poverty and herself acquiring influence, position, and even property. If this was poetic justice, it had a parallel in real life, for the Hanskis are now best remembered because the widow of one of them married Balzac, whose fame has only increased since his death.

How much satisfaction he achieved by handling with Grandet or Gobseck the wealth that he never amassed, by defying with Vautrin the society which never admitted his rights, or by attaining with Bette the triumph that he had failed to reach, cannot of course be estimated, but as the whole force of his desire for wealth or glory was in the imagination, it is probable that his vision of their attainment was no less powerful or joyous. For there is a strange joy in *La Cousine Bette,* as every point of view is presented with such sympathy that this goes out both to those who succeed and to those who are their victims. There is never that feeling which often occurs in tragedies, that the screw has been turned a little too far, that this is too much, that this is not real life. *La Cousine Bette* is real life in that it gives the same impression of certain qualities producing certain inevitable results, and a satisfaction, even a joy, in these results. It is more exhilarating than depressing when the idyllic happiness of Wenceslas and his Hortense is destroyed, because that idyll was based on deceit and illusion. That this division has been caused by Bette, that it is her revenge, cannot spoil this sense of justice, for she has only been able to work on their weaknesses. The whole book is sustained by this accuracy and justice in the relation between human qualities and the crises that reveal them. It creates the impression that life may be cruel or tragic, but never false to its truth—which is an exact balance between character and destiny.

Not everybody would agree that life holds this truth. Some say that only art can create this sense of order and rectitude in human experience. At least Balzac here uses that art, and gives it an astonishing resemblance to life.

The conviction imposed is the more surprising because

the gaiety which refuses to desert these grim pages arises from the fact that *Bette* is really a *Conte drolatique* told in the form of a long tragedy. Two or three of the *Contes drolatiques* had a similar plot, the escapades and discomfitures of a lecherous old man. For all the action of *Bette* turns on Baron Hulot's pursuit of women, even when he is nearly seventy, and the vast sums which they succeed in squeezing out of him. But these affairs have much greater repercussions because he is director of the War ministry, his wife is devoted to him, his son is a deputy—and an austerely honest one—and his daughter is married to an artist who has aroused the desire of his own mistress.

Hulot's graft is on such a scale that it nearly leads to a government crisis. At least it causes the death of his brother and his uncle, and nearly kills his wife. This may not appear the stuff of a *Conte drolatique,* but violence and tragedy also intervene in these stories, not only in *La Connétable* and *Le Succube,* and *Bette* remains true to them in its rapid transitions from gaiety to disaster. Nothing could be more burlesque than the scene in which Hulot and Valérie are discovered in bed by her husband and the police, yet it is precisely this comedy which sets off the crises and the deaths in Hulot's family.

Any comedy in *Goriot* is subordinate to the central theme, but the whole action of *Bette* turns on the comedy of an old man's lust which happens to have tragic consequences. Yet it remains a comedy in the sense that all tricks are in the end exposed, Crevel and Valérie and Bette all die disappointed of their hopes for the final ruin of the Hulots, who are restored to their possessions and even to happiness, their characters strengthened—with one exception. This exception, Baron Hulot himself, underlines the comedy, for he is the incorrigible pantaloon who even in his dotage returns to his old tricks.

The construction has all the intricacy necessary to a long sustained comedy. *Bette* is the longest of Balzac's novels, for *Illusions perdues* and *Splendeurs et misères des courtisanes* are both divided into parts more or less complete in themselves, but *Bette* maintains a central theme for over five hundred pages without chapters, without even a break, though it covers a period of over six years—and the transitions of time hardly interrupt the flow of the narrative. The contrast here with the shorter *Goriot,* whose action only begins after fifty pages of description, is very marked, for *Bette*'s begins on the first page.

Constantly, but especially after the marriage of Wenceslas and Hortense, incident, action, movement are accelerated, as Hulot turns to more desperate expedients for money, and Valérie Marneffe convinces four men that they are the father of the child she bears, delights them—and gives great satisfaction to her husband who, being employed at Hulot's War ministry, sees in this a prospect of further promotion.

This is, of course, an essentially comic, almost theatrical situation, with fathers, lovers, and husband entering and disappearing through doors on opposite sides of the stage (and in fact the Brazilian Baron Montès de Montejanos is at one moment concealed in a closet). But the trick is managed with extraordinary art, as the transitions are effected by Valérie with immense skill. It is amusing, but it is not farcical, for even while making Valérie witty, attractive, and intelligent, Balzac never conceals her essential depravity. Only a supreme comic gift, on the scale of a Molière who could similarly balance contrasts with a double sympathy—as with Alceste and Célimène—is able to handle such a situation.

What is most striking is how much Balzac can afford to do with his characters, he who in earlier days was constantly on the edge of the sublime and the ridiculous.

Here, as if to show with a flourish that he had solved that particular problem, he deliberately puts one of his most "sublime" characters in the most ridiculous light—and she emerges without the loss of a feather from her "angelic" wings. Adeline is the noblest and most devoted of wives and mothers, yet she is shown as attractive from the first pages when Crevel tries to seduce her, and she is so uncomplaining that one can share the surprise of Hulot's brother that he should prefer any woman to her. One can even understand the momentary impulse of generosity in the pompous and selfish Crevel when he later promises to find the large sum she requires for Hulot's debts and to demand nothing in return.

But on his way to raise this money, Crevel visits his Valérie, who is naturally affronted to find him deeply moved by the appeal of another woman. So she reveals her own religious feelings, herself becomes "sublime," and reduces him to tears—whereupon she bursts out laughing and tells him how easy it is. If he is so anxious to part with his money, she can make appeals even more sublime than those of Adeline—and she is also younger and more skilled in the art of pleasing. Crevel capitulates at once, and saves his capital. Adeline's appeal is forgotten.

The art of this is that while Crevel is convinced, the reader is not. Balzac makes him aware that Adeline is right and Valérie wrong. Here at last the sublime can suffer the worst ridicule, that of caricature, and remain sublime. Balzac had immense confidence to dare such a scene, and it is this mastery which is evident throughout the book.

The chief differences in technique, as compared with earlier work, are the swifter entry into action from the first page, more unity of action and plot, increased use of dialogue. All these are points essential to a piece on the stage, and it is likely that Balzac's experiments in the theatre had contributed to this development. In 1840 his *Vautrin* had been played at the Porte Saint-Martin, but had been suppressed by the government chiefly because the famous Lemaître had given an impression of Louis-Philippe in his part. Neither *Pamela Giraud* nor *Les Ressources de Quinola* won success, which came only with *La Marâtre* in 1848, two years after *Bette*, but was again impeded by Louis-Philippe, this time by the revolution against him. The greatest success, *Mercadet*, was posthumous: this was a comedy of debt, in which Mercadet puts off creditors by insisting on waiting for Godeau, a partner from whom he really expects nothing. But in the end the almost mythical Godeau returns—with all the wealth required.

La Cousine Bette already contains this promise of ultimate success in the theatre, and it too is a comedy of debt finally redeemed. For Victorin Hulot, the old man's son, eventually has recourse to the police—he even has a brief glimpse of Vautrin as chief of police—but it is Vautrin's aunt, Madame Nourrison, a private operator, who restores the Hulots' fortunes by killing off Crevel and Valérie shortly after their marriage. This too is a theatrical stroke, and even Valérie's death has a comic element as she tries to seduce Heaven with the arts which have served her so well on earth: *il faut que je fasse le bon Dieu*. So the dying Crevel remains pompous and comic:

> Death will think twice before tackling a mayor of Paris . . . and if my ward is unfortunate enough to lose the man it has twice honoured with its suffrages—ah, note the facility with which I frame my sentences—well, I shall know how to pack up. I've been a commercial traveller, I know when to move on.

Even more comic are the doctors in conference over the tropical disease which has struck both Crevel and his wife. Bianchon, greatest of doctors, preserves his dignity and his sympathy, but one of his colleagues cannot help drawing attention to their good fortune:

> It will be a magnificent autopsy, for we'll have the two of them and we'll be able to compare the cases in detail.

Few writers dare to make these brusque transitions between the comic and the tragic, which occur so naturally in real life, where the stomach or the bladder show a strange indifference to style by intervening in the solemnities of love or death. Balzac himself had not often made them with such complete ease and mastery. Here he passes lightly enough from the Church, "animated by the spirit of sacrifice in everything" offering to the heap of decaying flesh on the bed "her infinite care and her inexhaustible treasures of mercy"—to the prospect of the "splendid autopsy."

Many of the most powerful effects in his work are obtained by contrast, for his greatest felicities are always in the double face of the coin—his *Homo Duplex*—and he is least successful when he keeps too continuously to one level, especially the "sublime" as in *Séraphita.* He is most successful when he uses his double vision, which could see the tragedy in the lightest love and the comedy in the tragic moment, even in death. If on his own deathbed he called for Bianchon, who had been unable to save Crevel and Valérie, that was not only because he was entering the world of his own vision, but because that vision had irony in its roots.

This irony is present throughout *La Cousine Bette,* where it serves to control the exuberance to which his characters were always liable, owing to their heritage of his own rich blood. When Hortense, betrayed by Wenceslas, declares that she is unable to copy the wonderful example of her mother's submission to an erring husband, and says that she is more a Hulot than a Fischer, she reveals even more that she is a Balzac. Yet even she, and even her "sublime" mother are here well under the control of Balzac's irony, for he admits the limitations of this noblest of women, to whom Josépha says that if she had a little of their *chic,* she would have kept her husband at home, "for you would have been what we have to be, *all women* for one man."

Balzac controls the exuberance of his characters, and even limits the exuberance of his comment, but this question of comment has to be seen against the whole background of his work, which is rarely quite free from it. That his comments are excessive, that they disrupt the realism of his work, are the two criticisms most commonly urged against Balzac. His intrusive personality, his lack of discretion, show most clearly in these comments.

The justice in this criticism may obscure three different points. First, he is sometimes even more present in the centre of action, in a Goriot or even, as Henry James noted, in a Renée or her child. Second, in writing a history of manners, a social study, it was often necessary for him to comment. Third, these comments are intelligent, acute, exactly adapted to their subject, of which they are not only an integral part, but on occasion the most interesting part.

After Balzac, the influence of Flaubert, strong on Henry James and on Conrad, eliminated comment from the novel, which was held to be an exact transcription of life, an illusion only impeded by the intruding of an author's personality or opinions. Yet there is a more important illusion than this, that precisely of being in touch with the personality of an author dead or distant. The voice of Henry James, however discreet, remains unmistakable, even because it is so discreet. So Balzac's comments are no more and no less himself than his presence in a Félix de Vandenesse or a Louise de Macumer. The ultimate question is always whether the author is acceptable in himself, for he is present in his technique as in his style.

It remains true that Balzac also tended to eliminate comment in his later work, but in *La Cousine Bette,* which was nearly his last, there remain between half a dozen and a dozen passages, mostly only a paragraph, but one of two pages, that may be taken as comments undemanded by the action, though some are required to elucidate a character. It is also true that among them are some of the best passages in the book, and the longest is essential to an understanding not only of Wenceslas but of Balzac himself.

This is the great passage in which he declares that intellectual work is one of the greatest efforts possible to mankind, demanding courage above all other qualities, for without that there is no passing from vision to creation:

> To think, dream, conceive great works is a fine occupation. It is like smoking enchanted cigars, or surrendering like a woman to her lover. . . . The man who can put his plan into words already has some reputation. Yet all artists and writers have this gift. But give birth to the child, put it to bed each night satisfied, embrace it every morning with tenderness, caress it when it's filthy, find it new clothes which it is always tearing to pieces . . . that's the real task. The hand has to be ready at every moment to obey the head. But the head can no more command its creative powers than love can survive without rest.

The bitterness of experience is confirmed by another phrase: work is begun in despair and abandoned in grief. Doubtless this is Balzac's experience, but it is here applied very aptly to the Polish sculptor Wenceslas, who, spoiled by the fondness of his wife, falls back on "the enchanted cigars": "Instead of a statue, a charming little Wenceslas was brought into the world."

Another passage, earlier in the book, observes that the vicious often have more charm than the virtuous, because they put themselves out to please more, to cover up their faults. Though this is offered as a general comment, it explains how Hulot is loved despite his vices, and it is justified by his wife's offer of her diamonds to pay the expense of his mistress: his reply that the diamonds are to be kept for their daughter Hortense at once strikes his wife as noble and self-sacrificing.

So another comment on the grandeur of virginity explains the extraordinary force of character in Bette herself. Virgin natures economize their vital powers which enable them in a crisis to surmount difficulties with a greater strength. Virginity is "a grandiose and terrible exception," deserving all the honours of religion. It is typical of Balzac that this rhapsody on virginity should be provoked by Bette exactly at the moment when she plans the ruin of the Hulots. He has the same justice to her as towards Hulot, not extenuating their faults but even less concealing their virtues, for his vision is their own, and few are quite blind to their own virtues. Certainly his mercy is on all his works.

A comment aroused by Valérie Marneffe is more social in scope—he is here "the secretary of French society"—for he observes that married women who take lovers, usually with the connivance of their husbands, are more dangerous in their hypocrisy than any courtesan such as Josépha or Carabine, who treat men honestly in their trade. Valérie pretends to be "a poor weak woman," a martyr to passion, an ideal love. This new romantic love, says Balzac, offers the whole Gospel to the service of the Devil.

Two other comments return to one of the main themes in *La Cousine Bette*, the difficulty of finding a mistress and a wife in the same woman. That the answer in the two cases is different shows how closely these comments are incorporated in the narrative, for in one case the man's failure is considered as the cause, in the second the woman's. The first context is a woman's reflection, the second a man's. Here again is the double vision:

> Many men want two editions of the same work, though it is an immense sign of a man's inferiority if he is unable to make a mistress of his wife. Variety is a mark of impotence. Constancy is always the genius of love, revealing the true power of a poet.

The second:

> Love, which is both a great folly and the austere joy of great souls, and pleasure, which is sold in the market-place, are two different aspects of the same fact. The woman able to satisfy these two contrasted demands is as rare as a great general, writer, artist, or inventor.

Balzac adds, recognising a contrast in such comments, that there is more than one sort of morality in his work—and this is surely the reason why his comments are not more resented, for they are not a set of prejudices or principles imposed on life without reference to particular cases: they arise from those cases, and came from the same inspiration in his own mind. They are in fact an integral part of his vision.

La Cousine Bette is an outstanding example of that vision's unity, of the unity in his whole work. Other characters of *La Comédie humaine* appear in it, some only mentioned by name, but all help to create a special atmosphere—Rastignac, Nucingen, Bixiou, the Duc d'Hérouville, Madame de la Chanterie, Jenny Cadine—even the great Vautrin, though his name is hardly more than whispered. Others play more important, though still minor roles, among them Bianchon who, called in for Adeline, reveals that he is also attending Valérie, her husband's former mistress—and Valérie herself is the natural daughter of Montcornet, who occurs in five other novels. So all the references cross, to form a unity not only in *La Cousine Bette,* but in *La Comédie humaine* itself.

9

La Comédie humaine

WHEN BALZAC wanted an image for *La Comédie humaine,* he chose Bourges cathedral—it would, he told Madame Hanska, bulk as large in literature as Bourges in architecture. Marcel Bouteron, the dean of Balzac studies, developed this image to show how different features, a flying buttress or a chapel, could yet form part of an artistic unity, though built in different centuries, even in different styles.

Some such image may be required to illustrate how ninety different pieces, some of them long novels, and over two thousand characters, can compose an artistic whole. Balzac in his resolve to create a history of manners emphasized his system, but the unity of *La Comédie humaine* is hardly that of a system. Its strength is precisely that of a natural growth, and in fact it grew naturally, for it was not until 1835, the year of *Goriot,* when Balzac had already been writing for five years works which were to form part of it, that he had a vision of the integration of characters in the whole, though according to his sister he had conceived the plan in the previous year.

After that, testimonies multiply, from Henry Reeve, an Englishman who declared that Balzac expounded the plan to him in 1835, Reeve himself remarking that a Diobolic Comedy would be the proper name for the whole work, to that of Félix Davin, who in the same year wrote of "this great history of man and Society which M. de Balzac is preparing for us."

From the beginning Balzac had held to the philosophical value of his work, and in fact the *Études philosophiques* were some of the earliest, while both *La Peau de chagrin* and *Le Médecin de campagne* with all its social doctrine were early works, and still earlier was an *Étude analytique, Physiologie du mariage.* Then his short stories in 1830 had been published as *Scènes de la vie privée.* All in fact lay ready to his hand when he made the great discovery that he was writing not pieces but a masterpiece.

In 1841 his publishers declared:

> Intelligent readers will not have waited until today to realise that M. de Balzac had conceived, from the beginning of his career as a writer, a vast plan in which each of his novels was to be, in a sense, no more than a detached scene.

This says too much, for only *Scènes de la vie privée* indicated that, and to emphasize the early origin of the plan is to obscure its natural growth. *La Comédie humaine* has the unity of a forest which was not planted, but grew as Balzac's genius expanded. One or two discrepancies exist to confirm this. In the final arrangement it is not easy to follow the distinction between *Scènes de la vie privée* and *Scènes de la vie parisienne,* for *Le Père Goriot* and other shorter pieces, such as *Madame Firmiani,* which appear in the first are even more Parisian than some such as *La Duchesse de Langeais* or *Facino Cane* which appear in the second. Again not all the *Études philosophiques* are more philosophical than stories which appear elsewhere—they have to appear there because they belong nowhere else, being set in other centuries and even in other countries.

The reason for both these discrepancies surely lies in the fact that both the *Scènes de la vie privée* and some of the *Études philosophiques* had been written before it occurred to Balzac that he was really writing *La Comédie humaine*. These are exactly the discrepancies, similar to knots in timber or curves in a river, which occur in natural growths, but not in works ordered on a set intellectual plan. Balzac certainly conceived a plan, but it is less certain that he worked according to plan, for he made room without difficulty for works conceived later. This again was natural enough, for plan and works both emerged from the same head.

There are more discrepancies even in the Catalogue adopted in 1845 for a complete edition in twenty-six volumes. This, for instance, contains eight titles in the *Scènes de la vie politique*, only half of which were ever written, while the *Scènes de la vie militaire* contain no less than twenty-three items, only two of which were written (Balzac wrote to Stendhal that he had been discouraged here by the magnificent description of the Battle of Waterloo in *La Chartreuse de Parme*). More surprising still, even at that late date, when his health was already failing, he found time to write six works not included in the Catalogue, among them one of his greatest, *La Cousine Bette*. This shows clearly enough that he never allowed the splendour of the plan to cramp his style, nor to smother inspirations not directly demanded by the system. This again confirms the natural growth of the whole.

If he had written the same number of novels and stories in which characters reappeared, his work would have been much the same and as much a unity without the title of *La Comédie humaine*, which is simply his collected works, exclusive of the *Contes drolatiques,* described as an "arabesque" decoration around the main work, appropriate to what he had called the Arabian Nights of the West. The fantasy is more striking than the system.

The reason why a single title was necessary to the whole was in his own character. He was claiming a higher status for the novel than it had yet attained, and he was naturally irritated when a work as serious as *La Peau de chagrin* was dismissed as an entertainment. He was also more philosophical in his early work—*Séraphita, Le Médecin de campagne, Louis Lambert* were all written before the main plan had been decided—and he rightly felt that they were worth more serious consideration than was usually given to novels then. But he remained a novelist, and in fact his later development led him away from this philosophical trend to the pure novel, culminating in *La Cousine Bette.*

So, while still in the philosophical phase, yet with the murmur of future novels already in his head, he chose the title of *Études sociales* for the work planned, to combine the two impulses, and also no doubt to impress the publishers and the public. In this there was more of his exuberance, his dandyism, his fantasy than respect for system. What really impressed the public was *Le Père Goriot,* not the heading under which it appeared.

The actual title of *La Comédie humaine* came later. Its appearance in print was in 1841, but it is possible that Balzac, who often had Dante in mind (*Les Proscrits,* in which Dante figures, is one of his earliest stories), thought of it long before, and he had travelled in Italy for the Viscontis. One of his dedications is to a Cajetani prince who is praised for his Dante scholarship. It is even possible that Reeve's comment of a Diabolic Comedy, back in 1835, aroused some meditation, and "Diabolic" was rejected as an English puritan gloss.

What is more interesting in Reeve's account is that the three divisions which he says Balzac mentioned to him were those retained in the final arrangement, *Études de mœurs, Études philosophiques, Études analytiques.* Yet they remain more a fine prospectus than a helpful guide to the work. This becomes clear when it is seen that the *Études de mœurs* occupy four-fifths of the whole work. They are themselves divided into *Scènes*—the word which has belonged to the first collection of stories to bring him fame—under six heads: private life, Parisian, provincial, political, military, and country life.

Of these the scenes of private and Parisian life occupy between them nearly half of the total work. The disproportion again shows how little he allowed an artificial plan to check the natural bent of his mind. Living in Paris, which was then not only a centre of Europe but of the world, it was natural that he should write chiefly of Paris, and most of the scenes of private life either happened there or refer to it. So nearly half of *La Comédie humaine* is Parisian in inspiration.

That Paris inspired so much justifies the great rhapsody at the beginning of *Ferragus* over "the very complete monster":

> He who has never admired your dark landscapes, your flashes of light, your long and silent blind alleys, nor heard the things you whisper between midnight and two in the morning, knows nothing of your real poetry, your strange and striking contrasts. There is a select body of admirers who always have their wits about them and who savour their Paris . . . Paris is a real person, as every man, every corner of a house, is a living tissue of this great courtesan whose head, heart, and fantastic behaviour are perfectly familiar to them. They are the true lovers of Paris. . . .

That is in every sense the capital point of *La Comédie humaine,* but Balzac was far from uncritical in his appreciation of Paris, and this passage from *Ferragus* needs to be balanced by one which introduces *La Fille aux yeux d'or*:

> One of the most terrible sights there is to see is the appearance of people in Paris, the horror of their gaunt, pale, sallow faces . . . less faces than masks, masks of weakness or strength, masks of misery or joy, masks of hypocrisy . . . almost infernal in hue, for it is not lightly that Paris has been called a hell. . . .
>
> In Paris no feeling can resist the course of events which sweeps all into a conflict of passions. Love there is no more than desire, hatred a whim, the only reliable relation is a thousand franc note, the only friend a pawnbroker. The general current has its effects on all, for indoors as in the street nobody is quite out of place, nobody wholly useful nor wholly harmful—fools and idlers, the intelligent and the honest. Everything is tolerated there, the government and the guillotine, religion and cholera.

This contrast may seem one more example of the double face that Balzac found in things, but in fact the two passages treat not quite the same subject, for the first relates to Paris, the second to the people of Paris, and as is usual with Balzac, the place is described with exuberance, the people with irony, even with bitterness.

It is true that romantic poets from Wordsworth to Keats or Lamartine to Vigny find more to raise their spirits in the beauty of nature and more to depress them in mankind or the dilemmas of human destiny. Prospects pleased them, but men were vile. Yet this was not the division between places and people in Balzac. It was not nature, but towns, the creation of men and women, which inspired him, and because he lived inside the people of his world, he had what was almost self-indulgence for them—so much that he was often accused of encouraging vice. He was less struck by the vileness of men than fascinated by the obstinacy of their desires and ambitions.

His vision of people was not a contrast to his vision of places but an extension of it, for as he noted the effect of Paris on faces in the street, so in all his work he looked for the effect of place and the callings peculiar to it on character. If half the *Études de mœurs,* which were the bulk of his work, were mostly inspired by Paris, whether under the heading of Parisian or of private life, the remaining four heads—provincial, political, military, and country life—were hardly less inspired by the spirit of place.

This is obvious enough in the scenes of provincial life, where the Nemours of *Ursule Mirouet,* the Alençon of *Une Vieille fille,* the Angoulême of *Illusions perdues* are so lovingly described. But it is hardly less true of the scenes of country life, the Limousin of *Le Curé de village,* the Burgundy of *Les Paysans,* or the Dauphiné of *Le Médecin de campagne.* One of the reasons why the other two sections, the scenes of political and of military life, remained the most incomplete was that, for all his efforts, Balzac had never entered political life—two years before his death he failed to enter the Assembly, and as he had not been there to see, his vision lacked a stimulus—while for the scenes of military life he had projected a tour of the Napoleonic battlefields which he was unable to undertake.

Even in the *Études philosophiques,* locality was no less important: the wonderful description of Flanders at the beginning of *Le Recherche de l'absolu,* of Venice in *Massimilla Doni,* Le Croisic in *Un Drame au bord de la mer*—and strangest of all, as he had never been there, the Norway of *Séraphita.* This shows that although place was most often the element that stimulated his vision, it was the vision itself, not direct observation, that lay at the basis of his work.

If then the imposing headings of *La Comédie humaine,* designed to give the impression of a philosophical work or a social treatise, resolve themselves largely into a list of places and provinces, and mostly ones that he had visited, they had some other value for Balzac. The philosophical and social values were real, but the headings were chiefly to assert this point in face of a public not yet prepared to treat the novel with the seriousness it has since attained. For himself the value of a framework was that, though he broke out of it often enough as the discrepancies noted above make clear, it served to limit his vision, to check the exuberance of his powers.

What is most daunting to a young man once conscious of his powers is the immense scope offered by the spectacle of the world. He is oppressed by the terrible burden of his freedom. He may decide, like Balzac, that he is going to be a great man, even that he is going to be a great writer, yet still be overwhelmed by the vast choice not only of material but of style and form. A first attempt is often at poetry, regarded as the quintessence of literature, and Balzac began with a drama in verse, *Cromwell.* Its failure stopped that outlet. So in his early unsigned work he gradually eliminated more possibilties until he found his true form, not perhaps in *Les Chouans,* though he signed it, but in *La Peau de chagrin* and the *Scènes de la vie privée.* Yet even *La Peau de chagrin* was a tempting line of fantasy which had to be controlled, and it was only with *Goriot* that he set the limits which he needed in the discovery that his books were all to be about the same people who would recur throughout them—over two thousand, but all related in their common relationship to himself.

The limits were so successful that to some critics, such as Professor Lukács, Balzac and Tolstoy are the only true classical realists in the history of the novel. That is one point from which to view Balzac, but even in the years immediately before and after *Goriot* he was also writing the *Contes drolatiques,* as if feeling the need to expand an exuberance to which he had already set limits—though in fact his comic genius also animated *La Comédie humaine.*

Once the limits are acknowledged, those of his own world with Paris as its centre, its provinces as securely based on existing towns, it is astonishing how many characters and types he managed to crowd into it. It is not only that many French provinces are represented with their inhabitants—Touraine and Normandy are each the background of seven stories, Brittany of three—but foreigners also enter, drawn as ever to Paris: the Brazilian Montès de Montejanos, the Portuguese Ajuda-Pinto, the lover of Madame de Beauséant, the Spanish Baron de Macumer and the terrible Spaniards of *El Verdugo,* Schmucke, the German musician of *Le Cousin Pons,* Facino Cane and the Italians of *Sarrasine* and *Gambara,* the English Lady Dudley or Arthur Grenville in *Le Femme de trente ans,* the Pole Wenceslas Steinbock and the more heroic Pole of *La Fausse maîtresse,* Corsicans such as those of *La Vendetta*—and Napoleon, one of the few historical characters that Balzac retained, for most he eliminated, finding that his own had stronger claims to represent his world.

Yet it is not these foreigners, though they show the range of his mind, who are the true natives of Balzac's world, nor the other great exceptions, a Goriot and a Claes whose passions are so absolute that these destroy them in the scenes where they first appear. Those who form the unity of *La Comédie humaine* are minor characters in the novels, but by the frequency of their reappearance major characters in the work as a whole—Bianchon, Nucingen, Bridau, Lousteau, Maxime de Traille, de Marsay, Diane de Maufrigneuse, Madame d'Espard, Jenny Cadine, and many others. Rastignac and Félix de Vandenesse might head the list, but they are the only two recurring characters who are also central figures in major works, though others have shorter stories which they dominate, Diane in *Les Secrets de la Princesse de Cadignan,* de Marsay in *La Fille aux yeux d'or,* while Bridau has a greater role in *La Rabouilleuse,* but Rastignac is a case apart, for with fifteen appearances he is not only with de Marsay one of the most recurring figures but also, as the central character of *Goriot,* one with a biography of his own.

Yet Bianchon, with twenty-three appearances, surpasses even Rastignac. These two, the students in *Goriot,* in which Balzac first adopted the device of recurring characters, best illustrate the part played by this in the whole work. Such characters serve both as points of reference and as points of interest, for they are both useful, almost conventional abbreviations, as the reader at once knows what sort of a person is one who has Rastignac for a friend, and stimulants, for there is a desire to know what has since happened to Rastignac himself. The device reinforces the illusion of real life, as in the recognition of a familiar face, and arouses curiosity, as in the desire for the latest news.

Dr. Hunt, in a witty comment on Balzac's courtesans, recalls William of Ockham's principle that entities should not be multiplied beyond reason. If Balzac had to multiply courtesans, so swiftly supplanted, ravaged, or even respectably retired in Paris that their lives there were too brief for the time sequence of *La Comédie humaine,* he was able to use more restraint over other characters, such as a Bianchon whose medical career could usefully extend over a whole generation. Yet his reputation was soon too great for trivial cases: "It's a case for Bianchon" at once conveys the gravity of a condition. The personal touch carries much more conviction than any account of symptoms. So when Lucien makes the acquaintance of Rastignac, it is at once more evident that he is winning a name for himself in Paris than any details of his earnings or his clothes could establish. By the date of *Illusions perdues* a man had to be somebody to know Rastignac.

These recurring characters briefly indicate a social milieu, cutting short details of houses and furniture, for it is sufficient to note that a woman is accepted by Madame d'Espard or Madame de Sérizy to know what her own salon will be like.

They also carry financial implications: the names of Nucingen and du Tillet introduce a mileau of high finance without scruple but inside the law, while a Claparon is charged with their shadier transactions. So a Popinot stands for commercial honesty, a Granville for justice. When the unfortunate Colonel Chabert, long missing and believed dead on the battlefield of Eylau—his wife has even remarried—tries to establish his identity, it is a capital point in his story that he goes to Derville, one of the few honest lawyers in Paris. That even Derville cannot save him points the tragedy of his fate—if he had applied to the Fraisier who so swindled Pons it would have been no more than bad luck. So there is hope for Birotteau once the illustrious Gaudissart is in charge of the publicity for his hair tonic, so there is hope for Lucien when he accepts advice from d'Arthez, fear when he listens to Lousteau.

For Balzac, in the extravagance of his invention, these recurring characters were a great economy. They set limits to his vision, which had quite enough characters in view. It was both useless and inartistic for him to create more lawyers or journalists, when he already had these to hand. As he entered ever more intensely into his world, he could no more think of using others than a man in a crisis will be content with any but his own doctor, his own lawyer. He too was living in a world of his own where both loyalty and common sense demanded that he should appeal only to his trusted advisers.

It is this which best justifies the claim of *La Comédie humaine* to be a single work, not simply a collection of books—they are "books" only in the sense of the old epics, all parts of one great chant. For characters recur as in legends, the paladins of Charlemagne in Ariosto or the knights of Arthur in Malory.

Because it had this quality of a legend, *La Comédie humaine* won popularity, and Balzac, despite all the importance he attached to the philosophical and social value of his work, was always hoping to rival the sales of Dumas. This too was why the Napoleonic legend was so firmly embedded in his work. The old soldier who tells the story of *Le Napoléon du peuple* even insists that the Emperor is not dead . . . like Arthur, like Barbarossa.

Political scientists may judge Napoleon differently, sociologists give a different interpretation to Balzac, but one of the strengths of *La Comédie humaine* is that it has lifted this legend from the deceptions of history into the truth of art. M. Claude Mauriac has said that he began to think more favourably of the statesman Thiers when he heard that Rastignac might owe something to him. So a prejudice against Napoleon might be revised by *La Comédie humaine*, because he behaves so indulgently to Laurence de Cinq-Cygne when she appeals to him on the eve of Jena in *Une Ténébreuse affaire*. This is the victory of art, that historical figures may owe more to it than to their own achievements. The myth is stronger than the fact.

Marcel Bouteron puts this well when he says:

> We have known men of ambition, brutes, and rakes, but their reality pales before that of Rastignac, Philippe Bridau, old Hulot. By making such types as these constantly recur through all the variety of action in *La Comédie humaine*, Balzac obsesses us with their figures. . . .

Because Balzac's recurring characters have this obsessive quality, his readers become more addicts than admirers, and *La Comédie humaine* more a club than a piece of literature. With even more fervour than those who debate the private life of Sherlock Holmes, followers of Balzac discuss the affairs of Diane de Maufrigneuse, the career of Rastignac, the interventions of Lady Dudley, or the last incarnation of Vautrin. Scholars have compiled admirable inventories of these characters from the Cerfberr and Christophe repertory of *La Comédie humaine* in 1887 to M. Fernand Lotte's more recent biographical dictionary of persons in it. All are accounted for, from the most recurring to those who put in the briefest appearance, to form an encyclopaedia, as Bouteron has called *La Comédie humaine.*

This encyclopaedia remains fantastic and human, as it endears characters by their sudden reappearance. Even so slight an anecdote as *Étude de femme* becomes important simply because M. de Listomère glances up from his paper to say: "I see that Madame de Mortsauf is dead." With a shock one is taken back to the ending of *Le Lys dans la vallée* . . . as again in *Une Fille d'Ève* when one meets the Félix of that novel married . . . and then his brother appears in *La Femme de trente ans.* So the whole world assumes the ease and casualness of a conversation with its startled comments: "I had no idea that you knew her . . . what is she doing now?"

These characters have a greater interest than acquaintances because more is known about the intimate crises of their lives. It is precisely Balzac's realism that makes his world fantastic. In real life a man's trade, his heart, his income, his religion, his mind are known in different circles, and it is rarely that any one person stands at the centre of all these circles. By revealing interrelationships in a whole society, Balzac disclosed a new vision of life, one attempted by no other novelist with so large a focus. Yet his remains a fantastic world just because it is so complete. More novels are written from a single point of view, either that of the novelist, or of the character in whom he has placed himself. Balzac's point of view has four thousand eyes. It is this which makes *La Comédie humaine* appear monstrous or prodigious.

The novelist has freedom to extend his sympathy towards all who are in reach of his understanding. Nobody has used that freedom of sympathy with more audacity than Balzac. More recent writers have engaged sympathy for sexual or criminal eccentrics, but usually without attempting at the same time to arouse sympathy for more central characters. Vautrin was both a criminal and a sexual eccentric, but he was only one of an immense range of characters for whom Balzac succeeds in arousing sympathy.

Size and range are not greatness, but when a writer rises above a certain level, the breadth of his view is some witness to the power of his vision. Men of small output, however exquisite, are rarely accepted as masters, if only because they have not left posterity enough to learn from them. The bulk of *La Comédie humaine* is not its first claim to greatness, but it contains enough great work between *Le Père Goriot* and *La Cousine Bette* to stimulate and sustain interest in the rest of the family.

10

Lord R'hoone

BALZAC'S GREATNESS is widely acknowledged, yet there is more disagreement about its quality. He remains as awkward a figure as when he first achieved fame in Paris—and as open to caricature and misrepresentation. He is an embarrassment even to encyclopaedias and histories of literature which require a brief and accepted formula such as has not yet been found for him . . . "powerful . . . genius . . . complete picture of French society . . . observation . . . imagination. . . ." That is hardly enough, the difficulty being that few care to place him in relation to other novelists. Lesser writers may be granted some well-judged comparison, but not Balzac.

Yet M. André Maurois and Mr. Somerset Maugham, orthodox spokesmen of French and English writing, are content simply to call him the greatest of novelists. In face of this, it is necessary to enquire why such a claim is not universally accepted.

It is not enough to repeat Lamartine's remark that he was a great man to whom the fates were mean, for they remain mean over a century after his death, and persistent ill luck is often related to a man's character. A writer's chances in the halls of fame often depend on a constant appeal to an enduring principle which he exemplifies for posterity. Here is the difficulty, that posterity has not yet decided just where Balzac stands.

What used to be a political and religious difficulty has become one of criticism and psychology. In the past, even the fervour of some supporters has often discouraged others, for conservatives and Marxists, Catholics and theosophists, nationalists and cosmopolitans have been disconcerted by their opponents. Similar controversies over Shakespeare are dismissed to the prejudice of the opinionated, but those over Balzac appear more often to discredit him, because he has neither the status nor the aloofness of a Shakespeare.

A great man, if he is not to represent a principle, is often held to stand for his country or his age. Here again Balzac has been unfortunate, for he was not only refused a place in the French Academy, but has never quite achieved that undisputed glory in France which belongs of right to a Rabelais, a Molière, or a Racine. Since the Revolution, France has been so passionately divided between its supporters and opponents, or anticlericals and clericals, that each side has been at one time or another exasperated by Balzac, whose Bonapartism (though it has something in common with De Gaulle's France) was discredited by the collapse of the Second Empire. But there is a more important element in Balzac's own character, his simple exuberance and the child in him, which arouses more mockery in Paris than elsewhere. His contemporaries found it hard to take him seriously, and many of their descendants remain in the same difficulty. A great Frenchman has above all to be *digne*—and Balzac endured many indignities.

If he is not wholly acceptable to his country, still less can he be held to represent his age, when it was that of Louis-Philippe which he so cordially detested.

Yet today the worst controversy is in literary criticism, over his place in the history of the novel and over his style. Here again he is often more appreciated abroad than in France, where literary vendettas can be Corsican in their intensity. The same sobriety which demanded a respect for the unities in the drama has imposed a similar restraint on the novel, to form a tradition of which the most accepted exponents are Choderlos de Laclos, Stendhal, Flaubert, Proust, and even Colette. Balzac might have found a place in that tradition if he had written only *Le Curé de Tours* and *Eugénie Grandet*, but the rest of his work proved how little he really belonged to it.

This tradition insists most on a certain sobriety of style, and it is for his faults of style than Balzac has most often been condemned. Certainly his language was sometimes inflated, but that could be a fault in Shakespeare, to whom all the romantic school looked for inspiration. Nor is it just to set Stendhal against Balzac, who almost alone saluted his *Chartreuse de Parme* as a masterpiece. Stendhal, neglected in his day, was astonished by the praise which, he said, he had not expected for another century when people would still be reading *Le Père Goriot*. It is true that Stendhal also maintained that Balzac's style could be pruned with advantage, and even suspected that he added romantic flourishes to it. Yet, as Professor Lukács points out, it is only Balzac's style which has romantic lapses, and Stendhal's heroes are much more romantic than his. It is even the romanticism of a Julien Sorel and a Fabrice del Dongo, their lonely defiance of the world, which has so endeared Stendhal to modern taste, as it was only his style which prevented his recognition in his own day. That Balzac himself admired it showed that his own view was more comprehensive.

Even in France, it is no longer generally maintained that Balzac wrote badly. In asserting this, M. Philippe Bertault quotes as the wisest estimate of his style the remark of Taine, that Balzac understood the spirit of the language, understood it better than anybody, but simply used it in his own manner. That this manner was not always acceptable to a particular French tradition may no more affect his position in world literature than it is necessary to be a Norwegian to appreciate Ibsen. Many of the criticisms directed against Balzac were made against Dickens in England, even when his fame was secure in the outside world.

Stefan Zweig, in comparing Balzac and Dickens, was struck by a similarity in the publics to which they appealed. There is of course a further resemblance in their creation of characters. Chesterton insisted that Dickens was really a writer of fairy tales, a creator of myths, and this is hardly less true of Balzac. From Pickwick to the Veneerings, Dickens produced immortals—men more true to themselves than ordinary mortals have time to be—yet hardly one of his women, beyond Mrs. Gamp, is among them. From Madame de Beauséant to Valérie Marneffe, Balzac created immortals, yet Goriot and Hulot are no less. His range was greater than that of Dickens, yet in spite of this and in spite of hostile criticism on his style and construction, Dickens raises less controversy than Balzac. Within certain limits, his status is unchallenged.

There were in the nineteenth century two other writers whose status is unassailed in their own country and in the world, Mark Twain and Gogol. Both were at once exceptional and central, fantastic and serious, humorists who yet embodied deep truths of their lands, as Dickens in England. If Balzac has not the same position in French literature as these three occupy in their own countries, it is largely because his fantastic and comic gifts, his power as a creator of myths, have been diminished by an insistence on his realism and his sociological value which, however useful to the historian, may prejudice the literary status of a writer.

Balzac, no less than Mark Twain, Gogol, or Dickens, was not only a fantastic writer, but as with them his fantasy and the play of his imagination were the dominant qualities. Naturally his humour was different from that of these others, as few qualities are so marked both by individual and by national traits. Humour is a matter of temperament, and it is precisely Balzac's temperament that has been obscured by undue concentration on the history and the observation of his work. If his position in literature has been hard to define, it is because this has too often been misjudged.

This problem and the discrepancies between his life and his work are simplified, once he is viewed as a writer of comedy. Even those of his contemporaries who regarded him as a buffoon and caricatured him so often had seen a part of the truth. His own acknowledgment of Rabelais as his master and his devotion to Molière disclosed more. The exuberance of his temperament appeared hardly less in the irony and satire of *La Comédie humaine* than in the humours of the *Contes drolatiques*.

When even so convinced a supporter of his realism as Professor Lukács asserts that Balzac was "the wittiest of writers," it is of interest to ask why there has not been a wider recognition of his comic genius. Emphasis on his romanticism has most obscured this, for the solemnity of the French romantic poets and their rhetoric are often associated with a gravity which excludes humour. Yet it was one of Balzac's characters who first pricked this rhetoric by declaring that Hugo had "only the sensibility of a sublime hall-porter." If Balzac himself sometimes fell into the same rhetoric, he was very different from a Hugo or even a Vigny in their lamentations over the harshness of fate, for it was the whole point of his work from *La Peau de chagrin* onwards that a man's own desires and passions constructed his destiny. This attitude, which was also Molière's, is essentially that of a writer with an eye for comedy, as it sets in relief the foibles and illusions, the postures and impostures of mankind.

That Balzac was at times intoxicated by his own rhetoric proves not that he was a romantic but simply that he was a Frenchman. Another Frenchman, Giraudoux, has noted that the French response to a great occasion is always rhetoric, and he has expressed surprise that the nation of Rabelais and Voltaire should have fallen into a neglect and even fear of satire, which punctures rhetoric. The same change in France has caused a neglect of the strong satirical elements in *La Comédie humaine,* and some have even been too occupied in smiling at Balzac himself to appreciate his comedy. So it has often escaped notice that even his rhetoric is often only an expression of his exuberance, not very different from grandiose claims put forward in his letters to women—the verve is that of a Rabelais, quite distinct from the declamation of a Hugo. It is noteworthy too that his most successful piece for the theatre was the comedy *Mercadet.*

Clearly the comedy of Balzac, based on irony and satire, was very different from the humour of Dickens, but the fact on which he so insisted—that he was writing a history of manners—forced him into comedy, one of whose definitions is the portrayal of manners. Once *La Comédie humaine* is examined with this in mind, it becomes evident how many of the shorter pieces are constructed as comedies. Of the *Scènes de la vie privée* only nine are pure comedies, such as *Un Début dans la vie, Étude de femme,* or *Une fille d'Ève,* but in the others the development is on the lines of comedy, for there is rarely in Balzac the fatality of tragedy. His characters have so much freedom to be themselves that they throw themselves into the arms of death or disaster with hardly less abandon than into the arms of their mistresses.

It is this completeness in their illusions, even when these can only bring misfortune, which to some gives a certain grimness to *La Comédie humaine*. These characters never appeal for pity, as this is not what they want—they know only too well what they want, whether this be love, entry into the salon of Madame de Beauséant, money, a new dress, their neighbours' land, or simply the discovery of the Absolute—but never pity. To a later taste, which sets a high value on "compassion," this may appear hard or even selfish in the refusal to demand a sympathy, now so readily given, for "the human condition." But Balzac's men and women have no quarrel with the human condition, as their energies are all given to quarrels with their husbands, their bankers, their neighbours, or their lovers. For this reason *La Comédie humaine* really is a comedy, not a tragedy, which requires a quarrel with the gods or with the universe.

This is where Balzac is so close to Molière, whose comedies, as that great producer of them, Louis Jouvet, pointed out, all turn on the illusions and fantasies of his characters. It is not only *Le Malade imaginaire* who lives in the imagination, for Alceste is as fantastic in his misanthropy, Harpagon in his avarice.

It is much the same with Balzac, whose Grandet is no less fantastic in his avarice, Birotteau in his dreams of grandeur, Vautrin in his schemes and disguises. Even the purest of his obsessed figures, Balthazar Claes, who pursues nothing less than the Absolute itself, betrays the comic element in his fantasy at the moment when his wife Joséphine bursts into tears at their ruin, and he says: "I have decomposed tears. They contain a little phosphate of lime, sodium chloride, mucus and water."

What is even more remarkable, it is precisely when the scene is most pathetic, when he is achieving what has all the appearances of tragedy, Balzac makes the most devastating use of his genius for comedy. The climax in his two greatest novels, *Le Père Goriot* and *La Cousine Bette,* both bear witness to this.

Goriot's final breakdown and delirium, for all its pathos, abounds in comic touches, as when he reminds God that he too has a son and has an interest in the rights of parents, when he says that he has no wish to die because it will upset his daughters, when finally he mistakes Biachon and Rastignac for them and cries, "My two angels."

So again in *La Cousine Bette,* not content with having made a comedy of the deaths of Valérie and Crevel—her coquetterie with the Almighty, his pompous claim that death will respect a mayor of Paris, the doctor rejoicing in a double autopsy—Balzac goes on to end the book with the grotesque scene of the aged Hulot fumbling with the ugly kitchen wench and being caught by his wife.

It is true that these comic touches heighten the pathos and the horror of these scenes, but it is no less true that the technique is essentially that of comedy, and it is just this which gives the effect of real life, where no moment, however dignified or terrible, can preserve a man or a woman from a sudden lapse into absurdity or the loss of an essential button or tape. In fact, Balzac's realism owes much to his comedy.

If comedy appears less in the *Scènes de la vie de province,* it is never absent and often striking, as in *L'Illustre Gaudissart* and the second part of *Illusions perdues,* which is the finest satire on journalism ever written.

So the *Scènes de la vie parisienne* include the comic misadventures of Nucingen in *Splendeurs et misères des courtisanes,* the demands of La Palferine on his mistress in *Un Prince de la Bohême,* which is almost a *Conte drolatique,* the comedy of *La Cousine Bette,* already discussed, and the last work which Balzac lived to complete, *Le Cousin Pons,* with its wonderful rhapsody on his devotion to his stomach:

> On some days Pons exclaimed, "O Sophie!" thinking of Comte Popinot's cook. A passer-by, hearing this sigh, might have thought he was dreaming of his mistress, but it was something still more precious, a fat carp, garnished with a sauce transparent to the eye, thick on the tongue.

The *Scènes de la vie de campagne* are evidently less in the spirit of comedy, but these four novels are also among the least successful. *Le Médecin de campagne* is more a treatise than a novel, *Le Lys dans la vallée* is of more interest as a tribute to Madame de Berny than as a story, and has faults of "sublimity" which was always Balzac's weakness, as comedy was his strength. *Le Curé de village* has something of both these two, while the fourth, *Les Paysans,* is a favourite only with Professor Lukács, for its economic analysis.

The *Études philosophiques* might be expected to be graver, though they begin with the fantasy of *La Peau de chagrin* and its tribute to Rabelais, while the other preternatural fantasies, such as *L'Élixir de longue vie* and *Melmoth réconcilié,* both receive comic treatment. The horror in stories such as *El Verdugo* or *Adieu* have no comic relief, but they are related to horrors in the *Contes drolatiques,* and arise from a similar exaggeration, the other wing of fantasy. It is only in such mystical works as *Séraphita* and *Louis Lambert* that "sublimity" wholly ousts fantasy, though to some *Séraphita* may seem fantastic enough. While this work is of the first importance to an understanding of Balzac in his conception of human and divine love, a certain heaviness and weakness of construction in it show the strain of a gravity unnatural to him, and explain why some, such as M. Marceau, find it out of place in *La Comédie humaine.*

It is more remarkable that the only *Études analytiques,*

a section where sobriety was to be expected, which Balzac lived to finish, *Physiologie du mariage* and *Petites misères de la vie conjugale,* one of his earliest and one of his latest works, are both witty and humorous pieces, the second being almost farcical in its account of the relations between Caroline and her Adolphe.

This element of comedy in Balzac's work has of course been acknowledged, but it has suffered eclipse by the realist and by the romantic elements, which yet owed their importance to the play of his fantasy, for even his realistic detail, the shape of his houses and of his men's noses, the material of his women's dresses and the colour of their hair, owed everything to the intensity of his hallucination. It is always the fantasists, a Breughel or a Rowlandson, who are most meticulous in their detail.

Balzac has suffered another eclipse, common to the three other writers noted above, Gogol, Mark Twain, and Dickens, who all at some time have been taken too lightly, owing both to their humour and to their popularity. Theirs is a genius which resembles an instinct, a vision which Balzac himself equated with second sight, and it finds a response in a more popular instinct. It is striking that three of these writers began their careers with journalism, while two of them, Dickens and Gogol, had a first ambition to be actors. They were all trained to express themselves in popular terms. Balzac too wanted and achieved popularity, which aroused the envy of writers in his own day, and has confused some judgements of him since. Popular literature may die in a generation, as it becomes literature only in the judgement of many generations, when that first popularity is as dead as those who applauded. Dumas too was a popular writer, and M. Claude Mauriac well expresses the formation of judgement when he speaks of a young man's realisation that Dumas was faulty even at his best, Balzac good even at his worst.

Balzac has survived that first popularity, has survived being dismissed as a romantic, only to be passed over as a realist whose work is "indispensable to the historian." It is true that he is constantly read and recommended in France, that some of the best studies and appreciations of him continue to be written there, but critics remain grudging. If asked who was France's greatest novelist, some might even answer "Balzac, alas," expressing a regret that he was not typical of the French tradition.

If Balzac's reputation today stands higher outside France than among the French, it is for this reason, that he remains a prodigy, an excessive genius, while the qualities most admired by French critics are sobriety and restraint. Conrad, so much influenced by French literature, refers to Balzac as "the Monstrous Shade." Balzac added to the offence of being a prodigy by designing his work with admirable French logic in the *Études* and *Scènes* of *La Comédie humaine*—and then outraging this orderly plan by tumbling into it all the fantasies and humours of his genius, almost as though playing a trick on the Academy which had rejected him.

Yet Rabelais, who more outrageously mocked the Sorbonne, was forgiven in the end, and it is possible than once Balzac is recognised as a fantastic genius of the same order, he too may be pardoned, even by critics in his own country.

To those whose principles and prejudices are different from those of the French, Balzac offers another problem. His fantasies may be appreciated in Germany or Switzerland, in America or in Britain, but those who come to him for the first time may be disconcerted less by his imagination or fantasy than by his darkness—for these characters of *La Comédie humaine* reveal themselves most often by night, as if they had a real preference for the dark. It is not only the country doctor who requires "shadows in the silence," and *Une Ténébreuse affaire* is only one of many dark doings. It is at night that Rastignac learns how sinister is Vautrin, how mysterious is Goriot. At night Raphael perceives the first effects of *La Peau de chagrin*. At night Grandet counts his gold. At night Nucingen sees Esther in a clearing of the wood, the central point of *Splendeurs et misères des courtisanes* (who are naturally most active at night), and it is at night that Lucien is arrested. It is at night that Montriveau kidnaps the Duchesse de Langeais, at night that he finally recovers her corpse from the convent. *Les Chouans* wage warfare by night, yet the Hulot of *La Cousine Bette* also campaigns by night until the final skirmish in the dark attic. Even *L'Envers de l'histoire contemporaine*, which meditates on works of devotion, opens in dark corners and stairways. Only *Séraphita* gives an impression of light . . . set in Norway nearer to the midnight sun.

It is not clear how much this darkness belongs to the high proportion of journalists, countesses, dandies, courtesans, criminals, and lovers in *La Comédie humaine*, all of whom are most occupied after dark, how much to the darkness of the old city of Paris at that period, how much to the emanation of all from the mind of Balzac who worked throughout the night. But no frequenter of *La Comédie humaine* can remain insensible to this darkness, which some interpret as the grimness of tragedy.

This is surely to misconstrue what is simply a physical phenomenon, the falling of night, no more tragic than a sunset. It is very different from the moral darkness of Dostoevski, in which men grope for things outside this world. Balzac's men and women are released by the coming of the dark to follow their own fantasies, to be themselves—as are all after the labours of the day—and the darkness simply gives that sharper relief and sense of mystery which belongs even to the buildings of the night. Yet this darkness was uncongenial to the French mind, which has attached an almost moral value to clarity, and this again shows that Balzac, like his master Rabelais, was less a Latin than a Gothic genius.

Yet there is nothing obscure in the desires and motives of his characters. Even the most impenetrable of them, Vautrin, is very clear as to what he demands of life. The women and men of *La Comédie humaine* devote themselves with passion to their human or divine loves, never resting until they have achieved the object of their desires. But it is just here that they seem to pass into a worse darkness, for here so many of them end in death, Birotteau after the party to celebrate his discharge from bankruptcy, Claes at the very moment when he thinks he has discovered the Absolute, Louise Gaston when her suspicions of her husband have been disproved, Facino Cane when the Doges' treasure awaits him, Louis Lambert when he is at last united to his Pauline—and even Vautrin is cheated of his ambition, for nothing is more frustrating to a great criminal than to become chief of police.

These deaths and frustrations, which at first sight seem to darken the pages of Balzac, are really no different from the physical darkness, for they too give a sharper relief and outline to these figures of the night. It is remarkable how satisfying are Balzac's endings despite this darkness, while Dickens's "happy endings" are often disappointing, for it is not easy to believe in Micawber as an Australian magistrate or even in the geniality of Scrooge. Dickens, the "indulgent father," could direct harsh blows at his children, but had to spoil them in the end, yet they remain immortals because they are incapable of change. Because Balzac's men and women achieve their own destinies and fulfil their own illusions, they reach a different sort of satisfaction, that of having their own way.

The men of Dickens may appear more fantastic because they pretend more, claiming to be what they are not, as so many of them from Chadband to Pecksniff or Podsnap to Skimpole are hypocrites—even the congenial optimism of a Micawber or a Mark Tapley can only be taken in "a Pickwickian sense," as a pretence. Yet these pretences are very human, based on a recognition of human foibles. Balzac's men and women are not hypocrites; they are terribly and persistently themselves, never abandoning their obsessions and their desires, which are their inner substance. It is this implacable persistence in their identity which makes them fantastic, this tense and constant exercise of their freedom, their choice. Most men and women have neither the strength nor the desire to be themselves at every moment of the day and night, but relapse into weakness or hypocrisy. The strain is too much, and a "character" is as rare as a great man. But in this sense all Balzac's figures are great men. As Baudelaire noted, even the least of his characters have genius.

This is why more of Dickens's characters have become household words, because they represent foibles and hypocrisies still daily encountered. But the figure of a Goriot, a Gobseck, or a Vautrin is too great for that—an ordinary father could no more be compared to a Goriot than to a King Lear. The scale is too great. It is not only the duchesses and countesses of Balzac who are not met in the street, but the de Marsays and the Bianchons, for the politicians and doctors of real life are more ordinary. In fact the duchesses may be more familiar, for they have more in them of the feminine which is eternal.

Because the blood of their exuberant creator was in them, these fantastic creatures could enjoy their freedom, devoting the same passion to their griefs and losses as to their joys. Even their deaths are on a par with their lives, because they are never false. The deaths of Paul Dombey and little Nell are in every sense unhappy, because they have been murdered by their father Dickens to indulge an emotion. Dickens has intervened. Balzac lets his characters go their own way, and if he intervenes to comment, it is on their behalf, not on his own.

This freedom of his characters gives an energy, even a gaiety to his work just at those sombre moments when Dickens is most depressing. The joys of Dickens are in his immortals from Pickwick to Sapsea, best preserved from the real world. But it was in the real world that Balzac's men and women were most at liberty. This has given him a reputation for realism, but there was an important distinction between these men and women and those of novelists who came after him from Turgenev or Flaubert to Henry James or Conrad, in none of whom could the freedom of his fantasy survive. In the language of modern criticism, all these may be described as better writers than Balzac, but their men and women were kept strictly under control. Turgenev's exquisite love stories could only end sadly, Flaubert's Emma Bovary could only be frustrated, the Lambert Strether of Henry James had too fine a conscience for the happiness Maria Gostrey offered him in Paris, Conrad's Lord Jim had no better chance. The same doom hung over all of them. They have the harsh fate of conscripts beside Balzac's volunteers.

Whether the doom was real or literary, whether it was a change in the world or in the style of novelists, the effect remains the same on the men and women presented. Those of Balzac have a unique liberty. If they ruin themselves, kill themselves, or debauch themselves, it is by their own choice, not because "life is against them." Life is what they have inside themselves, their own vigorous freedom. They are in fact volunteers, because they act only by their own powerful will—according to that Treatise on the Will which Louis Lambert had first composed as a boy.

This is the central point in Balzac, this emphasis on the freedom of the will. If his men and women are fantastic or exaggerated, it is because they have this power to be themselves at every moment, at every moment using this freedom which raises them to their seraphic heavens or drives them to their chosen hells. In the history of the novel it is something almost as extraordinary as the appearance of Shakespeare in the history of the drama, and may explain why some consider later novelists with the same qualified approval as is given to dramatists after Shakespeare. For a Goriot is quite as fantastic, if less magnificent, than a Lear. In Balzac, only less than in Shakespeare, an apparent tragedy has all the vitality and exuberance of a comedy.

To some, this energy in Balzac's men and women may appear a shameful lack of discipline, to others, an absurd optimism, but it has something at least of that elemental force which appears in all beginnings, in youth or in the renewal of life at the dawn. It is that primitive desire for expression which leads children and savages to dress up, and it spreads joy over Balzac's darkest pages, because he is obviously enjoying himself, like a child, even more in the horrors than at the parties.

Evidently this is not enough—Balzac also had a powerful intelligence, he had acquired skill as a writer, he corrected incessantly, but that more primitive impulse sometimes showed through even in his most considered pages, and it is on the reaction to this that a judgement on Balzac is usually based. Some critics are shocked by this as others are by nakedness, while some find a childish quality to jar on their sophistication. Later writers have shown a greater art in removing the original source of their inspiration from their work, sometimes to a point where it is possible to doubt whether it ever existed. The gain in smoothness of texture, even in conviction, usually goes with a loss of vitality. If a writer withdraws too much from his work, he may leave it high, but very dry. Balzac's presence in his brings more exasperation than dullness.

To some, exuberance is a quality objectionable in itself. Only those who find it attractive will remain long with Balzac. Others may read, but will not become habitual readers of *La Comédie humaine,* for ultimately its author is less the real—or realistic—Balzac than the Lord R'hoone which was the fantastic anagram he selected for an early work, following his master François Rabelais who signed himself Maistre Alcofribas Nasier.

A fragment left by Balzac at his death, *Une Heure de ma vie,* only recently published, is written by Lord R'hoone in the first person, a man "unfortunately like all others," whose "thoughts and habits have resemblance to those of other men." He considered that an hour of his life "might make a story. . . ." That project was one laid aside, but in every story that he later wrote he was really the first person, because his whole technique was to develop all characters from their own point of view. It is a dramatic technique, and if Lord R'hoone was "like all others," it was as Hazlitt said of Shakespeare that he was like any other man, except that he was like all other men. What the dramatist achieves with the monologue, Balzac did by placing himself inside the character, sharing and expressing his or her tastes and prejudices.

This produced his emphasis on the importance of everything, every detail, every street, every window, every chair, which comes second only to his emphasis on the will. This arises simply because to a man, even more to a woman, no external of dress or home is unimportant. Balzac emphasizes these things not from any belief in the value of realism but from his certainty of their value to the man or woman he is impersonating. He lingered over their furniture or their ornaments because he was, for the moment, touching them with their hands. The details were important to him as they are to the child who has to do exactly what her mother does, exactly what the doctor is seen to do . . . so was Balzac with Renée de l'Estorade or with Bianchon.

It is this, much more than any sensation or intrigue, which creates the vitality of *La Comédie humaine,* for everything is important as even a shoe is important to the person who has to wear it. As Balzac wrote of these things, they also became important to himself. He began to dress like the dandies he described, to conduct romantic affairs with the countesses of his novels, finally after all his descriptions of furniture to develop his bric-à-bracomania, and to prepare a pavillion in the rue Fortunée for his Polish countess.

Here at last the fantasy and reality merged completely, for in 1850 he actually married Eveline Hanska, and seriously ill though he was, they made the terrible journey from the Ukraine to Paris, which for him, Napoleonic to the end, was almost as disastrous as the Retreat from Moscow. But it was not until they reached Paris that life really showed how Balzacian it could be, for the manservant left in charge of the splendid house had gone mad, and when a locksmith opened the door, was found crouched gibbering in a corner.

Balzac's condition was aggravated by gangrene—he had grazed his leg against a piece of his beloved furniture—and five months after his marriage he was dead. In that last joy his *peau de chagrin* had dwindled to nothing.

He was buried in the cemetery of Père Lachaise, where Goriot had been put a generation before him.

If life is fantastic, as his certainly was, then *La Comédie humaine* is a faithful transcription of life. If life is dull, its truth has to be found in the work of others. Balzac's is at least based on two great requirements of civilisation, the freedom of men to make what they will of their lives, and the importance of everything they touch, everything they believe, everything they love as they hurry on their way towards death.

Note on Sources

Any Balzac bibliography, even the most modest, is not only beyond the limits of an appendix but would fill a book very much longer than this. The great work to consult is:

W. H. Royce. *A Balzac Bibliography*. Chicago. First ed. 1929.

Of works by Balzac's contemporaries, the most useful are the memoirs of his sister Laure de Surville, Lamartine, Gautier, and Hugo's *Choses Vues*.

Below is a short list of works referred to in the text:

Béguin, Albert. *Balzac Visionnaire*. Skira. Geneva. 1946.

Bertault, Philippe. *Balzac. L'Homme et l'œuvre*. Hatier-Boivin. Paris. 1946.

Bouteron, Marcel (ed.). Balzac: *La Comédie humaine*. 10 vols. La Pléiade. N. R. F. Paris. 1935.

Hunt, Herbert J. *Balzac's Comédie humaine*. University of London. 1959.

INDEX

INDEX